Dierbaar

LINN ULLMANN

Dierbaar

ROMAN

vertaald door
LUCY PIJTTERSEN

De Bezige Bij Antwerpen

Jenny Brodal had meer dan twintig jaar geen druppel gedronken. Ze maakte een fles rode wijn open en schonk zichzelf een groot glas in. Ze had gedroomd van de warmte die haar ingewanden binnenspoelde, van de tinteling in haar vingertoppen. Het viel tegen, maar ze nam nog een slok, ja, ze dronk het glas leeg en rilde. Ze had nooit nooit gezegd! Ze had altijd bij de dag geleefd, *één dag tegelijk*, en nooit, nóóit, nooit gezegd. Ze zat op de rand van het bed, feestelijk opgemaakt en aangekleed, met uitzondering van de dikke grijze wollen sokken die Irma had gebreid. Haar voeten waren altijd ijskoud. Iets met haar bloedsomloop. En ze waren ook nog opgezwollen. Jenny zag ertegenop om ze in de smalle, hooggehakte sandalen te wurmen. Nectarinekleurig, uit de jaren zestig. Ze schonk zich nog een glas in. Het was zaak de wijn helemaal tot in haar tenen te laten doordringen. Ze had nooit nooit gezegd. Eén dag tegelijk, dat had ze gezegd. Ze probeerde te bedenken waarom ze zich tegen dit feest had verzet, tegen deze viering. Ze kwam overeind en draaide zich om voor de spiegel. De zwarte jurk sloot perfect om haar borsten. Zo dadelijk zou ze de dikke wollen sokken uittrekken en de sandalen aandoen.

Het was vijftien juli 2008 en Jenny werd vijfenzeventig. Mailund, het grote witte huis waarin ze na de oorlog was opgegroeid nadat haar ouders haar uit de door brand verwoeste stad Molde hadden meegenomen, stond vol bloemen. Ze had er bijna haar hele leven gewoond, in voor- en tegenspoed, en nu waren zevenenveertig in zomerkleding gehulde gasten op weg om haar verjaardag te vieren.

Mille, of wat er van haar over was, werd gevonden door Simen en twee vriendjes van hem die in het bos een schat wilden opgraven. Ze beseften niet wat ze hadden gevonden, maar ze hadden wel door dat het geen schat was. Het was het tegenovergestelde van een schat. Later, toen ze aan de politie en aan hun ouders moesten uitleggen waarom ze in het bos waren geweest, kreeg Simen het er moeilijk mee. Waarom waren ze op die ene open plek gaan graven, bij die ene boom? En wat zochten ze eigenlijk?

Twee jaar eerder had iedereen, volwassenen en kinderen, naar Mille gezocht. Iedereen die in het kleine kustplaatsje op zomervakantie was, alle vaste bewoners, de politie, haar ouders, iedereen die over haar in de krant schreef en op tv over haar praatte, had naar Mille gezocht. In het water en op het land, in greppels en geulen, in de duinen bij Tangen en in het onherbergzame rotsachtige gebied ten noorden van de dorpskern, in de ruïne achter de oude school en in het onbewoonde, bouwvallige huis aan het eind van de Bragevei waar het gras tot aan de ramen stond en geen kind mocht komen. Milles ouders hadden elke meter van het dorp afgezocht, ze waren van de ene schipperswoning naar de andere gelopen en van de ene winkel naar de andere om Milles foto te laten zien, ze hadden posters op de deur van de supermarkt geplakt, op de deur van de uitgaansgelegenheid Bellini, op de deur van de boekwinkel die ooit bij alle bibliofielen in het land bekend had gestaan om de uitstekende collectie buitenlandse literatuur (dat was in de periode dat Jenny Brodal er de scepter zwaaide), op de deur van Pizzeria Palermo en op de deur van de oude bakkerij die in de zomermaanden het onderkomen vormde van het pasgeopende visrestaurant *Gloucester MA*, maar dat iedereen gewoon de oude bakkerij noemde omdat Gloucester zo'n lastig woord was om uit te spreken. De oude bakkerij lag op de afsplitsing van de weg naar het landhuis Mailund, de lange weg die zich langs rotsen, bossen en de zomerhuizen slingerde, het ene nog lelijker dan het andere.

Iedereen had naar Mille gezocht, zelfs de jongen die ze KB noemden en die later was gearresteerd op verdenking haar te hebben vermoord, maar ze bleef twee jaar lang onder een boom begraven liggen zonder dat iemand haar vond, toegedekt met aarde, gras en mos, takken en stenen, en zelf bijna in aarde veranderd, afgezien van haar schedel en botresten, beenderen, tanden, haar dunne armbanden en het lange donkere haar, dat nu niet meer lang en donker was maar dun en verschoten, alsof het met wortel en al uit de kuil was getrokken.

Tijdens de zomer dat Mille was verdwenen, dacht Simen dat hij haar overal tegenkwam. Zij was het gezicht in de etalage, het hoofd in de golven, het lange donkere haar van een onbekende vrouw dat golfde in de wind, en ze was mama's rode jurk. Iedereen had het over haar, iedereen vroeg zich af wat met haar was gebeurd. Ooit had Mille echt bestaan, ooit had ze Simen aangekeken en gelachen. Ooit had ze Mille geheten, maar op een gegeven moment was ze in de mist verdwenen. De spades waren echt. De fietsen waren echt. De kuil waar ze in lag was echt. Maar Mille was niet echt. Mille was een waas van nacht en vorst dat af en toe door hem heen trok en zijn vreugde met zich meenam.

Simen was haar niet vergeten. Hij dacht aan haar als hij niet kon slapen of wanneer de herfst naderde en de lucht naar kruit rook en naar natte, verlepte bladeren, maar het was nu al een hele tijd geleden dat hij aan haar had gedacht.

Simen was de jongste van de drie. De andere twee jongens heetten Gunnar en Ole Kristian. Het was een zaterdag, eind oktober 2010, en de vrienden brachten voor de laatste keer dat jaar samen een weekend door. De vakantiehuizen waren in de winter gesloten en het kleine kustplaatsje dat een paar uur rijden ten zuiden van Oslo lag, zou zich weldra weer in zijn eigen duisternis terugtrekken. Het was middag en al aan het schemeren en de jongens hadden besloten om de schat die ze een paar maanden geleden hadden begraven, weer op te graven. Gunnar en Ole Kristian zagen het nut er niet van in om die tot in de eeuwigheid in de grond te laten zitten. Simen was het daar niet mee eens. Dat was nou juist de grap, vond hij, dat maakte het tot een schat, dat die voor iedereen, behalve voor hen, verborgen was, in de grond was de schat duizendmaal meer waard dan boven de grond. Hij kon niet uitleggen waarom, hij wist alleen dat het zo was. Maar Gunnar en Ole Kristian begrepen geen van beiden waar Simen het over had en eerlijk gezegd vonden ze dat Simen maar wat zat te bazelen, zij wilden allebei de inhoud van de schat terug, hún bijdrage daaraan, de schat als zodanig interesseerde hun niet en ten slotte zei Simen dat het wat hem betreft in orde was, het maakte hem niet uit, en ze konden er net zo goed meteen op uit trekken om de hele rotzooi op te graven.

Het verhaal van Simen en de schat begon een paar maanden eerder, in augustus, toen Gunnar, de oudste van de drie, voorstelde om hun bloed te mengen. De zomer liep ten einde, de avond was warm en rood en alles bloeide net wat intenser dan anders, zoals altijd wanneer het bijna afgelopen is. Binnenkort zouden ze afscheid nemen van elkaar en terugkeren naar hun eigen huis, waar ze normaal gesproken woonden, terug naar de herfst, de school, de voetbalclub en de andere vrienden.

Gunnar had het initiatief genomen en gezegd: 'Bloed mengen is het symbool van eeuwige vriendschap.'

De andere twee hadden er wat omheen gedraaid, het vooruitzicht om met een scherf van een kapotgeslagen flesje frisdrank een snee in hun handpalm te maken was niet bepaald aanlokkelijk, het zou ontzettend pijn doen en dat wilde je jezelf niet aandoen, zelfs niet omwille van eeuwige vriendschap, en ook al was je meestal aan het voetballen, waar je vooral je benen bij gebruikte, je handen waren toch ook belangrijk, die had je nodig voor veel verschillende dingen, zonder bloederige schrammen en wonden, maar hoe kon je dat aan Gunnar uitleggen zonder voor laf en kinderachtig te worden uitgemaakt, en zonder al het mooie kapot te maken?

Ze zaten voor de geheime hut in het bos, die ze het vorige jaar samen hadden gebouwd. Ze hadden een kampvuur gemaakt en worstjes geroosterd, chips gegeten en cola gedronken, alle drie waren ze fan van Liverpool, dus het gesprek ging als vanzelf, ze hadden ook gezongen, want omdat niemand hen daar kon horen stonden ze niet voor paal, *Walk on, walk on with hope in your heart*, en Simen had gedacht dat als je dat lied zong, je echt het gevoel had dat het leven op het punt stond te beginnen. Maar toen was Gunnar, typisch iets voor hem, erover begonnen dat elke zomer met elkaar doorbrengen nog niet automatisch betekende dat je ook échte vrienden was. Echte vrienden die er voor elkaar waren, door dik en dun. Gunnar kende een knaap die jarenlang fan van Liverpool was geweest maar opeens voor Manchester United was, alleen maar omdat zijn nieuwe buurman daar fan van was. Wat moest je met zo iemand? Was dát nou een echte vriend? En plotseling was Gunnar gaan raaskallen over bloed en pijn en echte vriendschap en andere dingen waar hij kennelijk de hele zomer over had nagedacht, en het mondde uit in het voorstel om elkaars bloed te mengen. Hij had het helemaal voorbereid, een echt plan uitgedacht, en dat was ook weer typisch Gunnar. De glasscherven lagen netjes ingepakt in zilverpapier, de fles had hij thuis in de achtertuin kapotgeslagen en de scherven vervolgens met afwasmiddel schoongemaakt, want, zei Gunnar, als je met een vieze scherf in je hand snijdt, kun je bloedvergiftiging krijgen en doodgaan, en hij legde het kleine bobbelige pakje tussen hen in en vouwde het zilverpapier voorzichtig open alsof er diamanten in zaten, of schorpioenen. Op dat moment kwam Ole Kristian, de snelste denker van de drie, op het idee om als alternatief een schat te begraven, als symbool voor eeuwige, echte en waarachtige vriendschap. 's Zomers en 's winters. Door dik en dun. Alle drie moesten ze één ding bijdragen en dat ene ding moest waardevol zijn. Een schat in plaats van bloed mengen. Dat was de afspraak.

In het tuinhuisje van de ouders van Ole Kristian stond een lichtblauwe melkbus met deksel die zijn moeder jaren geleden in een winkel voor tweedehands spullen had gekocht. De bus zat vol deuken en was voorzien van verbleekte handgeschilderde afbeeldingen van koeien en mooie melkmeisjes; aan de ene kant van de bus stond in het Engels: *Milk – nature's most nearly perfect food*. De vader van Ole Kristian was de hele dag chagrijnig geweest omdat zijn moeder bijna vierhonderd kronen had uitgegeven aan zoiets belachelijks als een oude melkbus. Toen was de moeder van Ole Kristian nog chagrijniger geworden en ze had gezegd dat als zijn vader nou eindelijk eens het terras bij de slaapkamer zou maken (wat hij een eeuwigheid geleden had beloofd), zij het zou aankleden met kistjes, kruiken, klimrozen, kussens en kleden. Het zou hun eigen

Italiaanse veranda worden, had ze gezegd. De melkbus maakte deel uit van haar plan en als het terras eenmaal klaar was, zou ze de bus vullen met veldbloemen. Maar er kwam geen terras, dat jaar niet en ook het jaar daarop niet en nu stond de bus achter in het tuinhuisje, half verstopt achter een kapotte grasmaaier. Die melkbus kon hun schatkist zijn, zei Ole Kristian.

(De grap van het begraven van een schat was dat je hem nooit meer opgroef. Nooit. Je wist dat hij bestond. Je wist waar hij was. Je wist hoeveel hij waard was en hoeveel je had moeten opofferen toen je de keus maakte hem te begraven en er daarna nooit meer naar om te kijken. En je kon er met niemand over praten.)

Maar Ole Kristian moest ook iets ín de melkbus stoppen, vond Simen, en Gunnar was het daarmee eens. Had Ole Kristian niet onlangs tweehonderdvijftig kronen van zijn oma gekregen? Daar moest hij in elk geval tweehonderd van kunnen afstaan. Het geld (als het biljetten waren) kon in een plastic zak gestopt worden, dan zou het niet vergaan. Ole Kristian wilde het geld niet geven, ook al was de schat zijn idee en had hij gezegd dat ieders bijdrage een bepaalde waarde moest hebben, dat je echt iets moest opofferen. Maar zowel Simen als Gunnar vond dat de melkbus niet voldoende was. Dat was geen offer! De melkbus was geen deel van de schat, de melkbus was het omhulsel van de schat. Het was alleen geen kist, maar een bus. Eerlijk gezegd (dit was in zekere zin nu eenmaal het uur van de waarheid, merkte Gunnar op) bezat Ole Kristian behalve het geld van zijn oma verder niets van waarde.

Hij moest er wat voor overhebben.

Wat Gunnar betrof, over zijn bijdrage was geen twijfel mogelijk. Simen en Ole Kristian waren het daar roerend over eens. Gunnar moest zijn handtekeningenboek van Liverpool afstaan.

Een paar maanden geleden was Gunnar samen met zijn grote broer van tweeëntwintig naar Liverpool geweest. Ze waren daar een heel weekend gebleven, hadden in een hotel geslapen en een Premier Leaguewedstrijd gezien tussen Liverpool en Tottenham (de grote broer van Gunnar was geen echte grote broer, ook al had Gunnar altijd de mond vol van zijn grote broer dit en zijn grote broer dat; het was zijn grote *halfbroer*, hij was de zoon van Gunnars vader, niet van zijn moeder, en eigenlijk zag Gunnar hem helemaal niet zo vaak). In het handtekeningenboek hadden onder andere Steven Gerrard, Fernando Torres, Xabi Alonso en Jamie Carragher hun handtekening gezet en achter in het boek was een foto geplakt waarop Gunnar samen met zijn grote broer voor Anfield Road stond, allebei met een sjaal van Liverpool om de hals. De grote broer van meer dan één meter negentig lang, met lange bruine lokken en brede schouders. Naast hem leek Gunnar een langpootmug en onder de foto stond met blauwe balpeninkt geschreven: *Voor het tofste kleine broertje van de wereld, van Morten.*

Simen wist dat Gunnar het handtekeningenboek eigenlijk niet in de bus wilde stoppen. De tweehonderdvijftig kronen van Ole Kristian waren één ding. Gunnars handtekeningenboek van Liverpool was iets heel anders, dat zou steken. Ole Kristian kreeg vrij vaak geld van zijn oma, maar hoe vaak kwam het voor dat de grote broer van Gunnar (ook al was het dan niet echt zijn grote broer) hem meenam naar Liverpool? En het kwam ook niet vaak voor dat je de handtekeningen kreeg van Steven Gerrard, Fernando Torres, Xabi Alonso en Jamie Carragher. Gunnar, de meest schriele van hen drieën, was bijna in tranen uitgebarsten toen hij de andere twee beloofde zijn handtekeningenboek af te staan.

Toen dat was afgehandeld, fluisterde Simen: 'Ik weet wat ik in de bus zal stoppen.'

Alleen hij moest nog. De lucht was gaan betrekken en Simen wilde Gunnar en Ole Kristian bewijzen dat ook hij bereid was iets op te offeren.

De moeder van Simen had een sieraad, een kruisje gemaakt van diamanten. Ze had het tweeënhalf jaar geleden met Kerstmis gekregen van zijn vader. Simen was zelf mee geweest naar de juwelier om het te kopen en haast in katzwijm gevallen toen hij hoorde hoeveel duizend kronen het kostte. De bedoeling was dat het kruisje ook een beetje zíjn cadeautje was en dat zijn moeder er echt blij mee zou zijn. Maar hij wist niet zeker of het had gewerkt, zo veel duizend kronen betalen om zijn moeder echt blij te maken. Mama was na Kerstmis dezelfde als daarvoor. Zo veel duizendjes voor zo'n klein sieraad. Simen had zich afgevraagd of hij zijn vader zou vragen of het dat wel waard was geweest. Maar hij liet het zitten. En nu had hij een ander idee gekregen.

Elke avond voor mama naar bed ging, deed ze het kruisje af en legde het in een blauw bakje op de badkamer. Hij hoefde alleen maar te wachten tot iedereen sliep; een fluitje van een cent. Niemand zou hem verdenken. Simen was geen jongen die pikte. Mama zou verdrietig zijn, ze zou het hele huis op zijn kop zetten om het te vinden, maar ze zou hem nooit verdenken.

Gunnar en Ole Kristian keken elkaar aan en vervolgens keken ze naar Simen.

'Hoeveel heeft het precies gekost?' vroeg Ole Kristian.

'Heel veel duizend kronen. Zeventien of zo.'

'Dat kan niet', zei Ole Kristian.

'Als het echte diamanten zijn,' zei Gunnar, 'dan wel hoor.'

Ole Kristian dacht na.

'Oké,' zei hij terwijl hij zijn blik op Simen richtte, 'dan regel jij het sieraad.'

De volgende avond hadden ze het hele bos afgeschuimd, om het hardst over de kleine, slingerende bospaadjes onder de lichtdoorlatende boomtoppen gefietst om de perfecte plek te vinden voor het begraven van de melkbus. Ze fietsten langs het groene ven waar vele jaren geleden twee kinderen waren verdronken. Alma, het buurmeisje dat in Mailund woonde, had Simen van die verdrinkingsgevallen verteld. Alma was een paar jaar ouder dan Simen en kreeg af en toe geld van Simens moeder om een paar uur op hem te passen. Nu niet meer. Nu paste hij op zichzelf. Maar vroeger, toen hij klein was. Vijf, zes, zeven, acht jaar. Nu was hij elf. Als Simen groot was en zelf kinderen had, zou hij nooit, maar dan ook nooit van zijn leven geld betalen om iemand als Alma op hen te laten passen. Hij zou zijn kinderen sowieso niet aan Alma toevertrouwen, zelfs niet voor niets. Ze was raar, had een donkere oogopslag en vertelde verhalen, sommige waar, andere niet waar, en hij kon nooit zeggen wat wat was. Het verhaal over de kinderen die in het groene ven waren verdronken was waar, dacht hij. De jongen was verdronken terwijl het meisje had staan toekijken en toen was de moeder van de twee kinderen zo van streek geraakt dat ze het meisje ook had verdronken.

'Ze hield natuurlijk meer van haar zoon dan van haar dochter', zei Alma.

Alma en Simen hadden in het gras over het zomerwarme water zitten uitkijken terwijl ze allebei een stuk appeltaart en een plastic beker met rode limonade bij zich hadden. De moeder van Alma had hun dat meegegeven als lunch, maar Alma hield niet van rode limonade en goot die weg in het ven. De moeder van Alma, die Siri heette, aaide hem altijd over zijn hoofd en zei dan: '*Hallo Simen, hoe gaat het vandaag met je?*'

Alma zei: 'Het jongetje viel in het water en verdronk terwijl zijn zusje gewoon stond toe te kijken, en toen het meisje thuiskwam zonder haar kleine broertje, raakte de moeder zo van streek dat ze zich geen raad wist. Ze huilde aan één stuk door en vanwege al die tranen kon niemand in het huis blijven. Het meisje hield haar handen tegen haar oren en huilde ook. Maar dat liet haar moeder koud. Of misschien liet het haar niet koud, maar hoorde ze het niet. En op een avond werd de moeder helemaal stil. Het meisje werd toen ook helemaal stil.'

'Wat gebeurde er,' vroeg Simen, 'werd de moeder weer vrolijk en hield ze op met huilen?'

Alma dacht na.

'Nee, niet precies', zei ze. 'De moeder nam het meisje mee naar het grote tweepersoonsbed, ze las haar voor en zong liedjes voor haar, ze kietelde haar in de nek, woelde door haar haren en zei: "Ik hou zo veel van jou, kleine... kleine..."'

Alma zocht naar het goede woord.

'...kleine zanglijster', stelde Simen voor, omdat zijn moeder hem zo noemde.

'Ja, kleine zanglijster. "*Ik hou zo van jou, kleine zanglijster*", zei de moeder tegen het meisje. Toen stapte ze uit bed, ze liep naar de keuken en maakte een grote beker warme chocolademelk voor haar, dat vond het kleine meisje het allerlekkerste.'

Alma keek Simen aan. Hij was acht jaar toen ze bij het groene ven in het bos appeltaart zaten te eten.

'Dat zegt jouw moeder hè? Jouw moeder noemt jou kleine zanglijster.'

Simen gaf geen antwoord.

'Waarom noemt ze je kleine zanglijster?'

'Weet ik niet', zei Simen, die er spijt van had dat hij het aan Alma had verteld. Hij wilde Alma eigenlijk helemaal niets vertellen en zeker niet dat. Hij wilde haar niets meer vertellen. Hij wilde niet zeggen: *Omdat mama elke avond voordat ze me een goedenachtkus geeft tegen me fluistert: Wat zal ik nog voor je gaan zingen? En dan fluister ik terug: Ik wil dat je 'Kleine zanglijster zingt'. Alle coupletten!*

Dat doen we al jarenlang, elke avond, en daarom noemt mama me kleine zanglijster.

Alma draaide zich om naar het ven en ging door met haar verhaal.

'En toen de moeder de warme chocolademelk had gemaakt, deed ze er een slaapmiddel in. Zonder smaak. Zonder kleur. Dat bestaat, weet je, een slaapmiddel dat je niet ontdekt als je het opdrinkt! Je weet maar nooit. Het kan elk moment gebeuren. Het kan jou ook overkomen. Je moeder kan een slaapmiddel in je warme chocolademelk doen zonder dat je er ook maar iets van merkt.'

'Hou op', zei Simen.

'Hou zelf op', zei Alma. 'Ik vertel je alleen maar wat er kán gebeuren. Dat is de harde realiteit van het leven.'

'Hou nou op', herhaalde Simen.

'En toen het meisje de chocolademelk had opgedronken,' vertelde Alma verder, 'viel ze in het bed van haar moeder in slaap. Het was een heel diepe slaap. Haar moeder hield haar oor tegen de mond van het meisje om naar haar ademhaling te luisteren en toen ze er zeker van was dat het meisje niet wakker zou worden, tilde ze haar op en droeg haar in haar armen naar het bos, naar het ven, en gooide haar in het water.'

'Dat geloof ik niet', zei Simen.

'Dat komt omdat je nog klein bent', zei Alma, 'en omdat je niet weet wat moeders doen als ze niet kunnen ophouden met huilen. De moeder van het meisje kon niet ophouden met huilen.'

Het was nu al jaren geleden dat Alma op Simen had gepast en hem het verhaal had verteld over de jongen en het meisje die in het ven waren verdronken, en ook al geloofde hij het verhaal niet helemaal, hij vond het toch niet prettig om daar te gaan zwemmen. Daarom zwom hij liever in zee. Hij wilde niet in het groene water zwemmen terwijl de jongen en het meisje in zijn gedachten in waterlelies waren veranderd, hem zouden vastgrijpen en mee naar de diepte sleuren.

Simen fietste langs het ven waar hij samen met Alma had gezeten toen hij klein was, en dacht: *ik ken dit bos op mijn duimpje.*

De schat zat in de lichtblauwe melkbus die was vastgebonden aan het stuur van Ole Kristians fiets. De inhoud van de schat: bankbiljetten ter waarde van tweehonderd kronen, een diamanten kruisje ter waarde van zeventienduizend kronen en een handtekeningenboek van Liverpool. Uit Gunnars rugzak stak een spade. Simen had een fietstas geleend en daar de andere spade in gestopt. Drie jongens, dun als potloodstrepen, in volle vaart op weg naar het donkergroene bos om de perfecte bergplaats te vinden.

Het bos opende zich en sloot zich weer, nam hen in zich op en vouwde zich om hen heen en plotseling hield Simen halt en riep: 'Kijk daar! Onder die boom!' Ze waren bij een open plek in het bos aangekomen en aan de rand ervan lagen dikke stenen die op de letter S leken, als in Schat of Simen of Bill Shankly, en midden op de open plek stond een boom die zijn takken uitstrekte tot in de hemel alsof hij juichte voor elk doelpunt dat Liverpool sinds 1892 had gescoord.

Maar in de herfst zag alles er anders uit. Niets klopte meer. Het regende, het was koud en donker en je moest een muts, een sjaal en een dikke trui aanhebben en een zaklamp bij je dragen, het bos zweeg, het was dicht en stil, en er waren geen lichte open plekken met dikke stenen die de letter S vormden of bomen die juichten.

Maar ze vonden een open plek en ook een boom die een beetje leek op de boom van die zomer.

Ole Kristian wist heel zeker dat dit de goede plek was, hij herkende het, zei hij. Simen keek naar de boom die zijn bijna naakte takken naar de nachthemel uitstrekte. Nooit van mijn leven, dacht hij. Die boom leek er niet eens op. Die boom deed denken aan een stokoude man die zijn gebalde vuisten ophief en zo boos was dat hij wilde sterven. En niet alleen omdat hij al zijn bladeren was kwijtgeraakt. Die boom was belazerd.

Maar hij zei niets tegen de anderen. Ze waren nu al tijden de verkeerde kant op gefietst. Hij wist bijna zeker dat ze de verkeerde kant op waren gefietst en dat dit niet de goede plek was. Maar als hij zich vergiste en Ole Kristian gelijk had en de schat inderdaad onder die boom lag, moest hij het diamanten kruisje dan terugleggen in het blauwe bakje op de badkamer of het zelf houden en het misschien met de hulp van een vriend proberen te verkopen? Met zeventienduizend kronen kon je een heel eind komen. Hij zag zijn moeder voor zich in de tuin van het vakantiehuis, ze droeg een rode jurk en had lang donker haar en donkere ogen, en ze glimlachte naar hem zoals ze altijd lachte wanneer ze deed alsof ze geen ruzie met papa had gehad.

Ze staken de spades in de grond.

'Gelukkig heeft het nog niet gevroren,' zei Ole Kristian, 'dan had het helemaal niet gekund.'

'Hier moet het zijn,' zei Gunnar, 'je kunt zien dat hier eerder is gegraven.'

'Maar de grap was toch dat we hem nooit zouden opgraven', begon Simen weer.

'Hoezo was dat de grap, van wie dan?' vroeg Ole Kristian.

'De schat was toch jouw idee?' zei Simen.

'Houden jullie nou je kop en ga graven', zei Gunnar.

De jongens groeven zwijgend verder. Het was nu volkomen donker geworden en om de beurt groeven ze en hielden ze de zaklamp vast.

Geen van hen besefte dat het Mille was die daar lag, toen ze moe en buiten adem de lamp op haar richtten. Het graf leek op een vogelnest, een groot, ondergronds vogelnest van takken en botten, huid en stro, gras en textiel, en eerst dacht Simen, die niet onmiddellijk de hele inhoud van het graf in zich opnam, dat het dat ook was, dat hij de overblijfselen zag van een reusachtige vogel, de enige van zijn soort, zwart en ontzagwekkend, verborgen voor de wereld, machtig en eenzaam op zijn zware, donkere vleugels, heen en weer, heen en weer door onderaardse tunnels, gangen en zalen. Een grote, trotse, eenzame nachtvogel die uiteindelijk ten onder ging en slechts enkele sporen van zijn bestaan achterliet, en Simen werd pas uit die fantasie gehaald toen Gunnar, die de zaklamp vasthield, begon te schreeuwen.

'Godverdomme, een lijk!'

Gunnar zag groen en dat was niet alleen vanwege het spookachtige licht van de zaklamp.

Ole Kristian zei: 'Kijk naar dat haar, er groeit haar op de schedel, het is geen gras, het is haar!'

Toen gaf hij over.

Mille was twee jaar geleden verdwenen. Simen was negen jaar en toen al was hij één met zijn fiets, zo zag hij zichzelf die zomer, als een jongen op wielen, als een fiets met een lichaam, een hart en een tong, en als het had gemogen, had hij de fiets mee naar bed genomen wanneer hij 's avonds tegen zijn zin naar bed moest. Vanaf de vroege ochtend suisde, slipte en scheurde hij over de smalle grindpaden die van het witte kerkje vandaan liepen of hij liet zijn fiets steigeren op het uiterste randje van de houten steigers naast de veerbootkade achter de lange pier, het fietsstuur blikkerde in de zon en hij snoof de penetrante lucht op van garnalenschillen en visafval afkomstig van de twee vissers die het nog steeds volhielden.

Op de avond dat ze verdween, op vijftien juli 2008, had het een beetje geregend, de mist had hem ingesloten en de wegen waren zwart en vochtig, alsof ze zich elk moment konden openen om hem op te slokken. Simen mocht van zijn ouders in zijn eentje buiten fietsen, als hij maar in de buurt van het vakantiehuis bleef. Hij had het koud, maar hij wilde niet naar huis. Zijn moeder en vader hadden ruzie gemaakt en ze konden niet stoppen, hoe hard hij ook schreeuwde: 'Hou op met ruzie maken!'

Boven aan de weg die De bocht heette (maar die volgens de vader van Simen beter De bocht*en* kon heten – het zijn wel honderd bochten, Simen, het is er niet eentje!) en die zich als een golvend lint vanuit de dorpskern heuvelopwaarts slingerde, lag het grote witte houten landhuis van Jenny Brodal, van de boekwinkel. Jenny woonde samen met een vrouw die Irma heette en zij gingen elke avond met zijn tweeën wandelen. Jenny was klein en keurig en marcheerde over de lange weg naar de dorpskern. Irma was groot en dik en kwam als het ware een paar passen achter haar aan gegleden. Simen kwam de beide vrouwen vaak tegen als hij buiten aan het fietsen was. Irma zei nooit iets, maar Jenny groette altijd.

'Goeiedag, Simen', zei ze dan.

'Hoi', zei Simen, hij wist niet goed of hij moest stoppen en beleefd groeten of gewoon verder moest fietsen, maar de beide vrouwen waren al lang verder gelopen voordat hij een besluit had kunnen nemen.

Irma was de vrouw over wie Jenny zich had *ontfermd*. Simen wist niet precies wat *ontfermen* betekende, maar zo had zijn moeder het gezegd toen hij had gevraagd wie die mevrouw was die samen met Jenny Brodal in Mailund woonde.

Eerlijk gezegd ontweek Simen Irma zo veel mogelijk. Het was het ergste als Irma 's avonds in haar eentje aan de wandel was. Simen herinnerde zich dat zij, toen hij een keer over de weg kwam aanfietsen, zijn fietsstuur beetpakte en naar hem siste. Er kwamen geen vlammen uit haar mond, maar het had best gekund. Ze leek vol licht te zitten, het viel hem op omdat het buiten zo donker was geworden. Ja, ze straalde licht uit, alsof ze zojuist een vlammenwerper had doorgeslikt.

Hij had geen idee waarom ze dat deed, waarom ze siste. Hij had niets verkeerds gedaan. Hij had haar niet met de fiets gehinderd. Zíj had hém tegengehouden.

Zijn moeder zei dat Irma misschien een grapje met hem had willen uithalen maar dat ze dat een beetje onhandig had aangepakt. Er was niets mis met Irma, zei zijn moeder, en Simen moest zijn fantasie niet zo op hol laten slaan, hij moest geen verhalen verzinnen over mensen die hij niet kende. Wat Simen moest begrijpen, was dat Irma absoluut een lief en aardig persoon was en dat ze hield van Jenny Brodal, die haar uit een hoop ellende had gered (en die zich bovendien over haar had *ontfermd*), maar doordat Irma erg groot was en er dus niet als een gewone mevrouw uitzag, was het gemakkelijk om allerlei negatieve eigenschappen aan haar toe te schrijven. Dat zei Simens moeder allemaal tegen hem en dat deed ze omdat ze altijd van iedereen het beste dacht. Maar in dit geval had zijn moeder het bij het verkeerde eind. De reuzenvrouw Irma had zijn fietsstuur beetgepakt, ze had gesist en in het donker licht uitgestraald. Dat wist Simen heel zeker.

Maar die avond in juli was hij Irma of Jenny onderweg gelukkig niet tegengekomen. Hij wist waarom. Jenny vierde haar verjaardag en haar grote tuin zat vol mensen, vanuit de verte hoorde hij hun stemmen en gelach. Het was een groot feest en Simen vond het een beetje een raar idee dat Jenny echt al zo oud was. In elk geval over de zeventig, misschien zelfs wel over de tachtig. Hij wist het niet zeker. Maar oud was ze. Ze zou binnenkort doodgaan. Daar viel niet aan te ontkomen. Je kon er niet voor weglopen. Jenny was trouwens helemaal niet zo'n type dat voor dingen wegliep. Ze marcheerde, maar voor de dood kon je ook niet wegmarcheren. De dood was almachtig. Mama zou doodgaan, papa zou doodgaan. Op een dag zou Simen ook doodgaan. Daar had hij met mama over gepraat en ze had eerlijk geantwoord. Papa was wat meer ontwijkend geweest. Dus waarom zou je een groot feest geven als je binnenkort dood zou gaan? Wat viel er te vieren?

Simen fietste de lange weg op om tussen de struiken door te spioneren. De mist hing boven hem, onder hem, voor hem en achter hem en de stemmen in Jenny's tuin leken er als het ware uit vandaan te springen. De mist maakte de stemmen. De mist maakte het gelach. De mist maakte de slingerweg naar huis en alle honderd bochten en de mist maakte alle mensen op het feest, en alleen Simen en zijn fiets waren echt. Zij waren vlees en bloed, botten en benen, wielen, staal en ketting. Simen en zijn fiets waren één. Tenminste totdat het wiel tegen een steen botste en Simen over het stuur vloog. Zijn gegil stopte toen hij de grond raakte. Even lag hij doodstil, maar toen kwam de pijn opzetten. Schaafwonden op zijn handpalmen en zijn knieën. Steentjes in de wond. Bloed. Hij kroop naar de berm, ging tegen een boomstam zitten en huilde. Maar hoe hard hij ook zou huilen, mama en papa konden hem niet horen. Hun huis stond een heel eind verder en de geluiden van het verjaardagsfeest overstemden hier alles, hij was helemaal alleen en alles deed pijn, vooral zijn knieën, zijn fiets zat behoorlijk in elkaar en hij had zijn handen opengehaald omdat hij tijdens de val zijn handpalmen naar voren had gestoken. Om zijn hoofd te beschermen. Dat moest je doen als je van je fiets viel. Eigenlijk moest je een fietshelm dragen en mama zou boos worden omdat hij die niet op had gehad; hij zou niet meer 's avonds in zijn eentje mogen fietsen. De fiets lag nog steeds midden op de weg. Vreemd en verwrongen. Simen huilde nog harder. Toen was ze gekomen. Het meisje met de rode jurk en het lange, donkere haar. Ze droeg een sjaal om haar schouders en een bloem in haar haar. Ze was het mooiste meisje dat Simen ooit had gezien en het was alsof de mist haar niet beroerde. Die week gewoon opzij voor dat wat mooier was. Hij probeerde te huilen, hoewel iets in hem hem zei dat wanneer zoiets prachtigs als dit meisje op hem afkwam, hij niet als een klein kind in de berm moest zitten janken. Aan de andere kant: als hij niet in de berm had zitten huilen, was dat meisje nooit gestopt, was ze nooit op haar hurken voor hem gaan zitten, had ze nooit haar armen om hem heen geslagen en gefluisterd: *Ben je van je fiets gevallen? Heb je je pijn gedaan? Mag ik eens kijken?* Ze zou hem nooit overeind hebben geholpen, gevraagd hebben hoe hij heette en haar rode sjaal gebruikt hebben om vuil en tranen van zijn gezicht te wrijven. Ze zou zich nooit over zijn fiets hebben gebogen om te kijken hoe erg die beschadigd was. (*Hij is niet kapot*, zei ze en ze zette hem overeind, *kijk, Simen, hij is niet kapot.*) En ze zou hem nooit de hele lange weg van Jenny's huis hebben gevolgd naar zijn eigen huis, dat als tweede aan de linkerkant lag; haar ene hand in zijn hand, haar andere hand aan het fietsstuur. *Ik heet Mille*, zei ze toen ze er waren.

Ze zette zijn fiets tegen het hek, keek hem aan en glimlachte. Toen boog ze zich naar hem toe en kuste hem op zijn hoofd.

Ik heet Mille, jij heet Simen en nu moet je ophouden met huilen.

Toen draaide ze zich om en liep weg.

II

Charles
Olson
had
geen
hond

Jon Dreyer had ze allemaal zand in de ogen gestrooid. Het was de zomer van 2008 en hij probeerde te schrijven. Maar hij had alleen maar oog voor Mille.

De kamer waar hij zich bevond, lag op de zolderverdieping van Jenny Brodals bouwvallige witte houten landhuis Mailund, waar het gezin de zomers doorbracht. Het was een klein, licht en stoffig vertrek, met uitzicht op de bloemenwei en het bos. De vrouw met wie hij samenwoonde, die met de scheve rug (slechts een klein knikje in haar taille) was in de oude bakkerij een klein restaurantje begonnen dat plaats bood aan twintig gasten. Siri heette ze. Veertig jaar. Dochter van boekhandelaar Jenny Brodal en de reeds lang geleden gestorven Zweed Bo Anders Wallin, voormalig eigenaar van *Wallin Steenhouwerij AB* in Slite, Gotland. Siri en Jons kinderen: Alma van twaalf en Liv van vijf.

Siri had het restaurant *Gloucester MA* genoemd, naar het vissersstadje in Massachusetts waar Jon, Alma en zij enkele maanden hadden gewoond om Jon de gelegenheid te geven het eerste deel van zijn trilogie te voltooien. Hij had van een verre, vriendelijke Amerikaanse verwant het aanbod gekregen om in Gloucester een groot huis te betrekken. De huur was symbolisch. Ze zouden er drie maanden wonen, van juni tot september. De verwant in kwestie was blij dat iemand het huis wilde bewonen en erop kon passen terwijl hijzelf een lange reis door Zuid-Amerika maakte. Dat was een teken, weet Jon nog dat hij destijds had gedacht. Dat hij het boek kon voltooien in dezelfde plaats die door de dichter Charles Olson in zijn werk onsterfelijk was gemaakt.

Het was de zomer van 1999, vier jaar voordat Liv werd geboren. Alma was drie. Siri wilde dat ze alle drie naar Gloucester zouden verhuizen en vond het goed om de leiding van het restaurant in Oslo over te dragen aan de meer dan competente manager Kajsa Tinnberg, en aan chef-kok Pål 'Pepper' Olsen, een jonge, begaafde kok, een ramp om in de keuken mee te moeten werken (een kwetsbare perfectionist, veelgevraagd en manisch, de bijnaam Pepper had hij gekregen na een iets te manische manoeuvre met de pepermolen), maar iemand met veel respect voor Tinnberg.

O, wat had hij toen geschreven!

Nu, negen jaar later, was Jon bezig met deel drie, met de eerste twee delen was het erg goed gegaan, ze waren in 2000 en 2002 verschenen, maar deel drie kreeg hij niet voor elkaar, het boek had al jaren geleden af moeten zijn, maar er was iets tussen gekomen, iets was uit zijn handen geglipt, de dagen verstreken en hij kreeg niets gedaan. Misschien was hij depressief.

Hij las zijn notities over Herman R. over en schreef: *Het verhaal van een man die een verhaal wilde vertellen.* Verder kwam hij niet. Dat probeerde hij voor elkaar te krijgen, hoe moet je het verhaal over een leven schrijven, wat maakt een leven tot een leven, waar bestaat het geleefde leven uit, wat bepaalt ons bestaan en hoe beschrijven we dat? Op een geel Post-it briefje aan de wand had hij een paar dichtregels van Charles Olson neergekrabbeld:

*Een Amerikaan
is een samenraapsel van toevalligheden*

Was dat het antwoord? Was dat alles?

Hij had Siri werk van Charles Olson voorgelezen toen ze in Gloucester waren. Maar ze had gezegd dat hij, Charles Olson, toebehoorde aan het universum van de goddelozen, een van de vele universums waar ze zich niet welkom voelde. De steenhouwerij van haar vader was er ook een. Die zomer had ze slaapproblemen en de enige manier waarop ze kon slapen was dat hij haar hand vastpakte en haar verhalen vertelde. In het donker lagen ze naast elkaar en hij vertelde. Hij wilde haar de mogelijkheid geven iets terug te krijgen van de rust die ze gaandeweg verloren hadden, daar in de nacht, in het donker, midden in de grote stilte tussen hen wilde hij haar iets geven dat zowel van hem als van haar was. Zijn stem vleide zich neer op een plek waar die zich nooit eerder had bevonden, hij lag naast haar en nam de tijd om zich alles te herinneren waarvan hij niet had gedacht dat hij het zich kon herinneren, het interieur van zijn grootmoeders woning, de andere bewoners van het portiek in Frogner, de kleurrijke jurken van zijn moeder, één voor één beschreven, elk afzonderlijk gezicht op de klassenfoto's, hij schilderde de weg naar school meter voor meter en elk afzonderlijk artikel dat je in zijn jeugd bij de kruidenier op de hoek kon kopen, hij praatte aan één stuk door, nachtenlang, met dezelfde monotone stem, over boeken die hij lang geleden had gelezen, verhalen die zijn vader hem had verteld toen ze in de zomer dat hij twaalf was een bergtocht hadden gemaakt, over de twee parkieten die hij in een kooi op zijn kamer had gehad en die hun leven lang zo verschrikkelijk met elkaar vochten dat de veren letterlijk in het rond stoven, hij hield Siri's hand vast en zei dat hij dacht dat de vogels desondanks van elkaar hielden, desondanks en ondanks alles, en hij vertelde verder over zijn reizen, uitgebreide schilderingen van treinreizen dwars door Europa, en vervolgens over de reizen van hen beiden, liggend in het donker herinnerde hij zich de wonderlijkste dingen, brokstukken van de geschiedenis van de visserij in Gloucester, waarover hij las toen ze daar waren, over al die mensen die naar de grote visgronden roeiden en in de mist verdwenen, hun handen vroren vast aan de riemen en de mist verzwolg hen met huid en haar, duizenden jongens, mannen, zonen, vaders die verdwenen, en steeds weer kwamen er nieuwe bij, ze kwamen uit Zweden, Noorwegen en Denemarken, ze kwamen van Sicilië, Kaapverdië en de Azoren, ze kwamen uit New Foundland, ze kwamen om te verdwijnen, om vast te vriezen, in de mist op te gaan, en hij lag naast haar en praatte maar door en af en toe snurkte ze, af en toe kreunde ze en af en toe deed ze alsof ze sliep, hij wist het nooit zeker en dat gaf ook niet, hij lag naast haar, gegrepen door zijn eigen verhalen en door Siri's warmte en nabijheid, en hij streelde haar hand tot hij zichzelf in slaap had gepraat.

Als Jon ophield met vertellen, soms viel hij midden in een woord in slaap, nam Siri het over. Misschien luisterde hij, misschien niet. Ze vertelde over dromen die ze als kind had gehad en dromen die ze nu had, over de eindeloze trap in Mailund, haar moeders huis, die nooit hetzelfde aantal traptreden had, maar meestal negenentwintig, één trede voor elke letter in het Noorse alfabet, soms een meer, soms een minder. Ze vertelde over films die ze had gezien en boeken die ze had gelezen, boeken die Jon niet wilde lezen, misschien omdat ze door vrouwen waren geschreven,

Orlando bijvoorbeeld, de speelse biografie van Virginia Woolf over haar minnares Vita Sackville-West, en denk je dat het zo is, Jon, fluisterde ze, jij bent immers ook schrijver, dat je schrijft om een ander te worden en dat het worden van een ander hetzelfde is als jezelf kwijtraken, of kan het iets meer betekenen? Kan het ook de noodzaak betekenen om buiten jezelf te treden en in een ander plaats te nemen, diens plaats in te nemen en met die ander mee te voelen, mee te leven, mee te ademen? Dat als ik bijvoorbeeld in een glasscherf trap, jij kunt voelen hoe zeer dat doet, in je eigen voet, en je het zo kunt opschrijven dat iedereen die het leest hetzelfde voelt, iedereen? En toen ze geen antwoord kreeg, vertelde ze over Orlando die zowel man als vrouw was en honderden jaren leefde, en ze vertelde over toen ze klein was en over haar vader, die in plaats van voor te lezen brokstukken vertelde van grote literaire klassiekers, precies wat zij nu deed, verhalen die Siri of Syver met geen mogelijkheid konden begrijpen, Siri was zes en haar broertje Syver vier, maar dat was geen beletsel voor hun vader, die zijn kinderen vertelde over Karenin, de echtgenoot van Anna Karenina, die zo nors en streng was dat iedereen bang voor hem was, maar die eigenlijk alleen heel erg verdrietig was. En dát begreep ze. Siri weet nog dat ze werkelijk begreep hoe het moest zijn om Karenin te zijn, een kille Russische aristocraat, ook al was ze nog maar zes jaar oud. En ze vertelde Jon over Syvers verdrinkingsdood in het bos, over haar moeder die begon te drinken en die nooit wankelde, maar zich altijd alleen schoksgewijs door het huis verplaatste, plotseling verscheen ze in een hoek van de kamer, plotseling zat ze op de rand van het bed, plotseling boog ze zich over de potten en pannen in de veel te grote keuken, plotseling stond ze voor de spiegel en *ik probeerde haar beet te pakken, maar ze glipte door mijn vingers en verdween in de pannen, in de spiegel*. En ze vertelde over haar vader die de benen nam naar Slite en met Sofia trouwde, over de steenhouwerij *Wallin Steenhouwerij AB* met kalksteen uit Gotland als specialiteit en over de keer dat hij in Mailund op bezoek kwam en vergeten was een verjaardagscadeau mee te nemen, om de schade te herstellen knipte hij zijn stofjas kapot en gaf haar die met de mededeling dat het een *onzichtbaarheidsmantel* was, en hoe ze die mantel aan Alma probeerde te geven, weet je nog, Jon, en dat Alma hem niet wilde hebben, Alma riep NEE NEE NEE, IK WIL HEM NIET HEBBEN, en dat was in feite een gezond teken, vind je niet, het komt wel goed met Alma, zei Siri, en ze vertelde over de keer dat ze hoogzwanger was en haar vader dood in bed lag met een zakdoek om zijn hoofd geknoopt, zodat zijn mond niet zou openvallen en voor altijd open bleef als de lijkstijfheid eenmaal was ingetreden. Haar vader was degene die haar naar de vuurtoren van Fårö had meegenomen tijdens een van de zeldzame keren dat ze als kind bij hem in Slite op bezoek was geweest. Ze vond het fijn in Slite, ze hield van de cementfabriek die zich boven het hele stadje leek uit te strekken, ze hield van de kleine, drukke straatjes in het centrum en het witte stof dat alles en iedereen bedekte, maar Fårö was iets totaal anders, Fårö was desolaat en koud, en ze herinnerde zich dat ze daar niet meer naartoe wilde, en ze had eigenlijk nooit meer aan die tocht met haar vader gedacht tot ze met Jon en kleine Alma op Good Harbour Beach in Gloucester stond, meer dan twintig jaar later en duizenden mijlen verderop, en de twee mooie silhouetten zag van de vuurtorens, de tweelingtorens, op Thacher Island.

Ze hadden zich allebei gestort op boeken over de geschiedenis van Gloucester en van de visserij in Gloucester – die drang om de nieuwe plaatsen te veroveren alsof ze zich die zo snel mogelijk eigen moesten maken, moesten herscheppen tot iets huiselijks, iets bekends – (zij las terwijl Jon schreef en Alma sliep, Alma was toen nog zo klein dat ze elke dag een middagslaapje deed), en ze vertelde hem over die keer in 1635 toen het schip *Watch and Wait* met drieëntwintig mensen aan boord, tien daarvan kinderen, van Ipswich rond Cape Ann voer op weg naar Marblehead om daar een kerk te bouwen. Het schip werd overvallen door een zware storm en toen de zeilen door de wind aan flarden waren gescheurd, ging het schip gedurende de nacht voor anker. De volgende ochtend vroeg, zei ze, was de wind zo in kracht toegenomen dat het schip tegen de klippen voer en tot lucifershoutjes versplinterde, waarbij iedereen in zee terechtkwam. De enige overlevenden waren de Engelsman Anthony Thacher en zijn vrouw Elisabeth, die het land wisten te bereiken. Alle anderen kwamen om. Hun vier kinderen kwamen om. En het verhaal van de twee die overleefden maar alles hadden verloren, was zo ondraaglijk treurig dat de autoriteiten van Massachusetts hun het eiland schonken waarop het schip te pletter was geslagen. Ze waren hier nu eenmaal beland: Anthony en Elisabeth, Elisabeth en Anthony, nieuw in het nieuwe land, goede mensen, godvruchtige mensen, ze wilden naar Marblehead om een kerk te bouwen, en nu hadden ze alles verloren, vier kinderen verzwolgen door de golven. En het eiland – waar ze zich hadden weten te redden, dat ze kregen, maar niet wilden hebben – werd Thachers Woe genoemd. Thachers jammerklacht. Pas in 1771, zei Siri, en nu zou hij zeker slapen, dacht ze, nu was hij beslist in slaap gevallen, werd het licht in de twee vuurtorens, de tweelingtorens, ontstoken, om te waarschuwen voor het gevaarlijke rif ten zuidoosten van het eiland. En aangezien Thacher Island een deel is van Cape Ann, werden de vuurtorens Anns ogen genoemd, alsof ze ons zien, zei ze, alsof ze over ons waken, alsof wij ons in hen verliezen en in hen tot leven komen.

'Jouw licht is ontstoken', fluisterde Jon terwijl hij zich tegen haar aandrukte. 'Jouw stralende licht.'

Op een dag daar in Gloucester, ver van huis, vroeg hij of ze samen met hem op zoek wilde naar het graf van Charles Olson. Jon herinnerde zich hoe ze beiden met de kleine Alma tussen hen in rondliepen over het grote en niet bepaald goed onderhouden, of liever gezegd overwoekerde kerkhof langs rijksweg 133 in de richting van Essex om het graf van Charles Olson te zoeken. Ze vonden het niet. Na een paar uur gaven ze het op en vertrokken naar Essex, waar ze antiekwinkeltjes binnenliepen en waar Siri voor Alma een kleine blauwe poppenwagen kocht, die in Gloucester achterbleef toen ze weer naar Noorwegen terugkeerden.

Jon had grote plannen voor het afsluitende deel van de trilogie, hij moest alleen de toegang zien te vinden. Nu zat hij op de zolderkamer in Mailund en was ervan overtuigd dat de roman in zekere zin verstopt lag in het verhaal over een man die een verhaal wilde vertellen, bijvoorbeeld een man als Herman R., en dat hij alleen de code maar hoefde te kraken. Dan zou de deur tot zijn eigen verhalen wagenwijd open komen te staan.

Hij keek naar zijn notities.

Toen Herman R. twaalf jaar was en in concentratiekamp Buchenwald in Duitsland zat, zag hij op een dag aan de andere kant van de prikkeldraadversperring een klein meisje. Hongerig en bang vroeg hij het meisje of ze hem wat eten kon geven. Ze haalde een appel tevoorschijn en gooide die over de afrastering.

De volgende dag zagen ze elkaar weer, elk aan de andere kant van het prikkeldraad, ze zeiden niets maar het meisje gooide weer een appel over de afrastering. Zo bleven ze elkaar zeven maanden lang zien. Af en toe gooide ze een appel, af en toe brood. Toen werd Herman naar een nieuw kamp overgebracht, het meisje en de jongen werden gescheiden, maar Herman en zijn drie broers overleefden de oorlog.

Vijftien jaar later was Herman R. verhuisd naar New York en daar ontmoette hij een jonge Joodse vrouw uit Polen. De jonge vrouw heette Roma. Roma had verteld dat ze als kind tijdens de oorlog met haar familie in Duitsland had gewoond, zich daarbij voordoend als christenen. Ze vertelde dat ze vlak bij een concentratiekamp had gewoond en dat ze geregeld appels gooide naar een jongetje aan de andere kant van het prikkeldraad.

Herman had het meisje gevonden dat hem vijftien jaar geleden in leven had gehouden, het meisje met de appels, hij vroeg haar meteen ten huwelijk, en sinds die tijd waren ze getrouwd.

Jon had de zolderkamer in Mailund, het huis van zijn schoonmoeder, jaren geleden al in bezit genomen. Daar zat hij te schrijven. Daar zou hij het derde deel voltooien, tenminste, dat dacht hij nu. Vandaag. De zolderkamer stond vol met lp's en boeken, her en der lagen notitieblokken en er stond een poppenhuis met poppenmeubels en miniatuurpopjes. De poppenspullen waren van Siri geweest toen ze klein was. Oude Ola, de buurman die het dichtstbij woonde, had ze voor haar gemaakt toen haar broertje Syver was gestorven.

Totdat Jon de zolderkamer als werkkamer in gebruik nam, deed die dienst als opslagplaats. Jenny had het meeste van Siri's speel-goed weggegooid toen Siri volwassen was geworden en op zichzelf ging wonen, maar ze had het niet over haar hart kunnen krijgen de poppenspullen weg te gooien.

Jon staarde naar het scherm. Hij had het woord 'hart' geschre-ven. Hij twijfelde eraan of het iets met Jenny's hart te maken had dat ze de poppenspullen niet had weggegooid. Als Jenny een hart had, dan was het klein en zwart, en zat het opgesloten in een kistje dat in het ven was gegooid.

Maar hoe zat het met Irma? Hoe kon Irma worden verklaard? Wie was Irma voor Jenny? Groot, lang en breed, langer en breder dan Jon leek ze vanuit de verte meer op een man dan een vrouw, maar hij stond ervan versteld hoe knap ze was van dichtbij, niet haar lichaam, maar haar gezicht, ze had lang, blond, krullend haar, volle lippen, ze had iets verhevens over zich, iets verfijnds, bijna etherisch, als de engel Uriël in het schilderij *Madonna in de grot* van Leonardo da Vinci.

Irma woonde samen met Jenny in het huis Mailund en maakte gebruik van het souterrain. Ze betaalde geen huur, maar hielp met van alles en nog wat en dat kwam goed van pas bij een tamelijk on-praktische vrouw als Jenny. Irma had de vervelende gewoonte om *snus* te gebruiken, sabbeltabak, maar het was beter dan roken. Jenny kon niet tegen roken. Jenny had een paar voorwaarden ge-steld toen Irma er kwam wonen. Niet roken. Niet met de deuren slaan. Stiptheid. En dan die zwerfdieren nog waar ze voortdurend mee kwam aanzetten – katten, honden, cavia's – het was in orde, maar ze moesten wel in het souterrain blijven!

Irma hield meer van dieren dan van mensen, zei Siri. Maar Jenny zelf hield meer van Irma dan van iemand anders, voor zover Jenny in staat was om van iemand te houden. Er werd gezegd, en ieder-een wist het, dat Jenny Irma had gered uit de klauwen van een man die haar sloeg. Jon kon zich moeilijk voorstellen wie zo'n grote vrouw als Irma een aframmeling durfde te geven, maar wellicht maakte haar omvang haar juist kwetsbaar. Irma had het opge-geven, werd ook gezegd, ze wilde sterven en net toen had Jenny haar hand uitgestoken en gezegd: 'Kom maar bij mij wonen.'

Jenny en Irma vertegenwoordigden misschien wel een soort liefde, ook al zou Jon zweren dat zijn schoonmoeder niet in staat was iemand lief te hebben. De gedachte dat ze misschien wel met elkaar vreeën en hoe die mogelijke liefde had kunnen ontstaan, de afspraak die ze met elkaar hadden gemaakt (want Jenny en Irma hadden heel duidelijk afgesproken wat ze voor elkaar zouden zijn), hoe ze hun eigen leven vorm gaven, deed Jon weer denken aan het verhaal van Herman R., en opnieuw bladerde hij door zijn notities.

Hoe kan het verhaal over een leven worden verteld? Een mogelijke invalshoek is deze:

Op een dag, tien jaar geleden, besluit een bijna zeventig jaar oude man een verhaal te schrijven over liefde. Het is bijna Valentijnsdag en de plaatselijke krant heeft ter gelegenheid daarvan een wedstrijd uitgeschreven voor het mooiste liefdesverhaal. Het verhaal moet gaan over een meisje dat een appel gooit. Herman ziet het beeld voor zich. Hij heeft het altijd bij zich gedragen. Het is nooit gebeurd, het had ook nooit gebeurd kunnen zijn, want hij zou ter plekke zijn doodgeschoten als hij de onder stroom staande prikkeldraadversperring was genaderd, maar als hij begint te schrijven, gebeurt het toch. Misschien kijkt hij op, misschien kruist zijn blik die van Roma, de vrouw met wie hij getrouwd is en die nu oud is geworden. Hij wil een verhaal schrijven over toen ze kinderen waren en in de diepste duisternis leefden. Hij in Buchenwald en zij in de buitenwereld, zich voordoend als christen. Maar het mag niet alleen maar een somber verhaal worden. Het moet een lichtpuntje bevatten. Er moet hoop in zitten. (Horen we dat niet voortdurend?) En heeft hij niet altijd dat beeld van het meisje met de appels bij zich gedragen? Hij weet niet waar het vandaan komt, maar hij kijkt naar Roma, naar de kleine beweging van haar hand als ze die door haar haar haalt, een gebaar dat ze zich ongetwijfeld als jong meisje heeft aangewend en dat ze haar hele leven heeft volgehouden, tot haar oude dag toe, hij kijkt naar haar en ervaart dat ze zich voor zijn ogen openbaart en tegelijkertijd oplost. Alle barrières, alle voorbehouden, alle tijd en verdriet, alles wat Herman tot Herman maakt en Roma tot Roma, verdwijnen, en daar, aan de andere kant van het prikkeldraad, in de schemering, ziet hij het meisje met de appels staan. Hij heeft het altijd geweten, er altijd naar verlangd, en nu hoeft hij het alleen nog maar op papier te zetten.

Herman wint de wedstrijd van de plaatselijke krant, hij heeft een verhaal geschreven over hoop en hij beweert dat het waar is (Jon beweert altijd dat zijn verhalen niet waar zijn, en hoopvol zijn ze ook al niet) en het verhaal over het meisje met de appels gaat zijn eigen leven leiden, het wordt groter en verandert in het eigenlijke verhaal van Herman en Roma. Ze verschijnen in talkshows en vertellen het verhaal steeds opnieuw, Herman krijgt een contract voor een boek en er wordt over een film gesproken.

Op een versleten kleed op de versleten sinaasappelkleurige bank lag de hond van Jon, die een voorkeur had voor hart, nieren en lever; brokken waren uitgesloten, hij stierf liever van de honger dan brokken te eten en daarom heette hij Leopold. Het was een grote, zwarte labrador met een witte vlek op de borst en een droefgeestige blik. Leopold, ook wel Leo genoemd, wist dat Jon het boek niet zou afkrijgen en dat baarde hem zorgen. De oorzaak van die bezorgdheid – het was ondanks alles een hond en niet eens een bijzonder scherpzinnige hond – was het feit dat Jon geen lange wandelingen meer met hem maakte. Jon was niet in staat om willekeurig wat te doen voordat hij het boek af had, behalve dan het niét schrijven van het boek. Alles was in de wacht gezet.

Zo was het niet voor Siri, die twee restaurants moest runnen, maar wel voor Jon. Wat hij tegen zichzelf en Leopold zei, was dat als de zomer eenmaal voorbij was en het boek af, alles weer bij het oude zou zijn. Dag in, dag uit zat Jon achter zijn laptop en kwam niet aan schrijven toe, of hij lag op de vloer en probeerde te slapen, of hij staarde naar buiten en vroeg zich af waarom het zo lang geduurd had voordat het liefdesverhaal van Herman R. als verzinsel werd ontmaskerd en waarom het verhaal alleen maar interessant was zolang het waar leek – of liever gezegd *echt gebeurd* – of hij las de krant op internet en stuurde sms'jes naar vrouwen die misschien wel of misschien niet antwoordden, of hij at pinda's en dronk maltbier (nooit iets sterkers overdag). Herman R. loog niet over het feit dat hij in een concentratiekamp had gezeten. Dat was waar. Hij loog ook niet over zijn ontmoeting met Roma in New York vijftien jaar na de oorlog, en haar familie had wel degelijk gedaan alsof ze christenen waren. Het enige wat niet echt was gebeurd, was de episode met de appels.

Jon had in Mailund, Jenny's huis, een zolderkamer en thuis, in het veel te dure en tochtige rijtjeshuis in Oslo waar meer dan tachtig procent hypotheek op zat, had hij er ook een. Waarom de bank Siri en hem nog steeds vertrouwde en hun telkens weer meer krediet gaf, was een raadsel.

Jon boog zich over het toetsenbord en schreef:

Wanneer begint een verhaal en wanneer eindigt het? Herman R. loog niet over Buchenwald. Hij loog over de appels. Maar loog hij dan ook over Buchenwald door over die appels te liegen (te trivialiseren, te reduceren, te sentimentaliseren)?

Thuis in Oslo gebeurde het wel dat hij 's nachts in de zolderkamer bleef slapen. Het tochtte daar nog erger dan in de rest van het huis, maar hij werd er met rust gelaten. Onder het schuine dak en het spits toelopende plafond kon hij op zijn gemak whisky drinken. Gitaar spelen. Surfen op internet. Sms'jes versturen en ontvangen die hij meteen weer wiste. Wanneer Jon en Siri apart waren gaan slapen, was onduidelijk. Het was niet iets wat hij wilde en ook niet wat zij wilde, het gebeurde slechts af en toe. Niet zo vaak. Het was geen permanente oplossing. Hier in Mailund sliepen ze samen, ze hadden zelfs een paar keer gevreeën. Hij vond het prettig om haar over haar korte taille te strelen (die was zo kort vanwege die scheve rug) en hij vond het fijn om met een vinger langs haar smalle nek te strijken.

Jon kwam overeind en rekte zich even uit. Leopold volgde hem met zijn blik. *Gingen ze nu uit?* Nee, Jon ging weer zitten.

Iedereen op de uitgeverij vertrouwde erop dat Jon het boek zou afmaken. Daarom had hij opnieuw een voorschot van tweehonderdduizend kronen gekregen. De eerste twee delen waren immers als warme broodjes over de toonbank gegaan. Dat zeiden ze, dat had in de krant gestaan. Maar het was lang geleden dat iemand iets over Jons boeken had gezegd of geschreven, en nu was het geld op. Bovendien: Jon zou nooit de uitdrukking 'als warme broodjes over de toonbank' hebben gebruikt, het was niet alleen een cliché, het klopte ook niet echt. Warme broodjes gingen niet langer als warme broodjes over de toonbank. Hij had er geen bewijs voor, maar hij was er tamelijk zeker van: warme broodjes verkochten niet beter dan mobiele telefoons of tochtige appartementen (bijvoorbeeld in de buurt waar hij zelf woonde) of *anti-aging crèmes*. Hij keek naar Leopold. De grap van een anti-aging crème is dat vrouwen (en ongetwijfeld ook heel wat mannen, maar geen honden) die de crème kopen en op hun gezicht smeren, er jonger uit gaan zien. Zich jonger voelen. Jonger worden. De tijd omkeren. Niet ouder meer worden, anti-ouder worden. Met tegenzin was hij met Siri naar een winkelcentrum buiten Oslo geweest. Ze hadden kerstcadeaus gekocht. Toen ze klaar waren, moest zij alleen nog even een parfumerie in om een vochtigheidscrème te kopen, zoals ze zei.

'Voel eens hoe droog mijn huid is', zei ze, ze pakte zijn hand en streek ermee over haar wang.

De vrouw achter de toonbank droeg een witte jas, alsof ze een arts of een onderzoeker was. Maar eigenlijk, dacht Jon, was ze een mythische halfgodin. De vrouw sprak zacht en vertrouwelijk met Siri over de toestand der dingen. Jon, die gedurende zijn vijftig jaar lange leven getuige was geweest van verschillende politieke oplevingen, kon niet anders dan haar bewonderen. De gladde, witte huid, de gladde witte jas, de gladde, witte stem. De vrouw repte met geen woord over de dood, ze had het over schoonheid. En Siri, zijn verstandige, nuchtere, kritische en boze Siri met haar elegante scheve rug en droge huid, luisterde ademloos en besteedde ten slotte zeventienhonderdvijfennegentig kronen van het miljoen dat de bank nog maar net op hun gezamenlijke bankrekening had gezet met hun rijtjeshuis als onderpand, aan een crème die peptiden, retinol, EGF (een uitvinding van een Nobelprijswinnaar, volgens de in het wit geklede halfgodin), collageen en AHA bevatte.

Het laatste deel van de trilogie zou gaan over tijd. Het moest een ode worden aan alles wat bestaat en alles wat te gronde gaat. Maar om heel eerlijk te zijn wist hij niet goed wat hij precies bedoelde met 'alles wat bestaat en alles wat te gronde gaat' en hoe hij daarover moest schrijven, maar niemand sprak hem tegen, behalve dan Leopold, die met de riem in zijn bek uitgestrekt op de vloer lag te wachten en hem eraan deed denken dat één mensenjaar gelijkstaat aan zeven hondenjaren *en denk nou toch eens na hoe lang het geleden is dat ik een behoorlijke wandeling heb gemaakt, ik ben een bescheiden hond, ik ben uitgerust met grote spieren en lange poten, ik moet beweging hebben, dat is alles wat ik wens.*

Een poosje speelde hij, Jon dus, met de gedachte om de draad op te pakken van het *Passagewerk* van Walter Benjamin. Het zou natuurlijk iets heel anders worden, Jon wilde een roman schrijven en geen degelijk, onmogelijk werk over de doorgangen in het negentiende-eeuwse Parijs (Walter Benjamin had het niet zo op romans). Maar iets met winkelcentra als uitgangspunt, de doorgangen van onze tijd, een beschrijving van dingen, niet alleen van mensen.

Jon zuchtte.

Siri kookte. Voedzame maaltijden. Geen liflafjes. Mensen aten haar gerechten en werden vrolijk en voldaan. En hier zat hij maar, jaar in, jaar uit, te werken aan een roman die misschien wel, maar misschien ook niet over een winkelcentrum zou gaan. Leopold hief zijn grote hondenkop op en keek hem aan.

'Het idee', zei Jon tegen zijn redacteur die Gerda heette, 'is een boek dat is samengesteld uit beelden (close-ups, overzichten), citaten en verwijzingen ... gezichten en stemmen ... individuele en collectieve herinneringen ... en, ja, beschrijvingen van dingen.'

'Ja', zei Gerda.

'...een ode aan alles wat bestaat en alles wat te gronde gaat', ging Jon verder.

'Ja', herhaalde Gerda. 'Ga maar schrijven. Het komt goed. Je vergeet dat je bij het schrijven van de eerste twee delen ook in paniek raakte.'

'Ik raak niet in paniek', zei Jon en hij vroeg zich af of Gerda überhaupt wel naar hem had geluisterd. Dat gevoel bekroop hem steeds vaker. Dat niemand echt luisterde naar wat hij zei.

'Dat is het niet', zei hij. 'Ik heb alleen het gevoel dat iets me ontglipt.'

Niemand at meer gewoon brood. Brood van tarwemeel was taboe, net als warme broodjes. Tarwe was het nieuwe gif. Maar vlak na de geboorte van Alma had Siri aan één stuk door gehuild omdat de borstvoeding zo'n pijn deed en toen had Jon tarwebolletjes voor haar gebakken. Dat was het enige wat ze door haar keel kon krijgen. Ze was volkomen uitgeput en diep dankbaar. In stukken gescheurd en met het vreemde kleine kind in haar armen vroeg ze alleen maar of hij nog meer tarwebolletjes voor haar kon bakken.

Hij had ze allemaal zand in de ogen gestrooid. De omslag was klaar, de tekst in de aanbiedingsfolder was klaar, hij had toegestemd om eind augustus uit het boek voor te lezen op de boekpresentatie van de uitgeverij. Nu was het juli. Jenny Brodal werd vijfenzeventig jaar. En het boek zou niet klaar zijn.

'Maar wat ontglipt je dan?' had Gerda gevraagd.

'Ik weet het niet. Ik voel dat alles uit elkaar valt', zei Jon. 'Ik krijg het niet voor elkaar. Ik kom niet op tijd klaar.'

Jon keek haar wanhopig aan. Waarom was er niemand die de armen om hem heen sloeg en hem hielp?

'Je komt wel op tijd klaar', zei Gerda. 'Zo gaat het altijd als de deadline nadert.'

Jon nam een slok maltbier en keek naar buiten. In de bloemenwei speelden zijn meisjes. Alma en Liv. Alma met zwart haar en een donkere oogopslag. Liv blond en vrolijk. Ze plukten bloemen en dansten in de zon met het meisje dat Siri had ingehuurd als oppas. Het meisje dat Mille heette. Hij had haar de vorige avond vluchtig begroet nadat Siri haar van de bushalte had gehaald. Hij keek naar Alma en Liv. Ze sprongen heen en weer, Liv lachte, ze ging languit in de wei liggen en bewoog haar armen als een engel in de sneeuw, ook al was er geen sneeuw en zou er geen afdruk in de wei zichtbaar blijven. Iets om vast te houden. Iets wat werkelijk was. Alma draaide zich om en keek naar het raam, maar het was zo donker op zolder en zo licht buiten dat ze onmogelijk kon zien dat hij naar haar stond te kijken. Niet loslaten. Probeer een fatsoenlijk leven te leiden. Omarm de meisjes. Bescherm ze. Niet loslaten.

Misschien besefte Alma dat hij daar naar haar stond te kijken, want opeens begon ze wild in het hoge gras te dansen terwijl ze naar het raam bleef kijken. Ze draaide maar rond en plotseling viel ze. Jon lachte. Alma kwam weer overeind en keek naar boven alsof ze hem had horen lachen. Het korte, donkere haar. Het stompe snoetje. Het kleine, onontwikkelde lichaam. Ze begon weer te draaien. Steeds maar in het rond.

Jon keek waar Liv was, die zich wat dichter bij het bos bevond, ze had kennelijk een plekje gevonden waar meer bloemen groeiden. Zij voorop en Mille achter haar aan. Ze plukte een groot boeket.

Jon bleef voor het raam staan. Maar nu keek hij niet meer naar Alma die in het rond draaide en viel of naar Liv die bloemen plukte. Hij keek naar Mille. Ze had lang, donker haar en grote ogen. Mooi lichaam. Dat had hij de vorige avond al opgemerkt. Negentien of twintig jaar. Hij wist het niet precies. Verlegen en een beetje onhandig. Klam handje. Een open blik toen ze hem begroette en hallo zei. Ze had zijn hand iets langer vastgehouden dan nodig was en iets in haar blik vertelde hem dat zij, hoe jong ze ook was, hem had gezien. Ze holde naar Liv toe met een bloem die ze in het boeket wilde stoppen. Iets in hem kwam tot rust. Het gevoel dat alles naar de maan ging.

Het was fijn om hier naar Mille te staan kijken en nergens aan te denken.

Maar er klopte iets niet. Siri hield haar adem in. Het had met Mille te maken. Of met iets anders. Maar het had beslist met Mille te maken. Met haar aanwezigheid in Mailund. Het iets te zware lichaam, het lange, donkere haar, (lange donkere haren op het aanrecht, in de wastafel op de badkamer, tussen de bank en de kussens, langs de plinten en de deurkozijnen), het knappe, maar uitdrukkingsloze gezicht, de bedelende blik.

Siri merkte steeds vaker dat ze zich moest concentreren om zich te kunnen beheersen. Zo heette het toch? Je beheersen? Heer en meester zijn over je zelf, één zijn met jezelf. Eén lichaam, één stem, één mond, één alfabet, één rode draad en niet uit elkaar vallen, oplossen of tot chaos vervallen.

'Je hoofdverantwoordelijkheid', zei Siri, 'is ongeveer vijf uur per dag op Liv passen. Maar je mag je ook met Alma bezighouden. Alma is twaalf. Ze is...' Siri zocht naar het woord '...ze is af en toe erg eenzaam.'

Mille lachte voorzichtig, veegde het haar weg voor haar mooie maanvormige gezicht en zei dat ze het allemaal heel goed vond klinken.

Het was een zachte, heldere dag in mei en Siri had Mille in het rijtjeshuis in Oslo uitgenodigd. De bedoeling was dat ze elkaar voor de zomer wat beter zouden leren kennen. Alma zat op school, Liv was in de crèche en Jon maakte een lange wandeling met Leopold. Iets met een hoofdstuk dat hij maar niet voor elkaar kreeg.

Mille had gereageerd op de advertentie voor een zomerbaantje op een internetsite en Siri vond haar reactie sympathiek. In de e-mail kwam ze over als een warm, opgewekt en betrouwbaar meisje. *Het zou fantastisch zijn om jullie beter te leren kennen en om van de zomer een deel van jullie gezin uit te mogen maken.* ☺ *Als ik de baan krijg zal ik mijn best doen om een lieve 'grote zus' te zijn voor jullie dochters, zodat jullie met een gerust gevoel aan het werk kunnen.*

Misschien dat Mille wat vreugde zou kunnen verspreiden? Misschien, had Siri gedacht, misschien, heel misschien, bestonden er vreugdeverspreiders. En mogelijk had Siri zich ook laten beïnvloeden, imponeren of fascineren door het feit dat de moeder van

Mille, Amanda Browne, een bekende (of tamelijk bekende) Amerikaanse kunstenares was, die in Oslo woonde.

Hier zaten ze dan. Mille en Siri. Mille had de baan gekregen. En Siri had er spijt van.

Ze glimlachte.

'Jon is schrijver', zei ze, 'en hij moet een boek afmaken. Ik heb een visrestaurant op het marktplein, op vijf minuten afstand van Mailund, naast het restaurant dat ik in Oslo heb. Het visrestaurant heet *Gloucester MA*, naar een klein vissersplaatsje bij Boston, het is alleen 's zomers open en ik zal er vrijwel de hele tijd zijn. Het is £veel werk. Ik...'

Siri onderbrak zichzelf. Het had geen zin om Mille uit te leggen hoeveel werk het was om twee restaurants te moeten runnen.

'En verder willen we graag dat het netjes is in huis', ging ze door. 'Het zou fijn zijn als je daar ook bij helpt. Het beste is natuurlijk dat iedereen in de familie meehelpt, dan kost het nauwelijks moeite. Nu je bij ons woont, maak je in zekere zin ook deel uit van de familie.'

'O ja', zei Mille, die er wat verward uitzag. 'Het lijkt me geweldig. Ik heb er veel zin in.'

Ze hief een hand op en streelde zichzelf over haar wang. Haar armbanden rinkelden. Ze had er een heleboel om haar pols hangen. (Dunne, van zilver.) En steeds wanneer Mille haar hand bewoog, bijvoorbeeld wanneer ze zichzelf over haar wang streelde, rinkelde het.

'Ik ga van de zomer nog een feest voor mijn moeder organiseren', zei Siri. 'Ze wordt vijfenzeventig. Daar zal ik ook hulp bij nodig hebben.'

Mille knikte onzeker.

Siri droeg nooit sieraden. Geen armbanden, geen oorbellen, niets om haar hals, alleen haar trouwring, die ze elke avond afdeed.

Het geluid van Milles armbanden deed haar denken aan toen ze klein was en ze naast haar moeder op de bank zat.

Siri zag haar moeder voor zich. Jenny Brodal las, dat deed ze vaak, ze had meer gelezen dan wie dan ook in de hele wereld. Het was altijd doodstil als ze zo zaten, maar als Jenny een bladzijde omsloeg rinkelden de armbanden.

'We brengen de zomers altijd door in Mailund', zei Siri terwijl ze spijt had van de hele situatie. Jon en zij hadden de dag toch onderling kunnen verdelen? Dat hadden ze eerder gedaan. Zij had 's ochtends voor Liv kunnen zorgen en hij 's middags als zij naar het restaurant ging. Zo hadden ze het inderdaad eerder gedaan. Maar zonder succes. Ze kon er niet van uitgaan dat Jon zich eraan zou houden. Ze kon niet...

'Een groot, oud huis', zei ze terwijl ze haar gedachtestroom afkapte. 'In de tuin staat een huisje, daar mag jij logeren. Met een eigen badkamer en een grote boekenkast.'

'Ja', zei Mille, en ze giechelde zachtjes.

Siri dwong zichzelf tot een glimlach. *Waarom giechel jij?* Ja, ze probeerde iets te doen aan haar eigen ongeduld. Bijna twintig jaar in de restaurantbranche enzovoort. Dat deed iets met je. En al dat gedoe thuis nog. Ze kon er de vinger niet op leggen. *Wat heb ik eigenlijk met mijn leven gedaan?*

'Tot mijn veertiende heb ik met mijn moeder in Mailund gewoond, daarna zijn we naar Oslo verhuisd', zei Siri, want ze moest toch iets zeggen. 'Mijn moeder had een boekwinkel in de buurt van de oude bakkerij waar ik nu mijn visrestaurant heb. Dat zie je allemaal wel als je er bent. De kinderen en ik zullen het je allemaal laten zien.'

Siri zag dat Mille ergens anders aan dacht, dat ze niet bijzonder veel belangstelling had om Siri's kleine geschenk in ontvangst te nemen. *De kinderen en ik zullen het je allemaal laten zien.*

De verandadeur stond open en Siri hoorde de stemmen van de buurkinderen, de dochters van Emma, zeven en negen jaar oud (ouder dan Liv, maar jonger dan Alma), die kennelijk vroeg uit school waren gehaald. Ze klapten tegen elkaars handen en dreunden een versje op dat ze zich herinnerde van toen Alma klein was.

Onder een appelboom
Zat een jongetje dat zei

Kus mij
Kus mij
Toon me dat je houdt van mij.

'Daarna heeft ze heel wat jaren in Oslo gewerkt,' ging Siri verder, 'in een grote boekwinkel die nu niet meer bestaat. Zij was verantwoordelijk voor de buitenlandse literatuur. Nu ze met pensioen is, is ze voorgoed naar Mailund teruggekeerd. Ze woont samen met Irma, die haar met praktische zaken helpt. Je zult hen allebei ontmoeten.'

'Hebt u geen broer of zus?' vroeg Mille. En alsof ze al antwoord had gekregen, zei ze: 'Ik ook niet.'

'Nee', zei Siri. 'Ik heb geen broer of zus.'

Ze zei niet: *Maar denk erom, dat wil niet zeggen dat we iets gemeenschappelijks hebben.*

Daarom zei ze:

'Ik heb een broertje gehad, maar hij is overleden toen hij vier was.'

'Ach', zei Mille en ze sloeg haar blik neer. 'Wat naar.'

'Ja', zei Siri. Ze probeerde de rode draad weer terug te vinden.

Jenny had vroeger een zachte huid gehad, zo zacht dat je je helemaal tegen haar lichaam aan wilde drukken, met je neus tussen haar borsten onder het open, dunne en versleten nachthemd. En ze rook zo lekker. Ze gebruikte een parfum dat L'Air du Temps heette.

Onder een appelboom
Zat een jongetje dat zei
Kus mij...

Siri bedacht dat het verstandig zou zijn om Milles ouders te bellen. Siri zou haar vader en haar moeder ervan verzekeren dat Mille in goede handen was. Behoorlijke omstandigheden. Goed salaris. De krant stond vol artikelen over slecht behandelde au pairs en stagiaires; Filipijnse meisjes die voor een schijntje de klok rond moesten werken; jonge vrouwen die op andermans kinderen pasten

zodat zij geld genoeg hadden om hun eigen kinderen in hun vader-
land groot te brengen; Noren die het idee van een inwonende
dienstmeid wel aanstond.

'We zullen goed op haar passen, ze wordt een deel van de familie',
zei Siri.
    'Dat is prettig,' zei Amanda Browne, 'maar Sweet Pea is volwas-
sen en gaat haar eigen gang.'
    'Sweet hoe?'
    Amanda lachte zachtjes.
    'Ach, de macht der gewoonte... Sweet Pea. Zo noemden we haar
vroeger toen ze klein was.'
    Siri zei: 'Als jij en je man zin hebben om van de zomer naar Mai-
lund te komen om haar te bezoeken, dan is er plaats voor jullie.
Jullie zijn van harte welkom. Ik wil jullie ook graag een diner in
Gloucester MA, ons zomerrestaurant, aanbieden.'
    Siri had geen idee waarom ze dit soort dingen zei. Ze wilde he-
lemaal niet dat Milles ouders kwamen.
    'O nee. Dank je wel voor het aanbod', antwoordde Amanda.
'Mikkel en ik willen ons absoluut niet opdringen.'
    Siri hoorde dat ze in verlegenheid was gebracht.
    'We hebben al een hele tijd geleden plannen gemaakt', ging
Amanda door. 'Mille is negentien jaar en verheugt zich erop om te
werken en haar eigen geld te verdienen. Hopelijk denkt ze dan
ook na over wat ze na haar school wil gaan doen.'

Hier zat Siri dan met dat ietwat zware, hijgerige tienermeisje dat
een nerveus trillend handje op tafel had gelegd. Siri moest zich beheersen om niet haar eigen hand hard op die van Mille te leggen.
Stop! Verman je. Hou alsjeblieft op met dat getril. Het was nog niet te
laat. Ze waren nog steeds in Oslo. Siri kon nog steeds zeggen: Je
zomerbaantje gaat niet door. Maar ze durfde niet. Het meisje had
erop gerekend. Het was besloten.

Later zei Siri tegen Jon:
    'Haar moeder noemt haar Sweet Pea.'

'Zo', zei Jon, die Mille op dat moment nog niet had ontmoet en die zich op alle mogelijke manieren had verzet tegen het plan om een kindermeisje mee te nemen naar Mailund.

'Moeten wij haar ook Sweet Pea noemen?'

'Nee, nee. Ik vind alleen... ze heeft helemaal niets van een *sweet pea.*'

Mille had last van een voorjaarsverkoudheid die maar niet overging. Haar ogen waren rood, ze zag bleek en ze moest voortdurend haar neus snuiten. Siri had thuis in het rijtjeshuis geprobeerd om het over zo veel mogelijk dingen te hebben, maar ze had niets noemenswaardigs uit haar gekregen. Ze begreep al snel dat wat Mille betrof er twee types antwoorden waren: een iel, aarzelend 'ja', dat zowel ja of nee als ik weet het niet kon betekenen. Of wat gegiechel, dat ook ja, nee of ik weet het niet kon betekenen.

Mille keek Siri aan.

Onder een appelboom

Iets aan Mille, haar blik misschien, deed Siri denken aan zichzelf toen ze die leeftijd had. Daar wilde ze nooit meer naar terug. Siri glimlachte (in plaats van adem te halen) en vroeg zich af hoe ze zich hier uit kon redden. Jon had gelijk. Het was een slecht idee. Een heel, heel slecht idee.

Zat een jongetje dat zei

Buurvrouw Emma riep haar meisjes. 'Nu moeten jullie komen', de meisjes lachten en holden naar binnen.

'Dat is dan afgesproken', zei Siri. 'Je komt op vijfentwintig juni en ik haal je op van de bus. Het gaat vast goed. Heel goed.'

Mille had zichzelf beloofd dat ze gedurende de zomer volkomen nieuw zou worden. Vanbinnen en vanbuiten. Van top tot teen. Als ze in augustus weer in Oslo zou komen, zou iedereen zeggen: *Nee maar, Mille, wat is er gebeurd? Je lijkt zo anders.* En dan zou ze geheimzinnig glimlachen en zeggen: *Er is niets gebeurd, ik heb gewoon een leuke zomer gehad.*

In het tuinhuis was alles stil. Zo stil dat het mogelijk was om te denken. En te bidden.

Jenny Brodal was de eigenaar van het grote, witte huis. *Mijn helse schoonmoeder*, zei Jon, hij wierp Mille een kort glimlachje toe (en als hij op die manier glimlachte, begreep ze dat er iets speciaals tussen hen was) en zei dat ze niemand mocht vertellen wat hij had gezegd over zijn schoonmoeder, die ondanks alles de oma was van Alma en Liv. Ze moest maar doen alsof ze het nooit had gehoord, zei Jon en hij glimlachte opnieuw.

Mille was nu een paar dagen in Mailund en op een ochtend zat ze alleen met Jon in de grote keuken. Hij was verdiept in zijn eigen wereld en ze vroeg zich af of hij dacht aan het boek dat hij schreef, of hij daar zo mee bezig was dat hij haar niet eens zag. Hij maakte een kop koffie voor zichzelf en zij liep wat rond en scharrelde brood, boter en beleg op voor een lunchpakket voor Liv en zichzelf. *Ga je nog wat zeggen? Zie je wel dat ik naast je sta?* Niets. Jon zweeg. Maar opeens stak hij zijn hand uit en haalde die door haar haar.

Ze sloeg haar ogen op en keek hem aan, maar toen trok hij zijn hand terug.

'Mooi', zei hij, als het ware tegen zichzelf. 'Het is mooi.'

Toen, zonder haar weer aan te kijken, pakte hij zijn koffie en vertrok.

Toen ze jonger was, vond Mille het leuk om haar lange, donkere haar te borstelen, een mooie jurk aan te trekken of een strakke spijkerbroek, zich op te maken en dan een ruimte binnen te lopen of de straat op te gaan om te kijken hoeveel aandacht ze kreeg. Jongens en mannen draaiden zich naar haar om, praatten met haar, wilden haar. Toen ze nog maar tien was, kreeg ze al borsten. Haar moeder was lang, mager, hard en had platte borsten. Ze had niets waar je in kon wegkruipen. Het lichaam van haar moeder was een strakgespannen trampoline, als je ertegenaan liep, werd je meteen weer teruggekaatst.

Haar moeder wilde dat Mille haar borsten verborgen hield onder grote, kinderachtige katoenen truien. Ze kocht lelijke truien en pakte ze in mooi papier in, alsof het echte cadeautjes waren. Verrassingen. *Ik heb een cadeautje voor je gekocht, liefje. Ik heb een verrassing voor je.* Altijd weer een nieuwe trui in maat medium of large. Witte truien, roze truien, blauwe truien met een ronde hals. Mille had haar eigen stijl, ze spaarde en liep vlooienmarkten af, kocht lange T-shirts die ze droeg als jurk boven dikke, versleten maillots, of nauwe truien en korte rokjes in felle kleuren, met een sjaal en halfhoge laarsjes. Mille en haar moeder maakten altijd ruzie over welke kleren ze aan moest en het geruzie was begonnen toen ze borsten kreeg, grote borsten, waar mannen wel naar moesten kijken.

Ze heette Mille, een afleiding van Mildred, maar ze werd ook Sweet Pea genoemd. Ze vond het leuk dat mannen naar haar keken. Ze wilde dat ze meer deden dan kijken. Ze wilde tegen iemand aan kruipen, niet weer worden teruggekaatst.

Mille zei niet zo veel en daarom beschreven veel mensen haar als verlegen of schuchter. Ze vertelde niets over toen ze klein was. Ze vertelde niets over haar moeder die foto's van haar nam als ze sliep, in bad zat of speelde. Ze vertelde haar vrienden niet dat haar moeder kunstenares was en dat de foto's van de kleine Mille tentoongesteld waren in galeries en gepubliceerd waren in een boek dat *Amanda's* heette.

Kijk naar me, Mille. Ja, zo is het goed! Niet bewegen!
Kijk naar me!
Nog even zo blijven staan!

Amanda nam duizenden foto's van haar dochter toen die klein was en Mille kreeg er een steeds grotere hekel aan om gefotografeerd te worden, de foto's die van haar waren gemaakt toen ze eenmaal groot was en haar voet dwars had gezet, waren op de vingers van één hand te tellen. Geen foto's meer! Haar moeder had haar destijds overvallen, haar moeder met haar camera. Mille had in de ene houding na de andere moeten poseren, *ernstig kijken, Mille, kijk eens vrolijk, doe maar net of ik er niet ben*, ze moest de rol van Mille spelen, de rol van kind, de rol van Amanda's peinzende dochtertje. Ze haatte het boek, ze haatte de foto's van zichzelf, sommige met kleren, andere bijna naakt, het boek had iets van haar afgepakt, een stukje van haar, echt iets voor haar moeder om het *Amanda's* te noemen, alsof Mille niet meer was dan een verlengstuk van haar moeder, een gezwel, een appendix, en toen Mille zestien jaar was, liep ze de bibliotheken van Oslo binnen om alle exemplaren te lenen en ze bracht ze nooit meer terug.

Ze vertelde niemand over de keer dat ze in het hoge gras op haar vaders arm zat. Ze weet nog dat ze hard liepen. Ze herinnerde zich zijn adem tegen haar wang. Haar vaders grote mond die fluisterde: 'We moeten opschieten, Mille! Niet omkijken!'

Milles haar was toen donker, kort en had krullen. Ze was twee jaar, misschien drie. Ze zeiden dat ze klein was voor haar leeftijd. Ze kon zich niet herinneren dat ze dat zeiden, dat ze klein was voor haar leeftijd, ze wist alleen dat de mensen veel later, toen ze groot was, zeiden: 'Je was zo klein en schattig voor je leeftijd, net een pop, en moet je nou eens zien.'

Ze weet nog dat haar vader, die Mikkel heet, door het hoge gras holde met haar op zijn arm en ze herinnert zich het gevoel van op en neer wippen, op en neer, zijn warme adem tegen haar wang.

Toen Mille vijf was, kon ze haar eigen voor- en achternaam en die van haar vader en moeder zingen, waar ze woonden en wat hun telefoonnummer was. Haar moeder had een Mille-versje op rijm gemaakt, een versje met alle noodzakelijke informatie (naam, adres, telefoonnummer) dat Mille kon zingen voor het geval ze verdwaalde en hulp van vreemden nodig had. Alles was gemakkelijker te onthouden als je het kon zingen, vond haar moeder, die bang was dat Mille zou verdwalen of verdwijnen.

En Mille was zo klein (net een pop), veel kleiner dan andere meisjes van dezelfde leeftijd. Maar opeens werd ze groot; het gebeurde plotseling, bijna van de ene dag op de andere, en haar lichaam ontwikkelde zich veel te vroeg (zeiden de mensen, waarbij ze hun gezicht in verdrietige plooien trokken). Ze kreeg billen, een buik en borsten, ze was nog maar tien jaar en toen zei haar moeder dat ze het Mille-versje niet meer mocht zingen.

Maar lang daarvoor, lang voor haar billen, buik en borsten de aandacht opeisten, zat ze op haar vaders arm en hij holde door het hoge gras, ze herinnert zich nog zijn warme adem tegen haar wang en zijn grote mond waarmee hij haar kietelkusjes gaf op haar buik totdat ze zat te hikken van het lachen. De grote mond fluisterde: *'We moeten opschieten, Mille! We moeten opschieten. Niet omkijken.'* Op en neer, op en neer. Ze weet nog hoe hoog het gras was, hoe groot de boomkruinen waren, al het groen dat hen omsloot, maar ze weet niet meer waar het was (een huisje dat ze hadden gehuurd? op bezoek bij vrienden van haar ouders?) of waarom ze zo'n haast hadden.

Renden ze weg voor haar moeder met haar camera? Of renden ze ergens anders voor weg? Misschien was het niet belangrijk. Toen leek het wel belangrijk. Nu nog steeds. Maar toen ze haar vader jaren later vroeg waarom ze die keer waren weggehold, waarom ze zo'n haast hadden, wist hij niet waar ze het over had.

'Misschien heb je het gedroomd', zei hij.

Toen ze negen jaar was, wilde haar vader met haar gaan schaatsen. Vlak bij hun huis lag een schaatsbaan. Mille vond er niets aan. Ze kon haar evenwicht niet bewaren, viel vaak en deed zich op een andere, veel naardere manier pijn dan wanneer ze op de grond viel. Als je, bijvoorbeeld, op asfalt viel, wat een veel waarachtiger oppervlak was dan ijs, liep je een schrijnend verse schaafwond op, die je kon bestuderen en volgen. Het deed pijn, maar je ging er niet dood aan. Maar als je op ijs viel, was de schade onzichtbaar. Je vernielde dingen in je lichaam die nooit heelden.

Mille had nooit een arm gebroken, ze had nooit een been gebroken, ze had nooit in het gips gezeten, maar elke keer dat ze op het ijs viel (en dat gebeurde vaak) was het alsof er ergens in haar lichaam een klein, maar belangrijk botje knakte.

'Ze heeft zwakke enkels', zei haar moeder. 'Dwing haar nou niet te schaatsen. Kunnen jullie niet iets anders gaan doen?'

'Ze heeft geen zwakke enkels', zei haar vader, 'wat een flauwekul.'

'Heb je haar enkels gezien?' vroeg haar moeder. 'Ze zijn vreselijk dun. Poppenenkels. Daarom kan ze haar evenwicht niet bewaren. Dat zal ze nooit kunnen.'

'Zulke onzin heb ik nog nooit gehoord', zei haar vader.

'IK HEB OOK ZWAKKE ENKELS!' riep haar moeder. 'Ze heeft het van mij. Iedereen in mijn familie heeft zwakke enkels.'

Amanda en Mikkel spraken vaak over Mille alsof ze er niet bij was. Dat gebeurde bijna altijd. Dachten ze misschien dat Mille niet luisterde of niet begreep waar ze het over hadden? Nou, dat deed ze wel.

Ze liep regelrecht naar haar kamer, trok haar maillot uit en bestudeerde haar enkels. Ze waren inderdaad dun. Ze legde haar wijsvinger en duim om haar rechterenkel. Ze glimlachte. Hier kon ze iets mee.

Ik ben Mille. Ik heb zwakke enkels. Die heb ik van mijn moeder. Mijn moeder heet Amanda. Zij heeft ook zwakke enkels. Iedereen in Amanda's familie, dus ook mijn familie, heeft zwakke enkels.

Elke zondag schaatsen. Ondanks de enkels. Haar vader geloofde niet wat haar moeder had gezegd. Zelf had hij uitstekende enkels, zei hij. En Mille ook. *Dus kom op.* Hij stak zijn hand naar haar uit.

'Kom op, Mille!'

Mille stond bibberend aan de rand van de schaatsbaan te kijken naar al die mensen die voorbijstoven. Het ijs was ieders vriend, alleen niet de hare. Er was een verklaring voor, *zwakke enkels*, maar haar vader geloofde het niet.

'Kom op, Mille!'

'Ik wil niet.'

'Goed', zei hij. 'Ik daag je uit. Als je wint, hoef je niet. Dan gaan we naar huis. Als ik win, waag jij je op het ijs.'

Mille kromp ineen. Haar vader moest ook altijd overal een wedstrijd van maken.

'Eén, twee, drie', zei haar vader. 'Kom op, Mille. Eén, twee, drie.'

Mille hief met tegenzin haar arm op en fluisterde:

'Eén, twee, drie.'

En toen, wat harder:

'Steen, schaar, papier.' Ze zeiden het in koor.

'STEEN', fluisterde Mille en ze stak haar gebalde vuist uit naar haar vader, die zijn hand al had geopend en zei:

'PAPIER.'

Hij glimlachte.

'Kom op, Mille! Het ijs op, nu!'

Mille deed een stap naar voren, ze gleed niet, als ze dat zou proberen – als een ijsjuffer te glijden – ging ze gelijk op haar bek. Ze boorde de punt van haar schaats in het ijs om houvast te hebben. Haar enkels trilden. Ze klauwde naar voren. Haar voeten waren ijskoud. Haar vader pakte haar hand vast.

'Goed zo', zei hij.

Het begon te sneeuwen en Mille en haar vader bleven een ogenblik helemaal stil en hand in hand kijken naar een jong meisje met een zwarte mantel dat langs hen heen wervelde.

Ze wenste dat haar vader zou zeggen *Nu blijven we gewoon hier staan kijken, we gaan niet zelf schaatsen, het kost tijd om het te leren. Dat is prima. Blijf maar mooi staan.*

De sneeuw viel met grote, zachte vlokken. Mille wenste dat ze zo kon rondwervelen als dat meisje. Negen jaar lang had Milles lichaam zich op aarde rondbewogen, *klein voor haar leeftijd,* maar rondgewerveld had ze nooit gedaan, en binnenkort kreeg ze een buik, billen en borsten.

'Het is niet natuurlijk om er zo uit te zien als je tien jaar bent', fluisterde haar vader tegen haar moeder.

Maar haar moeder had haar schouders opgehaald.

'Wen er maar aan.'

Haar ouders bleven maar denken dat ze hen niet hoorde, zelfs als ze in dezelfde kamer zat.

Mille klauwde naar haar vader toe. *Kom op, Mille.* Dacht Mikkel misschien dat hij het uitdijen van haar lichaam met fysieke activiteit kon terugdraaien?

Het meisje met de zwarte mantel pakte haar ene enkel beet en trok het been naar zich toe. De zwarte mantel plooide zich. Haar skelet plooide zich. De sneeuw plooide zich. Het heelal plooide zich. Het meisje tolde rond, steeds sneller, en voor Milles ogen veranderde ze in een zuil van rook.

Als Mille haar ogen sloot, tot drie telde en ze weer opendeed, zou ook de tijd gaan tollen en had het meisje zichzelf helemaal weggetold.

Elke winter weer ging Mille met haar vader schaatsen; af en toe bleven ze staan kijken naar het meisje met de zwarte mantel. Maar over het algemeen genomen waren die zondagen een eeuwige strijd tegen het ijs, haar lichaam en elkaar.

'Kom op, Mille, kom op!'

'Nee! Ik wil niet.'

'Het ijs op!' riep haar vader. 'Kijk niet de hele tijd om! Dan verlies je je evenwicht en val je.'

'Kun je met Liv bloemen gaan plukken?' vroeg Siri terwijl ze haar lange haar om haar vingers wond. 'Jullie kunnen wel naar de wei achter het huis gaan.'

Nee, ze was niet enthousiast over Milles werk als kindermeisje. Mille besefte het. Siri kon niet eens kiezen welk woord ze ervoor moest gebruiken. Kindermeisje. Kinderoppas. Stagiaire. Vriendin van de familie. Alles was verkeerd. Vooral omdat Siri zichzelf diep in haar hart niet wilde zien als een vrouw die ergens hulp bij nodig had. In elk geval niet om op haar kinderen te passen. Siri dacht misschien dat Mille haar niet zag, maar Mille zag haar wel, ze zag de hele Siri, ze zag Siri zelfs al wist Siri niet dat ze werd gezien.

Met Jon was het anders. Eén keer had hij haar op haar wang gekust. Ze dacht tenminste dat het een kus was, het leek op een kus.

Het was de eerste week van juli. Ze herinnerde zich dat ze op de deur van zijn werkkamer klopte, haar hoofd om de deur stak en vroeg: 'Is het goed als ik naar de winkel ga om wat blaadjes te kopen voor Liv, nu het toch regent?'

Hij draaide zich om en keek haar aan.

'Waar is Liv?'

'Ze is in de tuin. Ze wil niet naar binnen, ze wil alleen maar door de regen lopen, maar volgens mij kunnen we beter iets anders verzinnen zolang het nog niet is opgeklaard. Ze is al helemaal kletsnat en behoorlijk verkleumd.'

'Waarom ga je geen boek lezen?' zei Jon.

'Ja', zei ze aarzelend. 'Ik heb al wat rondgesnuffeld in de grote boekenkast in het tuinhuisje, maar ik heb geen kinderboeken gevonden.'

Jon kwam overeind.

'We kunnen in de woonkamer gaan kijken of daar iets bij zit', zei hij. 'Daar staan de kinderboeken.'

Hij liep langs haar heen door de smalle deur en in de deuropening, bijna per ongeluk, beroerden zijn lippen haar wang. Geen woord. Geen blik. Het was als die keer in de keuken toen hij zijn hand door haar haar haalde.

'Het zijn boeken uit de tijd van Siri en Syver', zei hij.

Toen ze onder aan de lange trap waren gekomen, wees hij naar de deur van de woonkamer. Ze dacht dat hij met haar mee naar binnen zou gaan om een boek te zoeken, maar blijkbaar niet.

'Onderste plank links', zei hij. 'Nu moet ik weer aan het werk.'

Hij liep de trap alweer op toen hij opeens uitriep: 'En zorg ervoor dat Liv droge kleren aantrekt.'

Als Mille naar Siri keek, dacht ze: Siri begint oud te worden. Al over de veertig. Er is iets mis met haar rug, ze is scheef en heeft vaak pijn, je moet bijna een beetje zijwaarts leunen als je met haar praat. Ik ben jong. Mijn lippen zijn jong. Mijn huid is jong. Mijn handen zijn jong. Niemand kan mijn gebroken botten zien. Het is jammer van Siri, ze is scheef, heeft altijd pijn en toen ze klein was, verdronk haar broertje in een ven in het bos, terwijl ze gewoon stond toe te kijken.

Mille bewoog zich geruisloos voort in het huis en ving overal wat op. Jon had verteld dat toen het kleine broertje van Siri meer dan dertig jaar geleden was verdronken, niemand met Siri praatte. Ze was toen zes. Zelfs Jenny praatte niet met haar. En Jenny was nog wel haar moeder.

Jon dempte zijn stem.

'En je weet wat ik van Jenny vind.'

Maar – zo werd het althans aan Mille verteld – een oude man die Ola heette, had voor Siri een poppenhuis in elkaar getimmerd, met piepkleine meubeltjes en piepkleine popjes, zodat ze aan iets anders kon denken dan aan Syver.

Siri, dacht Mille. Siri was in het restaurant, Siri mocht niet worden gestoord, Siri antwoordde altijd (of bijna altijd) chagrijnig als Mille haar iets vroeg.

Jon antwoordde nooit chagrijnig, hij maakte juist een bijna opgewekte indruk als ze op de deur van zijn werkkamer klopte om iets te vragen. Hij vroeg haar altijd om binnen te komen, of ze wilde gaan zitten, en dan spraken ze met elkaar.

Mille kende Jon nog maar een paar weken, maar ze wist heel zeker dat er iets tussen hen was. Iets wat je niet met woorden kon benoemen.

De waarheid was dat ze zich niet tegen hem had kunnen verzetten.

De eerste keer dat ze hem zag, stond hij op de hoek van de Akersgata en de Karl Johans gate te kijken. Het jaar was 1993 en Siri was vijfentwintig. Ze vroeg zich af waar hij naar keek en toen hij haar eindelijk zag, had ze ruim de tijd gehad om daarachter te komen.

Hij was lang, donker en dun als een beeld van Giacometti, hij droeg een versleten spijkerbroek, een wit linnen overhemd en een fladderende overjas. Het was een knappe man, vond ze, maar zijn starende, glinsterende ogen hadden iets verontrustends.

Zoals hij daar op de hoek van de straat stond, doodstil en onwankelbaar, deed hij haar denken aan het standbeeld van koning Haakon VII een paar blokken verderop, dat ze altijd groette als ze het 's nachts op de terugweg van haar werk passeerde.

Hier stond de man die ze nog niet kende en die weldra zijn blik op haar zou vestigen: een fladderende overjas, een krant voor zijn borst in plaats van de uniformpet, een slanke, ranke, door weer en wind geteisterde, dappere zuil van een man.

Siri was op weg naar haar werk, weer zo'n duur gezelschap bestaande uit klanten die goed betaalden in de veronderstelling dat het bestellen van wijnen van duizend kronen per fles hetzelfde was als goed eten. Twee jaar eerder was ze chef-kok geweest in een restaurant aan de Frognerveien dat failliet was gegaan. Nu had ze haar eigen cateringbedrijf, *Iris' feestmaaltijden*, en volop tijd om te denken, hoewel denken op zich niet noodzakelijkerwijs een voordeel was. Siri wilde dat het liefst vermijden.

Mensen vroegen haar vaak (mensen die niets met de restaurantbranche te maken hadden) of ze kok was geworden omdat ze als kind al een bijzonder talent voor koken aan de dag had gelegd, net zoals de kleine ballerina door de kamer danst terwijl haar ouders, grootouders, tantes, ooms en buren verzuchtten: die zien we ongetwijfeld op een dag in de schouwburg optreden. Maar nee, dus. Zo was het niet.

Voor zover Siri over haar beroepskeuze nadacht, zag ze zichzelf als een ambachtsmens, net als haar vader, niet als haar moeder. In haar jeugd was geen sprake van prikkelende eetsensaties (afgezien van de pruttelende stoofpotten van haar moeder op het fornuis en de bakken pistache-ijs in de vriezer).

Maar ze was goed, ze was een van degenen die zich konden redden. Eerst sous-chef, daarna chef-kok in het restaurant aan de Frognerveien (en geen tijd om na te denken), maar juist op het moment dat ze bezig was iets behoorlijks op te bouwen, ging het restaurant failliet. En nu dus dat idiote cateringbedrijf dat weliswaar een doorslaand financieel succes was en haar de tijd gaf om *een leven op te bouwen*, maar dat desondanks onverdraaglijk was. Ze wist er geen ander woord voor.

Chique diners, bruiloften, bedrijfsfeesten en kerstbuffetten. Zwaarlijvige rijkaards die vroegen om Chateau Petrus uit Pomerol in de veronderstelling dat haar knieën daarvan zouden knikken. Onverdraaglijk.

Haar lange, donkere haar zat samengebonden in een strakke paardenstaart, ze droeg de maisgele, hooggehakte laarsjes en de korte, maisgele najaarsjas met een ceintuur om het middel die ze van Jenny had overgenomen, haar rug was een beetje scheef en deed af en toe pijn. Andere mensen zagen die scheve rug niet altijd, ze was een vrouw die vanwege heel andere dingen opviel.

Maar als Jon, die jaar in, jaar uit haar zere plek streelde en probeerde die recht te maken, iets over haar rug moest zeggen, zou hij misschien het volgende zeggen:

Een scheefheid, een kleine, gracieuze knik in het midden – alsof ze een radslag maakte en verstijfde terwijl ze bijna rond was, vastgevroren in de beweging voordat die was voltooid.

Ze had Jon uitgenodigd voor een etentje bij haar thuis. Het was de eerste keer. Ze maakte het laatste blik *confit de canard* open dat ze uit Frankrijk had meegenomen, kookte een paar aardappels en maakte een groene salade.

Maar daarvoor, voordat ze voor hem kookte, voordat hij de overjas had uitgetrokken en boven op haar ging liggen, zo mager dat zijn heupbeen in haar sneed, voordat hij haar de volgende ochtend wakker maakte en fluisterde dat zij zich in hem had genesteld, liep ze over de Akersgata, voorbij *VG, Dagbladet* en *Aftenposten*, de kantoren van de kranten die destijds netjes naast elkaar lagen, en merkte ze de man op die haar aan het standbeeld van Haakon VII deed denken en die in de Karl Johans gate stond te kijken. Ze vroeg zich af waar hij naar keek, want hij bleef maar kijken. Hij bleef maar kijken, maar hij zag Siri niet.

Hij stond aan de overkant van de straat en zij volgde zijn blik: er was geen ruimteschip geland in de Karl Johans gate, zelfs geen kleintje, het paleis stond niet in brand, het parlementsgebouw evenmin, er stond geen Nobelprijswinnaar te wuiven vanaf het balkon van het Grand Hotel, maar, en dat was echt waar, voor bakkerij Samson op Egertorget stond een jonge, blonde vrouw, met een nauwsluitend, kort rokje, zwart, met een patroon van kleine, witte olifantjes, die naar hem leek te zwaaien.

Ach ja.

Hij keek naar een vrouw. Een jong, mooi exemplaar. Ingewikkelder was het niet.

Siri haalde diep adem en keek van de een naar de ander. Het was alsof hij de vrouw door te kijken naar zich toe wilde trekken. En kennelijk werkte het. De jonge, blonde vrouw rekte zich uit en zwaaide nog iets fanatieker.

Siri dacht dat als die vreemde man (die haar aan een bevroren, dappere stenen zuil deed denken) naar de jonge vrouw bleef kijken en de jonge vrouw naar hem bleef zwaaien, de kleine witte olifantjes zich dan van haar minirok zouden losrukken en in vervoering naar hem toe zouden denderen.

Siri kon zich niet herinneren dat ze die keer aan iets anders dacht dan aan olifanten die door de straten van Oslo banjerden, maar indien ze in woorden had moeten omschrijven wat ze voelde toen ze Jon voor de eerste keer zag (voordat hij haar zag en voordat ze wist dat hij Jon heette), zou ze misschien hebben gezegd:

Ongelooflijk dat een vrouw daarvoor valt. Ongelooflijk dat ze valt voor de oudste versiertruc ter wereld. *De man die naar haar kijkt.* Wat denkt ze eigenlijk? Dat hij haar echt *ziet*? Dat hij door haar heen kijkt? Dat hij haar met zijn blik uitkleedt? Dat hij heeft besloten dat hij haar wil hebben en dat die standvastigheid (of blikvastigheid) slechts een voorproefje is van wat hij haar zal laten zien als hij haar voor zichzelf heeft? Dat hij, de grote verleider, al van haar gaat houden terwijl ze voor bakkerij Samson staat te zwaaien?

'Domme vrouwen en ijdele mannen', zei Jenny altijd toen Siri klein was. 'Allemaal zijn ze eenzaam en willen ze aandacht, net kleine kinderen die in een hoek van de kamer zitten te krijsen.'

Siri wilde de man, die blijkbaar dacht dat hij iedere willekeurige vrouw naar zich toe kon kijken, een lesje leren. Ze maakte het elastiek in haar haar los en liet haar lange, donkere haar omlaag vallen. Ze zette een voet voor de andere en begon de weg over te steken, van haar straathoek naar de zijne. Eén stap, twee stappen, drie stappen. De blondine met het olifantenrokje was verleden tijd. Vier stappen, vijf stappen, zes stappen. Nu had hij haar in het oog gekregen. Zeven stappen, acht stappen. Nu keek hij naar haar. Nu was zij de weg over en vroeg hij zich af waarom het kijken niet werkte. Negen stappen. Siri wierp haar haar naar achteren. Tien stappen, elf stappen. Nu liep ze langs hem heen. Twaalf stappen. Nu was ze hem voorbij. Dertien stappen. En nu ben jij verleden tijd.

Daar kon het zijn geëindigd en dan zou het allemaal anders zijn gelopen, als Siri hem niet drie weken later, in een regenachtige nacht, opnieuw was tegengekomen, op het Plein van de Zevende Juni, waar het standbeeld van Haakon VII fier oprees. Siri was op weg naar huis, het regende, het klotste onder haar voeten, ze was tot op het bot verkleumd, de koude nazomerse regen voorspelde een onbarmhartige herfst, hoewel het nog maar de laatste week van augustus was. Plotseling stond hij daar, voor het standbeeld van Haakon VII, en hij leek er in de verste verte niet op. De koning zelf was niet onder de indruk van het weer. Die torende alleen maar dapper boven het plein uit, hoe hard het ook plensde. Maar Jon, van wie ze nog steeds niet wist dat hij Jon heette, was nat en koud als de grote, zwarte hond die Ola had aangeschaft nadat hij weduwnaar was geworden.

Siri keek hem aan met tot spleetjes geknepen ogen, ze herkende hem meteen als de ijdele, knappe man die ze drie weken eerder had genegeerd. De man die ze had getaxeerd als iemand die dacht dat hij alle vrouwen naar zich toe kon kijken en die haar had doen denken aan het standbeeld waar hij nu voor stond. Wachtte hij op haar? Siri geloofde niet in de voorzienigheid, maar deze ontmoeting leek door de voorzienigheid te zijn bepaald. Dat ze hem nou net hier moest treffen, midden in de nacht, met koning Haakon VII als getuige. Hij kon onmogelijk weten dat ze aan dit standbeeld had gedacht, of überhaupt iets had gedacht, of aan hem had gedacht (ze had hem immers genegeerd) toen ze hem op de hoek van de Akersgata en de Karl Johans gate had zien staan. Hij kon onmogelijk weten dat ze elke nacht op de terugweg van haar werk deze route nam. Ze was, in tegenstelling tot de blondine met de olifantenminirok, geen vrouw die voor trucs viel – niet voor kijken, voor slechte replieken of voor het idee van de voorzienigheid. (Alleen al het woord – *voorzienigheid* – nee, dat was al te dol.)

'Hallo', zei hij.

Het Plein van de Zevende Juni lag er verlaten bij. Het was bijna drie uur in de nacht en de nachten waren niet licht meer. Maar Siri was niet bang. Ze was nooit bang in Oslo. Hij moest zelfs roepen, anders zou ze hem in de regen helemaal niet horen. Ze stonden ieder aan een kant van het standbeeld.

'Hallo', zei ze.

Hij zette een stap in haar richting, ving haar blik.

'Heb ik je laten schrikken?' vroeg hij.

'Nee', zei ze.

Hij wees op zichzelf, op de kletsnatte overjas die aan zijn lichaam plakte en zei:

'Zijn kleren zijn vuil, maar zijn handen zijn schoon, als je begrijpt wat ik bedoel.'

Ze begreep niet wat hij bedoelde. Pas toen ze getrouwd waren en Alma was geboren, kwam ze erachter dat het een citaat van Bob Dylan was.

'Niet vuil maar nat', zei ze. Siri wilde altijd graag dat de dingen klopten, het moest juist zijn, je mocht niet rommelen met feiten, daar besteedde ze veel tijd aan en daarom corrigeerde ze ook vaak anderen.

'Jouw kleren zijn toch niet vuil, ze zijn nat', herhaalde ze voorzichtig. 'Dat is een verschil.'

Hij keek naar haar, vond haar blik, glimlachte terug en liep naar haar toe.

'Helemaal kleddernat!' zei hij, hij beroerde behoedzaam haar wang, en veegde een regendruppel weg. 'Net als de jouwe.'

Twee jaar later, toen Siri getrouwd was met Jon en hoogzwanger was van Alma, stierf haar vader. De man die Bo Anders Wallin heette. Ze pakte een tas in en vertrok van Mailund naar Slite op het eiland Gotland, Zweden, waar haar vader na de dood van de kleine Syver in 1974 samen met Sofia was gaan wonen.

Bo Anders Wallin kwam de eerste jaren redelijk vaak op bezoek bij Jenny en Siri. Verjaardagen. Kerstavond. Op een keer, het moet in 1977 zijn geweest, was hij vergeten het verjaardagscadeautje mee te nemen dat hij, zoals hij beweerde, in een speelgoedwinkel in Stockholm had gekocht (Siri werd negen) en om het goed te maken, liep hij naar de keuken, haalde een schaar uit de keukenla en verknipte zijn stofjas tot een kleine mantel die Siri om zich heen kon slaan.

'Kijk', zei hij. 'Alsjeblieft, Siri Brodal Wallin! Dit is een onzichtbaarheidsmantel van een tovenaar uit Zweden, speciaal geïmporteerd naar Mailund. Als je die omslaat, kan niemand je zien, maar jij kunt iedereen zien.'

Jenny rolde met haar ogen en trippelde op haar kanariegele hoge hakken heen en weer. Ze had genoeg van Bo Anders. Maar hij vertrok pas toen Siri was gaan slapen, en ze weet nog dat hij op de rand van haar bed ging zitten en haar vertelde wat ze de volgende dag allemaal kon doen nu ze een onzichtbaarheidsmantel had.

Jij kunt iedereen zien, maar niemand kan jou zien.
Jij kunt iedereen horen, maar niemand kan jou horen.
Jij kunt iedereen aanraken, maar niemand kan jou aanraken.

Siri had drie foto's van haar vader. De eerste foto, korrelig zwartwit, was van hem en haar samen. Hij ligt op de bank met de ogen dicht, hij heeft kort, bruin en glimmend glad haar (Brylcreem?), een scheiding opzij en zijn overhemd staat open. Op zijn buik ligt een kleine baby, bleek, rond en warm, als een pasgebakken broodje. Siri is net een maand oud. Ze slapen allebei.

Toen Jenny in het najaar van 2010 stierf (zo ongeveer toen de drie jongetjes Milles overblijfselen in het bos vonden), liet ze dagboeken na bestaande uit korte notities in telegramstijl. In oktober

1968, wat ongeveer het tijdstip moet zijn geweest waarop de foto van Siri en Bo werd genomen, staat dit: *Ik kan niet tegen dat gekrijs, ik ben er niet voor gemaakt, nooit meer, de enige die haar kan laten ophouden is Bo Anders, hij legt haar op zijn buik en dan vallen ze allebei in slaap. Weldadige slaap.*

De tweede foto is van Bo Anders, Siri en Syver. Het is de enige foto die Siri heeft van haar vader met zijn beide kinderen. Het jaar is 1973. Ook zwart-wit. Ze staan naast elkaar op het erf van Jenny's huis Mailund. Bo Anders in het midden, hand in hand met Syver, en Siri staat een klein eindje verder – ze is vijf en kijkt ernstig. Het is herfst. Iedereen draagt een dikke trui. Ze gaan een wandeling maken in het bos. Syver heeft de grijze wollen muts op zijn hoofd. Hij is drie jaar en glimlacht van oor tot oor. Jenny moet de foto hebben gemaakt.

De derde foto is uit 1986. Haar vader heeft grijs haar en een grote, grijze baard die bijna zijn hele gezicht bedekt, hij zit op een bankje in de tuin voor het kalkstenen huis in Slite. In zijn hand, die hij naar de fotograaf uitsteekt, zit een bosje veldbloemen, alsof hij wil zeggen: Alsjeblieft! Voor jou! Sofia heeft de foto gemaakt en hem naar Siri gestuurd. De foto is met een paperclip bevestigd aan een witte kaart waarop staat: *Dag Siri, een kleine groet van je papa, die het goed maakt en je mist! Gefeliciteerd met je achttiende verjaardag!*

Siri heeft zich altijd afgevraagd waarom haar vader haar niet zelf had geschreven. En waarom stuurde hij (of Sofia) haar een foto waarop je zijn gezicht niet kon zien? Alleen een baard en een massa piekende haren. Wat wilde hij haar vertellen met zo'n foto? En was het waar dat hij haar miste?

Nu was hij dood, negenenzeventig jaar oud. Hij stierf in de nacht van vijftien juni 1995 en Siri kreeg het diezelfde ochtend vroeg te horen. Sofia belde.

'Nu is hij dood', zei Sofia met haar welluidende, bijna vrolijke stem.

Vele jaren later, met rode vlekken op haar wangen vanwege verschillende glazen wijn, probeerde Siri het geluid van Sofia's stem voor Jon na te doen. Maar het lukte niet. Het was alsof ze een lied zong dat ze had gedroomd.

Jon streek haar over het haar.

'Leg het me uit', zei hij. 'Wat was er zo bijzonder aan de manier waarop ze het zei?'

'Ik weet het niet', zei Siri. 'Het was mooi. Niet wat ze zei, ik werd er natuurlijk toch verdrietig van, ook al kende ik hem niet zo goed, maar de klank van haar stem. Als een klokkenspel.'

Siri wilde haar vader graag voor de laatste keer zien. Hem dood zien. Een lijn trekken vanaf het punt waarop hij met openhangend overhemd met haar op zijn buik op de bank ligt tot waar hij dood in bed ligt.

'Ik laat hem hier een etmaal liggen', had Sofia met haar klokkenspelstem gezegd. 'Maar dan komen ze hem ophalen en nemen ze hem mee.'

Siri had niet gevraagd wie 'ze' waren. Ze ging ervan uit dat het de mensen van de begrafenisonderneming op Gotland waren en dat Sofia al met hen had gesproken, en ongetwijfeld ook met de dokter die de overlijdensverklaring had getekend, en dat Sofia met hen was overeengekomen dat Bo Anders nog een etmaal in bed kon blijven liggen, zodat zij (*het enige hem overlevende kind*) uit Noorwegen kon komen om afscheid te nemen.

Het was een lange reis. Eerst met de auto van Mailund naar Oslo, Jon reed. Hij zei dat hij de hele weg wilde meegaan, hij wilde er voor haar zijn, stel dat ze plotseling weeën kreeg als ze daar was, maar ze sloeg het af. Dit wilde ze zelf doen, hij had het toch al druk genoeg met de laatste correcties van een bundel korte verhalen en áls ze weeën kreeg, kon ze ook altijd nog in Slite bevallen.

Vervolgens met het vliegtuig van Fornebu naar Stockholm, met een ander vliegtuig van Stockholm naar Visby en dan nog een korte autorit van Visby naar Slite.

In het propvolle propellervliegtuig van Stockholm naar Visby kwam ze naast een man van middelbare leeftijd te zitten die haar, toen het vliegtuig opsteeg, erop attent maakte dat ze te veel plaats innam. Siri was zeven maanden zwanger en de man vond dat ze twee zitplaatsen had moeten reserveren, dat haar dikke buik een deel van zíjn plaats innam, waar hij voor had betaald, en dat hij zich niet kon bewegen, zijn ledematen en zijn blik niet kon verplaatsen zonder dat haar buik in de weg zat. Het was onaangenaam en onrechtvaardig, zei hij, en hij riep de stewardess. Siri voelde haar wangen gloeien. Toen de stewardess kwam, wond de man zich nog meer op en hij stootte zijn woorden al hikkend en spugend uit.

'Dik... veel te dik... mijn plaats... niet voor gekozen om hier te zitten... ik kan me niet verroeren...'

De man gebaarde en riep, maar werd overstemd door de propellers. De stewardess keek om zich heen, moest ze de gezagvoerder erbij halen? De andere passagiers schoven onrustig op hun stoelen heen en weer en vele honderden meters onder hen lichtte de Oostzee groen op.

Siri sloeg haar armen om haar dikke buik, wiegde onmerkbaar heen en weer en keek naar de hoes van de stoel voor haar. Het kind bewoog. Niet met kleine, heftige schoppen en vuistslagen. Daar was het te groot voor geworden. Nu bewoog het zwaar en nadrukkelijk. Het was een meisje. Maar Siri slaagde er niet in haar voor zich te zien. Handen, voeten, buik, geslacht, knieën. Huid. Alles piepklein en volmaakt, hoopte ze. Een piepklein, vreemd lichaam en een piepklein, vreemd gezicht. Het lukte haar niet het voor zich te zien. Een kind. Een gezicht. 's Nachts droomde ze over dieren – katten, kikkers, vogels – en dorre landschappen. Ze voelde dat haar buik uitstulpte, eerst op de ene plek, daarna op een andere.

De man gaf niet op, hij zei dat hij een fatsoenlijke zitplaats eiste, met genoeg ruimte voor zijn hele lichaam. De stewardess luisterde hulpeloos, dacht misschien: *Als ik hem vertel hoe onredelijk hij is, maakt dat de situatie alleen maar erger, en geef ik toe, dan verleen ik hem het recht om zich zo te blijven gedragen.* Het vliegtuig was vol. Ze kon hem geen andere plaats aanbieden.

De man bleef maar klagen. Siri wilde dat hij ophield. *Nu moet je ophouden. Hou op. Je kunt niet op deze manier doorgaan. Dat gaat niet.* Opeens voelde ze dat het kind een draaiende beweging maakte, alsof het zich om haar rugwervel heen probeerde te wikkelen. Siri hapte naar adem.

'Ik heb niet genoeg ruimte!' riep de man al gebarend.

Siri pakte zijn arm beet, duwde haar lippen tegen zijn oor (het oor van de man: groot, lichtrood en vlezig) en siste: 'Hou nu eindelijk eens je mond!'

De man rukte zich los uit haar greep en staarde haar aan, zijn gezicht was helemaal rood. Siri herpakte zich en herhaalde, nu op gewone toon:

'Hou nu eindelijk eens je mond!'

De man opende zijn mond en sloot hem weer.

Ze zei:

'Weet je niet dat als je zo blijft doorgaan, je de bevalling opwekt?' Ze dempte haar stem. 'Dat is bewezen.'

'Wat is bewezen?' fluisterde de man.

'Het is bewezen', herhaalde Siri, 'dat als je zo blijft doorgaan, je de bevalling opwekt. Dan moet ik hier bevallen, in het vliegtuig, honderden meters boven zee, naast jou, en dat zul jij aan den lijve ondervinden!'

Het was laat toen Siri eindelijk haar vaders huis bereikte, de zon was roodgloeiend aan het dalen. Sofia zat op het houten bankje in de tuin, onder een boom, maar kwam overeind toen ze Siri zag. Toen ze nog een kind was, had Siri een paar zomermaanden bij haar vader en Sofia doorgebracht, maar dat was al lang geleden, en ze was verrast toen ze haar zag. Sofia, die Siri zich herinnerde als knap en donker en die over de telefoon zo opgewekt had geklonken, was een oude vrouw geworden met bleekzwarte ogen.

'Hemeltjelief', zei Sofia zacht terwijl ze naar Siri's buik wees. 'We hadden geen idee... je papa en ik wisten niet... wanneer ben je uitgerekend?'

'Ik ben er niet aan toegekomen om hem erover te schrijven', antwoordde Siri. 'Ik ben in augustus uitgerekend, de eenentwintigste, en op de tiende word ik zevenentwintig, dus misschien wordt het wel een verjaardagscadeautje.' Ze legde een hand op haar buik. 'Het is een meisje. Ze zal Alma heten.'

Bo Anders Wallin lag languit op bed met een pas gesteven laken over zich heen. Op het nachtkastje stond een brandende kaars. Hij was gewassen, geschoren en gekleed in een schone flanellen pyjama. Sofia (of iemand anders) had een geruite zakdoek om zijn hoofd gebonden, met de knoop boven op het hoofd. Siri vond het er akelig uitzien, hoe moest ze met hem praten als zijn hele kinpartij op die manier was ingepakt, en dan nog die komische knoop op zijn hoofd, als een omgekeerde hoofddoek, de bedoeling was toch alleen maar dat zijn mond niet zou openvallen? Ze boog zich over hem heen, zijn ogen waren gesloten, hij maakte een strenge, ontoegankelijke indruk, niet vredig, niet mild, niet verzoend met zijn nieuwe toestand, maar haast vijandig, vond ze, het had iets met die smalle, misprijzende mond te maken – en met die geruite zakdoek natuurlijk, die strak om zijn hoofd was gebonden. Ze wilde de knoop losmaken, maar durfde niet.

Ze ging op de rand van het bed zitten en zei aarzelend:

'Papa.'

Ze pakte zijn hand. Die was koud, de huid was poreus. Ze was bang voor wat er zou gebeuren als ze er een kus op gaf.

'Papa', herhaalde ze.

Siri begon te huilen. Maar ze zat het tafereel ook doodstil op de rand van het bed te bekijken. Ze huilde en ze huilde niet. De Siri die niet huilde zei zachtjes: dit is een toneelstuk, je hebt hem al lang geleden afgeschreven.

Het was onmerkbaar en bijna pijnloos. De manier waarop ze zich in tweeën deelde, soms in vieren. De eerste keer dat het gebeurde was ze een jaar of drie, vier, en ze weet nog dat ze duizelig werd, alsof ze een onzichtbaar gas had ingeademd. Toen Syver verdween en zij tussen de bomen heen en weer rende om hem te zoeken, bleef een van haar bij het ven staan (en ging daar nooit meer vandaan), terwijl de ander naar huis liep om hulp te halen.

Het jaar voordat Syver verdronk, vertelde ze hem dat hij nog meer broertjes en zusjes had. Zij was vijf jaar, hij drie en ze had net leren lezen en haar naam schrijven. Zowel gewoon als achterstevoren. Ze had ontdekt dat achterstevoren mooier was.

'I-R-I-S', zei ze hardop.

Ze keek naar haar vader die de krant las.

'Wat betekent Iris?'

'Dat is een bloem', zei hij en hij keek op. 'Ze staan in de tuin.'

'Mijn ene zus heet Iris', zei ze tegen Syver, ze waren op het erf aan het spelen. 'Af en toe is ze onzichtbaar en af en toe niet.'

'Jij bent Siri', riep Syver.

'Af en toe ben ik Siri en af en toe Iris', zei ze. 'En af en toe ben ik allebei en af en toe ben ik geen van beiden.'

'Jij bent Siri', riep Syver nog een keer. Hij trok de grijze muts van zijn hoofd en ging voor haar staan. Hij probeerde haar hand te pakken, maar ze duwde hem weg.

'Jij bent Siri!'

'Ik lieg niet', zei ze. 'Zo is het gewoon.'

Het had met haar moeder te maken. Het was echt noodzakelijk om zichzelf op te splitsen. Na verloop van tijd werd het een gewoonte. Ze werd niet eens meer duizelig. Het gas kwam als een verlossing, ze hoefde alleen maar in te ademen en het zijn werk te laten doen.

Jenny's woede was zo groot en zwart, en zo onmogelijk om tegen te houden als die eenmaal was opgestoken, dat je je het beste in een heel leger kon opsplitsen. Eén die op de uitkijk ging staan. Eén die vocht. Eén die huilde en om genade smeekte. Eén die verstandig was. Eén die danste en strapatsen uithaalde. Eén die om vergeving vroeg. Eén die met fruit, troost en warme thee kwam aanzetten. Eén die alles weer goed probeerde te maken. En één die ervandoor ging maar niet erg ver kwam.

Het lichaam van haar moeder was een fantastisch bouwwerk, een sprookjeskasteel, een piramide, een vesting. Maar elke week werd het van binnenuit aangevallen, door mieren, dazen, teken, ratten en drank, en als het was ingestort, moest alles, de hele Jenny, weer worden opgebouwd. Steen voor steen, plank voor plank, spijker voor spijker. Misschien gebeurde het op maandag, misschien zaterdag, misschien dinsdag, misschien elke dag en misschien die week geen enkele dag, en dat was eigenlijk nog het ergste, want dan zat Siri voortdurend in angst af te wachten tot het weer zover was. Of nog erger: af en toe zat er heel veel tijd – weken, misschien maanden – tussen elke keer dat Jenny uit elkaar viel, en dan stond Siri zichzelf toe te ontspannen. Haar aandacht verslapte, ze praatte met iets te harde stem, omhelsde iets te stevig, kwam de deur door gestormd of morste op de vloer.

Als Jenny in een goed humeur was (lange, stille dagen zonder tekens van een inwendige aanval), maakte ze in de royale keuken fantastische maaltijden klaar. De eettafel die aan twaalf personen plaats bood, werd voor twee personen gedekt, met deftig porselein en kristal, en Jenny en Siri trokken beiden een mooie jurk aan en lakschoenen, deden lippenstift op en L'Air du Temps; de vriezer zat vol ijs (groen pistache-ijs) waar je voor het dessert meerdere keren van mocht nemen en Jenny maakte haar specialiteit, een stoofpot die bestond uit een blik ragout, een blik cocktailworstjes, een blik spaghetti à la Capri en een blik Joikarendierburgers in dikke, bruine saus, een flinke hoeveelheid tomatenpuree, maiskorrels, prei, een klein stukje bruine geitenkaas voor de wildsmaak en een plukje peterselie om het af te maken. Je aandacht mocht niet verslappen. Maar Siri vergat het altijd opnieuw. Ze was niet op haar hoede. Ze lette niet op.

En Syver lag in het water, Siri stond op de oever en Jenny deed de deur wijd open en keek het magere meisje dat hijgend buitenstond vragend aan:
'Maar Siri, meiske toch,' vroeg ze, 'wat is er gebeurd? Wat scheelt eraan?'
En vervolgens, iets zachter, maar zonder ook maar enige ongerustheid:
'Waar heb je Syver gelaten?'

Siri deed de deur van haar vaders kamer achter zich dicht en liep de tuin in. Sofia zat nog steeds op het houten bankje.

De oude vrouw draaide zich naar haar om.

'Is alles goed met je?'

'Ja', antwoordde Siri. 'Is het goed als ik even ga zwemmen?'

'Dat is een goed idee. Je bent vast warm van de reis. Weet je de weg naar het strand nog?'

'Ja.'

'Zullen we samen thee drinken als je terugkomt?'

'Ja', zei Siri. 'Dat zou fijn zijn', voegde ze eraan toe. 'Dank je wel.'

Het waaide, het was al laat. Het strand was verlaten, maar Siri verstopte zich toch achter de gesloten kiosk om zich te verkleden. Ze legde haar zomerjurk en haar onderbroek op een stapeltje achter de kiosk en trok een geel badpak aan. Ze sloot haar ogen en legde een hand op haar buik. Geen beweging. Stil, zwaar en vreemd. Ze probeerde zich het gezicht van de baby voor te stellen. Het was een meisje. Siri's meisje. Het meisje van Siri en Jon. Zee, meer, water, rivier, ven. Ze zag de gezichten voor zich. Dat van de baby, haar eigen, dat van Syver en van Jon. Gezichten zo dicht bij het hare dat ze veranderden in vlekken, strepen en punten. Uitvloeiend, onwerkelijk. Nu en dan droomde ze erover, gezichten die samensmolten tot nieuwe gezichten, ze had er in haar dagboek over geschreven, ze schreef erin toen ze zo misselijk was dat ze alleen maar dood wilde, ze schreef erin toen de baby twaalf weken oud was en de grootte had van een zoetwaterkreeftje, toen de hersenen groeiden en zich ontwikkelden en toen het beenmerg, de lever en de milt bloedcellen waren gaan produceren. Er was geen weg terug. De baby werd groot en imposant. Een ander. Een vreemde. En toch in Siri's lijf, een verlengstuk van Siri, een zacht, flexibel stukje Siri, opgerold in een wirwar van aderen, water, huid en haar. Waar begon die ander en waar hield Siri op? 'Ook al ken je de baby niet,' stond er in de zwangerschapsboekjes die Siri in die tijd verslond, 'de baby kent jou wel.' Ze was bang. Ze was misselijk. Ze was zo beroerd dat ze dood wilde. Het was een belediging van zwangere vrouwen om de misselijkheid die veel van hen overkwam, 'ochtendmisselijkheid' te noemen, alsof het om een wat zeurderig gevoel van onbehagen na het ontbijt ging. Voor velen was het ongetwijfeld niet meer dan dat, maar niet voor Siri. Haar zintuigen werden aangevallen. Ze kon niet koken. Ze kon de geur van haar eigen keuken niet verdragen, ze moest zich ziek melden vanwege de geur, het was domweg onmogelijk om te koken zonder over te geven. Vooral de geur van koffie, heilbot en honing maakte haar ziek, maar ook wortelgewassen, vlees (rund, varken, lam en haas) en uiteraard uien, citroen en allerlei kruiden, vooral dille, waar ze zo gek op was. Wat groeide daar in haar dat haar aanviel en haar van afschuw, schaamte en vrees vervulde? Ze probeerde de afschuw en de angst in haar dagboek van zich af te schrijven. Het kon toch onmogelijk goed zijn voor het kind (het onschuldige kind dat er niet om gevraagd had te ontstaan) dat ze zich zo voelde? Het zwarte boek, noemde ze het. Daar schreef ze alles in wat ze niet kon zeggen. Alles wat ze niet kon denken.

Toen de misselijkheid zich eindelijk gewonnen gaf – dat gebeurde in de zesde maand – begroef ze het zwarte boek samen met de zwangerschapsboeken in het bos. Haar vader zei altijd dat rituelen belangrijk waren en nu lag hij daar in bed met een zakdoek om zijn hoofd. Het begraven van de boeken was een ritueel. Nu zou ze spoedig haar vader begraven. Ze lachte even. De zee was bijna zwart. Meestal had de zee hier verschillende schakeringen van grijsgroen. Heel anders dan bij Mailund. En geen kwallen. Ze waadde een stukje de zee in, strekte zich languit in het water en liet de milde avondgolven over zich heen spoelen. Haar buik wees naar de hemel, rond en geel, een tijdig verzoek aan de sterren om een van ze te mogen worden. Het kind bewoog nog altijd niet. Ze sloot haar ogen, alles was stil.

Alma liep achter Mille en Liv aan, Mille had lang, donker haar, veel langer dan dat van mama. Liv huppelde, ze was blij en tevreden. Het was Jenny's verjaardag en iedereen (op Liv na) was vreselijk gestrest. De vorige dag had Siri een lange, dikke haarsliert van het aanrecht gevist, die voor Jons gezicht opgehouden alsof het een worm was, een slak of een langpootmug, en geschreeuwd dat ze er nu genoeg van had. Overal waren haren, zei Siri. In de badkamer. In de keuken. In het eten. Jon vroeg haar wat zachter te praten zodat Mille het niet zou horen, maar dat maakte Siri alleen maar bozer.

'Haar haren in mijn haar', gilde Siri en ze trok aan haar haar.

Alma zat bij het aanrecht thee met warme melk te drinken en volgde het gesprek. Ze leken niet op te merken dat zij daar zat.

Elke avond maakte Siri thee met warme melk, zodat Alma kon slapen. Kalmerende thee. Om haar tot rust te laten komen. Om de slaap te lokken. Vroeger kreeg ze warme chocolademelk, maar nu ze groter was, kreeg ze thee.

Alma werd vaak midden in de nacht wakker en rende dan de kamer van Jon en Siri binnen, hoewel ze al twaalf was, te oud voor dat soort dingen. 's Nachts wilde ze niet alleen in bed liggen, hoe vervelend het ook was om 's ochtends wakker te moeten worden in het klamme bed van haar ouders. Tegen Siri aan wakker worden die met vermoeide, ietwat teleurgestelde stem zei: *Nu moet je wakker worden, Alma*. Wakker worden van het kille licht van de lamp aan het plafond. De nacht was rond en zacht, haar moeders huid, haar moeders kussen. *Het is goed, Alma. Kom maar bij me liggen*. De ochtend was koud en klam. Mama 's nachts was één ding, mama overdag was iets heel anders. Misschien was het voor mama ook wel zo, dacht Alma. Eén Alma 's nachts en één Alma overdag. Ze werd wakker van nachtmerries (vandaar de kalmerende thee met warme melk waar Siri hoge verwachtingen van had).

Het enige wat tegen de nachtmerries hielp was in bed liggen en in wakkere toestand aan elk klein ding denken dat mogelijk een nachtmerrie kon worden als je sliep. Speenvarkens, bijvoorbeeld. Alma had erover gedroomd. En in de droom had haar moeder gelachen en haar tanden ontbloot. Haar vader ook. Je moest eraan denken. Dan had je er controle over. Als ze bijvoorbeeld aan speenvarkens dacht voor ze in slaap viel, dan konden de speenvarkens zich niet veranderen in dromen en haar slaap binnendringen. Eraan denken was hetzelfde als ze op een lijstje afstrepen. *Niet dromen over vlees. Niet dromen over waterlelies. Niet dromen dat ik val. Niet dromen dat mama, papa, Liv en ik elkaar kwijtraken in een grote, vreemde stad. Niet dromen dat ik de dood van iemand anders veroorzaak.* De slaap maakt je weerloos. De slaap verraadt je.

Meestal lag alleen Siri in bed als Alma 's nachts wakker werd. Jon sliep op zolder. Haar moeder en haar vader deden alsof ze samen sliepen, het was belangrijk voor hen dat alle familieleden in elk geval déden alsof ze sliepen in het bed waarin ze behoorden te slapen.

Alma holde graag naar Jon toe om in zijn armen te springen, maar ze was nu zo groot en zwaar dat hij haar bijna niet meer kon houden.

Twaalf jaar en dingen die je kunt doen: stilzitten en thee drinken terwijl je moeder al schreeuwend een haar voor je vaders gezicht ophoudt, dromen over waterlelies, wegrennen voor het harde leven en opgevangen worden door een man die je niet kan houden.

'Denk om papa's rug', riep Siri elke keer als Alma in zijn armen sprong.

Siri kreeg altijd complimentjes voor haar haar, en daar was ze trots op. Ze deed alsof ze het niet leuk vond, of alsof ze er niet om gaf, maar dat was wel zo. Ze kon geen pluimpjes en complimenten genoeg krijgen. Steeds als iemand iets aardigs tegen Siri zei, werden haar wangen en ook haar neus rood, haar ogen werden smaller en veranderden in ijle boogjes.

Nu zei Siri:

'Ga bloemen plukken om de tafels mee te versieren.'

Alsof Alma en Liv haar kleine bloemenmeisjes waren. Dat was de reden dat ze samen met Mille in de bloemenwei rondscharrelden.

Alma zag het nut er niet van in. Oma wilde toch geen feest? Dat had ze zelf tegen Alma gezegd toen ze in razende vaart in de oude

Opel de weg naar de haven afreden. Dat was drie dagen voor de verjaardag en Jenny moest een boodschap doen in de stad. En zoals zo vaak wilde ze dat Alma met haar meeging.

'Ik wil geen verjaardagsfeest', zei ze terwijl ze bijna de berm in reed. 'Ik begrijp niet waarom je moeder daar zo op staat. Ik krijg er buikpijn van... ik wil weg... ik ga ze allemaal uitschelden.'

Jenny moest een lippenstift kopen, een paar kousen en een nieuwe roman die besproken was in een Engels tijdschrift waar ze een abonnement op had. Het meisje dat in de boekwinkel werkte – waar Jenny zelf zo veel jaren had gewerkt – kende het boek niet, de schrijver niet en het Engelse tijdschrift al evenmin, ze wist duidelijk niet wie Jenny was en ze had geen idee hoe de roman eventueel te bestellen was. Alma had toegekeken terwijl haar oma het meisje met de grote ogen en de overdaad aan make-up de oren waste zonder daarbij haar stem te verheffen.

Spuug die kauwgum uit. Wrijf dat zwarte spul uit je ogen. Lees een krant. Ga leven.

Ten slotte had Alma haar oma bij de arm genomen en gefluisterd dat ze haar wel wilde helpen om het boek op internet te bestellen. Dat was niet moeilijk. Ze konden het meteen doen zodra ze thuis waren. Toen had Jenny Alma aangekeken en gezegd dat het goed was dat er nog iemand bestond die verstand had en te verdragen was.

De bloemenwei en het bos lagen achter het huis. Voor het huis lag de grote tuin en in de tuin had Irma een lange rij tafels neergezet, waarna ze Jon had geholpen met het spannen van twee oude katoenen zeilen tussen de bomen voor het geval het zou gaan regenen. Op de grote dag zelf had Siri in alle vroegte de tafels gedekt met witte linnen tafelkleden die wapperden in de wind, maar toen het na een paar uur begon te druppelen, liep ze vlug de tuin in om de kleden een voor een weg te halen; ze hing ze in huis op, over stoelen, deuren en de trapleuning en toen de zon zich even later weer liet zien, liep ze in haar oude witte jurk de tuin in om de tafels opnieuw te dekken, maar toen kwam de mist opzetten en haalde ze de kleden weer weg.

Alma en Liv zaten in de woonkamer op de bank, nog steeds in hun nachtpon, en drukten hun gezicht tegen het raam. Ze volgden de bewegingen van hun moeder, die maar niet kon besluiten of ze de kleden zou laten liggen of niet.

'Kleedje dek je, met de kostelijkste spijzen', fluisterde Alma tegen Liv, en toen lachte Liv, ze trok haar neusje op en zei dat ze mama in de misttuin zo mooi vond, tussen de tafels door zwevend met de witte kleden om zich heen wervelend.

Liv trok altijd haar neus op als ze lachte. Ze was de enige in de familie die dat deed. En ze lachte nog harder toen Alma zei:

'Wat glimt en glanst er, maar wordt nooit een prinses?'

'Weet ik niet', zei ze ongeduldig. 'Zeg op!'

'Nee hoor', zei Alma. 'Bedenk dat zelf maar.'

In de zomer waren Siri en Jon de hele tijd aan het werk, met name Siri. Siri wist precies hoeveel ze zou gaan werken en *met Jon kan ik geen rekening houden* (zei ze meestal zachtjes, maar net hard genoeg dat iedereen het kon verstaan) en daarom had ze erop gestaan iemand in te huren om op de kinderen te passen. Zo was Mille in Mailund terechtgekomen. Ze hadden weliswaar niemand nodig voor Alma, maar voor Liv, die net vier was geworden, hadden ze wel een oppas nodig. Alma kon op zichzelf passen. Soms paste Alma op Liv (maar niet zo lang achter elkaar) en soms paste ze op een jongen die Simen heette en die verderop aan de weg woonde, maar dat was zoals gezegd maar een enkele keer en ook niet zo lang achter elkaar, en die zomer was Simen zo oud dat hij geen oppas meer nodig had.

Alma had de dag nadat ze in Mailund waren aangekomen al aangebeld bij het huis van Simen. Simens moeder had opengedaan. Ze droeg een klein diamanten kruisje om haar hals en zag er heel ernstig uit, dat deed ze altijd. Simen had haar een keer verteld dat zijn moeder hem altijd kleine zanglijster noemde, naar het liedje. Alma begreep niet goed waarom. Simen leek niet op een zanglijster, misschien op een kraai, maar niet op een zanglijster, en zijn moeder ook niet.

'Dag', zei Alma, om vervolgens ter zake te komen: 'Ik kan van de zomer wel op Simen passen.'

Maar nog voordat Alma was uitgesproken, schudde Simens moeder haar hoofd al. Alma vroeg zich af waarom. Vond de moeder van Simen misschien dat zij gek was? Af en toe stond haar donkere haar rechtop en dan zag ze er heel gek uit. Of mankeerde er iets aan haar stem? Had haar stem vals geklonken? Had ze misschien eerst wat moeten kletsen om daarna pas ter zake te komen, had ze bijvoorbeeld moeten zeggen: *Lang geleden, hè, ja, wel een heel jaar, is alles goed met jullie?* Of iets dergelijks?

Simens moeder stond achter de deur, die ze blijkbaar zo snel mogelijk wilde dichtdoen.

'Nee, Alma, Simen is nu zo groot dat het niet meer hoeft', zei ze. 'Hij is al negen, weet je. Jullie zijn bijna even oud.'

Alma keek naar de grond en streek met haar hand over haar haar.

'Dat is niet zo', zei ze. 'Ik ben al bijna dertien.'

'Ja, maar hoe dan ook', zei de moeder. 'Simen speelt met zijn vriendjes en heeft geen oppas meer nodig. Maar dank je wel, hoor. We spreken elkaar nog wel.'

Alma keek Simens moeder recht aan.

'Doen we dat?'

'Wat doen we, Alma?'

'Elkaar spreken!' zei Alma. 'Doen we dat of zeg je maar wat?'

De moeder van Simen lachte even. Het was voor het eerst dat Alma haar zag lachen. Ze had een aardige lach. Ze keken elkaar aan.

'Misschien allebei', zei Simens moeder. 'Ik denk echt dat we elkaar nog weleens spreken, we zijn immers een soort van buren, in elk geval 's zomers, en dan komen we elkaar voortdurend tegen. Maar ik zei ook maar wat. Oké?'

De vorige zomer had Alma tweehonderd kronen gekregen om vier uur op Simen te passen. Het eerste uur waren Alma en Simen bij Alma thuis in Mailund geweest; Simen vond het prachtig om hard de grote trap op en af te rennen, van het souterrain helemaal naar de zolderverdieping, waar Jon zat te schrijven. Simen was nog nooit in zo'n groot huis geweest, zei hij, met zo'n grote, lange trap.

Ten slotte kwam Jenny haar kamer uit (die op de eerste verdieping lag en eigenlijk twee kamers was, met een badkamer) en zei dat Alma en Simen nu maar het bos in moesten gaan of iets anders moesten bedenken, ze kon niet meer tegen dat gebonk op de trap. Dat werkte op haar zenuwen.

Siri was op weg naar haar werk en dat betekende dat Jon weldra moest ophouden met schrijven om op Liv te passen. Zo hadden ze het in de zomer vóór Mille geregeld. Ze hadden de dag onderling verdeeld. Voor Siri vertrok, had ze voor Alma en Simen een lunchmandje klaargemaakt. Boterhammen, appeltaart en limonade. Liv mocht niet mee. Die was te klein.

'Niet naar het ven gaan', zei Siri tegen Alma.

'Nee,' zei Alma, 'dat weten we wel.'

'En goed op Simen passen', zei Siri. 'Zorg dat hij niet wegloopt en verlies hem niet uit het oog.'

Vervolgens streelde ze Simen over zijn haar en zei:

'Hallo Simen, hoe is het nu met jou?'

'Goed', mompelde Simen.

Alma rolde met haar ogen. Haar moeder moest zich er ook altijd mee bemoeien.

'Ik ben de oppas hoor', fluisterde ze. 'Jij bemoeit je ook overal mee.'

Daarop vertrokken Alma en Simen naar het bos en bij het ven aten ze hun lunch op. Daar kon je goed zwemmen, als je maar niet bij de waterlelies kwam, en Alma vertelde Simen over de keer dat Syver hier jaren geleden ergens was verdronken, waarna ze de rode limonade in het ven goot. Ze hield niet van rode limonade. Hoe vaak had ze dat al niet tegen haar moeder gezegd? Ze hield van gele limonade, niet van rode. Rode smaakte naar overgeefsel. Maar, en daar zei Alma niets over tegen Simen, haar moeder luisterde niet. Haar moeder luisterde nooit als Alma iets zei. Siri wilde vast dat ze Alma nooit had gekregen (dacht Alma). Of? Alma keek uit over het ven. Terwijl Simen dicht tegen haar aan zat, vertelde ze hem over Syver en tijdens het vertellen veranderde het verhaal in een soort sprookje. Ze vond het fijn dat Simen luisterde, dat hij zich tegen haar aan drukte. Misschien was het toch niet zo simpel dat haar moeder haar niet wilde hebben?

Haar moeder zei nooit nee tegen haar als Alma 's nachts naar haar toe kwam. Ze werd niet boos. Haar moeders huid, haar kussen. Haar moeder die haar troostte, over haar buik streelde en fluisterde *Het was maar een droom, Alma, dromen gaan in je lichaam zitten en het kost tijd om ze weer weg te spoelen, maar ze zijn niet echt, ze zijn nergens een teken van.*

Maar overdag wilde ze altijd naar haar vader toe als ze bij een van hen moest zijn.

Toen Alma kleiner was, mocht ze in Jons werkkamer zitten, muisstil, en een boek lezen of op de computer een spelletje doen (als het geluid maar uit stond). Papa zei altijd dat ze hem hielp met schrijven *door gewoon in de kamer te zijn.* Af en toe besprak hij iets met haar, hij vertelde haar wat hij schreef of waar hij aan dacht, hij stelde haar vragen en vroeg haar om raad.

'Zit ik ook in het boek?' vroeg ze een keer.

'Jij niet, maar wel een meisje dat op je lijkt, maar ze heeft niet jouw kracht of eigenschappen', antwoordde Jon, en toen onderbrak hij zichzelf. 'Jij niet, Alma. Ze lijkt helemaal niet op jou. Het meisje in het boek heb ik zelf verzonnen.'

'Wat een raar werk heb jij', zei Alma. 'Ik snap het nut er niet van.'

Toen Alma nog kleiner was, misschien net zo oud als Liv nu, speelde ze vaak met het poppenhuis, de poppenmeubeltjes en de popjes die Ola voor mama had getimmerd toen mama klein was en niemand met haar wilde praten over wat er met Syver was gebeurd. Alma zat rustig op zolder het huis in te richten en de popjes in de verschillende kamers neer te zetten. Er waren zeven poppen, vier volwassenen, twee kinderen en een baby. Alma vroeg zich af wie de vier volwassenen waren. Twee mannen, twee vrouwen. Als de ene vrouw, die met de blauwe trui en de gele broek met de wijde pijpen, de moeder was en de man, die met de rode trui en de blauwe broek met wijde pijpen, de vader, wie waren die andere twee dan, die een jurk en een pak droegen?

'Dat zijn vrienden van de familie', zei papa. Toen zei hij:
'Als je hier bent, moet je muisstil zijn.'
'Wie heeft de poppenkleren genaaid? De vrouw van Ola, die de poppen heeft gemaakt?'
Jon zuchtte.
'Ik heb geen idee, Alma.'

Liv had nooit met het poppenhuis, de meubeltjes of de poppen willen spelen. Liv huppelde rond, altijd lachend of met een glimlach en haar blonde krullen glansden altijd, waar ze ook was. *Wat glimt en glanst er, maar wordt nooit een prinses?* Zij was het zonnetje in huis, zei iedereen die haar zag.

Toen Alma tien jaar was, ging ze naar een andere school. Ze voelde zich niet op haar gemak, kreeg geen vriendinnen, speelde in de pauzes niet met andere kinderen, ze zat maar wat afgezonderd in een hoekje van het schoolplein of sloot zich op in de wc. Het gaf niet, zei ze. Alma wilde het liefst alleen zijn, ze wilde niet met anderen spelen. Jon was haar allerbeste vriend, zei ze.

'Maar ik ben je papa', zei Jon. 'Het is ook goed om vrienden van je eigen leeftijd te hebben.'

'Ik wil alleen jou maar', zei Alma.

'Zullen we een paar klasgenootjes bij ons thuis uitnodigen? Tuva, bijvoorbeeld, of Marie Louise, of...'

'Geloof je in God, papa?' onderbrak Alma hem.

'Nee', zei Jon. 'Daar geloof ik niet in. Maar veel mensen wel', voegde hij eraan toe. 'Wat denk je van Gina of Hannah Linnea? Misschien wil een van hen wel met je mee naar huis?'

'Mama gelooft ook niet in God', zei Alma. 'Waarom geloven jullie niet in God?'

'Ik denk dat wij in mensen geloven', antwoordde Jon. 'In alles wat mensen gedaan krijgen, in de goede dingen, maar ook de slechte dingen. We bouwen en we vernielen en dan bouwen we het weer op, en ik geloof dat je elke dag weer voor de keus staat om...'

'Ik geloof in God', onderbrak Alma hem terwijl ze haar armen om haar vader heen sloeg. 'Ik bid elke dag tot God. Ik bid dat jij en ik lang zullen leven, van jou hou ik, papa, en dat je niet ziek wordt en doodgaat, ook al begin je oud te worden.'

Deze gesprekken met zijn dochter gaven Jon een slecht gevoel. Waarom kon ze niet – al was het maar af en toe! – praten over dingen waar andere tienjarigen het over hadden?

Op een keer had Jon een grote zak vol snoep gekocht voor Alma, samen met een roze lipgloss en een dvd van Hannah Montana. *Verrassing!* had hij geroepen toen hij thuiskwam.

Alma holde op hem af, trok de zak uit zijn hand en keek erin. Haar ogen versmalden toen ze de inhoud zag. De tranen sprongen in haar ogen. Ze viste de lipgloss op en hield hem tussen duim en wijsvinger voor haar neus, alsof het een dode muis was. Haar kleine, stompe snoetje was al helemaal nat van de tranen. Toen stopte ze de lipgloss weer in de zak, gaf hem de zak terug en zei: *Jij kent mij belemaal niet!* Ze draaide zich om en rende de trap op.

Een andere keer had Alma gezegd:

'Af en toe praat God met mij.'

'Wat zegt hij dan?'

'Hij zegt dat ik dingen voor hem moet doen en als ik dat niet doe, ga jij dood.'

'Maar Alma toch!' Jon ging rechtop zitten, legde zijn boek weg, drukte zijn dochter tegen zich aan en fluisterde: 'Wat voor dingen moet je dan doen van God?'

'Hij zegt dat ik de hele nacht wakker moet blijven en niet mag slapen. Hij zegt dat ik naar buiten moet als het regent en honderd rondjes om het huis moet rennen, ook al heb ik daar geen zin in. Hij zegt dat ik moet oversteken bij een rood mannetje, niet bij een groen, ook al komen er auto's aan. Hij zegt dat ik mijn knuffeldieren moet weggeven, hij zegt dat ik makreel in tomatensaus moet eten, ook al vind ik dat het vieste wat er is.'

'Hé, wacht eens even. Mama en ik dachten dat je je knuffeldieren weggaf omdat je er niet meer mee speelde. Je zei zelf dat je er te groot voor was.'

'Ik ben ook te groot voor knuffeldieren', zei Alma. 'Daar gaat het niet om. Maar ik had Putte nooit weggegeven als God niet had gezegd dat het moest.'

'Heb je Putte weggegeven?' vroeg Jon.

'Ik heb Putte gegeven aan Knut uit de parallelklas.'

'Diezelfde Knut die zo lelijk tegen je deed toen je op school kwam?'

'Ja, Knut! En hij zei dat hij op Putte zou pissen en dat hij hem in de vuilnisbak zou gooien, hij zei dat hij niets wilde hebben wat ik met mijn vieze vingers had aangeraakt, maar ik knielde voor hem neer en zei dat hij Putte moest aannemen, hij mocht ermee doen wat hij wilde, als hij hem alsjeblieft maar zou willen aannemen.'

'Maar Alma, waarom doe je zulke dingen? Waarom geef je... heb je dit aan mama verteld?'

'Ik praat niet met mama. Ik praat met jou.'

Jon pakte Alma's stompe snoetje vast en dwong haar hem aan te kijken.

'Waarom geef je dingen waar je van houdt weg aan mensen die niet aardig zijn? Zei je nu dat je voor Knut bent *neergeknield*? Heb ik dat goed gehoord?'

Alma knikte.

'Als ik niet doe wat God zegt,' fluisterde ze, 'dan ga jij dood.'

Siri en Jon konden geen van beiden begrijpen hoe Alma, op tienjarige leeftijd, aan haar ongezonde godsgeloof was gekomen. De schoolpsycholoog werd ingeschakeld. De docenten werden op de hoogte gebracht. Het kon immers gebeuren dat Alma opnieuw dingen zou meenemen naar school om ze weg te geven, of op een andere manier 'situaties zou veroorzaken die medeleerlingen ertoe konden aanzetten zich op een krenkende manier te gedragen', zoals de remedial teacher het uitdrukte. In verband met Alma's godsgeloof passeerde een aantal diagnoses en medicijnen de revue.

Maar toen nam Alma geen spullen meer mee naar school om ze weg te geven en ze knielde niet meer voor leerlingen die haar duwden of pesten, waarmee er aan de ergste pesterijen een eind kwam, Alma werd met rust gelaten en het leek er even op dat de situatie weer normaal werd.

Toen Alma elf werd, nodigden Siri en Jon alle meisjes uit de klas uit voor een verjaardagspartijtje – en bijna allemaal zouden ze komen. De dag voor de grote dag ging Siri met Alma naar de stad om een verjaardagsjurk te kopen. Omdat Alma klein en mollig was besloten ze een rok te kopen met een bloes in dezelfde zilveren glansstof. Ze kochten ook schoenen. In een *konditorei* aten ze een broodje met daarbij warme chocolademelk. En daarna nog naar de kapper om Alma's korte, zwarte haar bij te werken. 'Misschien kun je de lijnen om haar gezicht wat zachter maken', fluisterde Siri tegen de jonge kapster. De moeder keek via de kappersspiegel naar haar dochter. 'Als de lijnen om je gezicht wat zachter worden, lijk je niet zo boos, liefje. Vind je ook niet?'

Siri glimlachte plichtsgetrouw naar de kapster, aaide Alma over haar wang en ging bij de uitgang zitten, waar ze zich achter een tijdschrift kon verstoppen.

Toen de meisjes uit de klas de volgende dag een voor een aanbelden, holde Alma naar haar kamer en verstopte zich onder het dekbed. Jon liep haar kamer binnen, ging op de rand van het bed zitten en zei zo voorzichtig mogelijk dat de gasten waren gekomen, dat ze cadeautjes bij zich hadden en dat Alma nu echt naar beneden moest komen. Met tegenzin ging ze met haar vader mee naar de woonkamer waar de meisjes uit de klas op haar wachtten.

Het geluid van vrolijke stemmen, gegiechel en opgewonden kreten had het huis gevuld, maar de stilte daalde neer toen Alma de kamer binnenkwam, met haar ouders op haar hielen. De meisjes keken naar Alma, Alma keek naar de meisjes.

Het waren net twee elk aan een kant van het slagveld opgestelde legers, dacht Jon, en Alma was de enige soldaat van haar eigen leger.

Maar toen werd de stilte verbroken.

'Dag Alma', zei een van de meisjes

'Dag Alma, gefeliciteerd met je verjaardag', zei een ander.

'Wat zit je haar leuk', zei de derde.

'Ga je de cadeautjes openmaken?' zei de vierde.

'Cool zilveren rokje', zei de vijfde.

De meisjes stoven uiteen en groepeerden zich weer, deze keer rond Alma. Ze aaiden haar, ze kusten haar, voor even was ze hun favoriet, hun liefste klasgenoot, ze kregen maar geen genoeg van haar, het deed Jon denken aan de keer dat hij Alma van school zou halen en Leopold, toen nog een pup, mee het schoolplein op had genomen; voordat hij wist wat hem overkwam, werd hij overvallen door kleine, hunkerende, lieve, smekende meisjes die de zachte vacht van het hondje wilden aaien met hun drukke, zachte kleine handjes, hij herinnerde zich de meisjesmonden, al die zachte huid tegelijk, en het koor van opgewonden stemmetjes *Oooo waaaat liiiieeeef! Plies, mag ik hem aaien! Wat heeft ie zachte óórtjes!*

Alle meisjes uit Alma's klas waren minstens een kop groter dan zij, de meesten hadden lang of halflang haar versierd met kralen en speldjes. Nu stond Jons dochter midden in de kamer, omringd door de meisjes, zoals hijzelf door hen of door meisjes die op hen leken werd omringd toen hij zich met een pup met bruine ogen op het schoolplein had gewaagd. Ze was volledig door hen omringd, Alma met haar gitzwarte haar en haar glanzende ogen, ze werd door hen opgeslokt.

Ze had zich laten aaien, geen weerstand geboden, geen grimassen getrokken, ze had de cadeautjes opengemaakt (drie boeken, een spelletje, een kapperset, lipgloss, glittermaillot, bloes, een sieraad van glazen kralen, armband) en iedereen met een beleefde kus bedankt. Siri fluisterde tegen Jon *Dit gaat hartstikke goed, ik geloof dat Alma het leuk vindt* en Jon knikte, maar hij kon zijn blik niet afwenden van Alma's glanzende ogen.

Na een uurtje gingen het feestvarken en haar gasten aan de lange, versierde eettafel zitten om te genieten van pizza, prik en taart. Siri en Jon bewogen zich langzaam om de tafel om kartonnen bekers met prik te vullen en stukken pizza op kartonnen bordjes te leggen. Alle meisjes praatten door elkaar, behalve Alma, die stil naar de anderen zat te kijken.

Nu hadden ze geen oog meer voor haar. Nu hielden ze niet meer van haar. Niet van het zilverglanzende nieuwe rokje, niet van het korte zwarte haar met de nieuwe pony, niet van haar glanzende ogen. Het verjaardagsfeestje was al half afgelopen.

Nu was het tijd voor pizza en prik, na het eten zouden ze misschien dansen, daarna zou iedereen een zakje snoep krijgen en naar huis gaan. De gasten hadden gedaan wat hun ouders hun hadden gevraagd: ze waren naar Alma's verjaardag geweest en hadden aardig gedaan! Het was goed gegaan!

Ja, het was gezellig.

Ja, ja, we hebben pizza gegeten.

En ja, Alma was blij met het cadeautje.

Maar toen stond Alma op van haar stoel en stak haar armen in de lucht. Haar wangen waren rood, haar ogen brandden. De meisjes hielden op met praten en staarden haar aan.

'Papa, kijk!' riep ze, haar lichaam trilde en haar ogen vulden zich met tranen.

Siri liet vallen wat ze in haar handen had (een stuk pizza en een servet) en wilde om de tafel naar haar toe hollen, maar Jon was er eerder en ving Alma op in zijn armen terwijl ze op de vloer in elkaar zakte.

'Alma, liefje, wat is er?'

Alma keek haar vader aan, haar ogen nat van tranen, en lachte.

'Ik weet dat alles nu goed gaat. Ik ben zo blij.'

Alma sloeg haar armen om haar vaders hals en hij ging op de grond zitten met zijn dochter in zijn armen. Siri stond over hen heen gebogen, maar waar moest ze haar handen laten? Het was stil. Twaalf zwijgende, starende meisjes wachtten op orders. Jon keek Siri aan en herkende zijn eigen wanhoop in haar blik. Alma klampte zich vast aan haar vader en lachte luid tegen zijn borst. Het was een lach vol juichende blijdschap en levenslust. Jon voelde haar adem tegen zijn huid, door de dunne stof van zijn shirt heen.

Hij knikte naar Siri, *Toe dan, bekommer jij je om de meisjes, je moet iets zeggen. Zeg dan iets, Siri, doe iets, sta daar niet te staan!*

Siri richtte zich op en keek naar de meisjes – zacht haar, zachte huid, zachte stemmen. Ze dwong zichzelf tot een glimlach, maar Jon zag dat ze het liefst haar handen tegen haar oren had gehouden alsof ze zelf een klein meisje was.

Ze keek de meisjes aan.

'Alma...' zei ze hulpeloos terwijl ze haar armen spreidde.

'Alma voelt zich niet... lekker.'

De meisjes staarden naar Alma die op de vloer in haar vaders schoot lag.

Toen zei een van hen:

'Maar waarom lacht Alma dan als ze zich niet lekker voelt?'

Alma fluisterde: 'Wat doe je als je 's avonds uitgaat? Spreek je af met iemand die je kent? Anderen van jouw leeftijd? Komen er 's nachts jongens op bezoek? Neuk je ze om de beurt?'

Mille, die in het roodgeverfde tuinhuis woonde, had een heleboel mooie kleren en make-up. Op een avond waste ze Alma's korte zwarte haar in de wastafel en föhnde het zo dat de zwarte kruin samen met haar pony netjes plat op haar voorhoofd lag.

Mille spoot overvloedig hairspray op het pasgeföhnde haar.

'Om de kruin te bedwingen', zei ze.

Giechelend verdrongen Alma en Mille zich in de kleine badkamer voor het piepkleine spiegeltje dat aan de wand hing, Mille keek naar Alma en zei: 'Wat ben je mooi, Alma.' Vervolgens haalde Mille haar coole make-up tevoorschijn en vroeg of Alma opgemaakt wilde worden, en dat wilde ze.

Mille haalde een stoel uit de slaapkamer, zette die voor het spiegeltje in de badkamer en gebaarde naar Alma dat ze op de stoel moest gaan zitten.

'Nu word je weer nieuw', zei Mille. 'Daar droom je toch van? Dat je na de zomervakantie weer als nieuw naar school gaat?'

'Weet ik niet', zei Alma onzeker. 'Misschien.'

Toen Mille klaar was, kneep Alma haar ogen dicht en telde tot tien. *Eén twee drie vier vijf zes zeven acht negen tien.* Daarna deed ze haar ogen weer open en bekeek zichzelf in het spiegeltje. Ze vond het nog steeds erg mooi wat Mille met haar haar had gedaan, maar de make-up vond ze niet mooi. Ze wilde niet nieuw worden, in elk geval niet als dat betekende dat ze rode lippen en oranje wangen moest hebben. Alma had al meer dan genoeg te stellen met Alma zijn. Ze wilde niet nieuw worden, alleen wat minder vaag. Ze veegde de lippenstift weg en wreef over haar gezicht om het bronzingpoeder af te vegen.

'Laat dan in elk geval je ogen zo blijven als ik ze heb opgemaakt', zei Mille terwijl ze Alma via de spiegel aankeek.

Alma's ogen leken nog donkerder dan gewoonlijk, met een dikke laag grijze oogschaduw op de oogleden. Alma vond dat ze op een wasbeer leek.

'Wrijf nou niet alles weg', zei Mille. 'Smokey eyes, heet deze look. Dat is mooi. Dat maakt je juist wat mysterieus.'

'Ik weet het niet', zei Alma weifelend. 'Ik vind het te veel schaduw.'

'Nee, dat is mooi', zei Mille. 'Je lijkt veel ouder.'

Toen ze klaar waren op de badkamer, stak Mille kaarsen aan in de slaapkamer en zette een cd op, ze gebruikte haar computer als cd-speler. Alma herkende het liedje.

'Die cd heeft papa ook', zei ze. 'Dat is toch Bob Dylan? Papa luistert de hele tijd naar Bob Dylan. Ik dacht dat mensen van jouw leeftijd niet naar dat soort muziek luisterden.'

'Ach ja', zei Mille afwezig terwijl ze glimlachte. 'Ik weet het niet. Ik luister wel vaak naar Dylan.'

Toen vroeg Mille of Alma wilde dansen en dat wilde Alma wel, dus gingen ze dansen. Het was een rustig liedje, daarom dansten ze rustig en vrij close. Alma legde haar hoofd tegen Mille en Mille drukte haar tegen zich aan.

'Je bent mooi, Alma', herhaalde Mille.

'Jij ook', fluisterde Alma.

Het feest zou over enkele uren beginnen en alle bloemen die geplukt moesten worden, waren geplukt. Mille was weer terug in het roodgeverfde tuinhuis toen Alma op haar deur klopte. Het was middag geworden en de mist dreigde heel Mailund en iedereen die er woonde in te sluiten. Mille opende de deur en Alma keek haar met toegeknepen ogen aan.

'Wat doe je?' vroeg Alma.

'Ik bid', zei Mille.

'Wat?' zei Alma en ze kreeg een kleur. 'Bedoel je tot God?'

Mille was ernstig. Ze giechelde niet zoals gewoonlijk. Ze droeg een witte jurk. Een bleekroze kanten bh-bandje piepte boven de hals uit.

Bruine schouders.

Lang, loshangend haar.

En iets donkers en flikkerends, alsof ze pas was gestemd, dat zei: kijk ernaar, speel erop, geniet ervan.

Een paar dagen eerder hadden Mille, Alma en Liv in de tuin in het gras liggen zonnen. Het was een van de weinige zonnige dagen die zomer. Liv had niet echt stil gelegen, maar ze werd rustiger toen ze met de mobiel van Mille mocht spelen.

'Denk eraan dat je Liv met zonnebrand insmeert zodat ze niet verbrandt', zei Siri op weg naar haar werk.

Ze praatte onder het lopen. 'Er staat een salade in de koelkast waar jullie allemaal van mogen eten.'

Vervolgens:

'Alsjeblieft, niet te veel snoep. Liv kan er niet tegen. Jij ook niet, Alma.'

Vervolgens:

'Hou Liv de hele tijd in de gaten, Mille. Verlies haar niet uit het oog.'

Vervolgens:

'Kom niet in de buurt van het ven, het is absoluut verboden om naar het ven te gaan.'

'Best', zei Mille, loom bewegend in het gras.

Het was een warme dag en Mille had de bikini met de zwarte

stippeltjes uitgekozen die Liv zo mooi vond. Mille had drie bikini's, een rode, een blauwe en een met zwarte stippeltjes. Liv vond die met de zwarte stippeltjes het mooiste. *Zo'n bikini wil ik ook. Mag ik net zo'n bikini als Mille?*

'Kun je me fatsoenlijk antwoord geven, Mille?' zei Siri scherp. 'Hoor je wat ik zeg?'

Voordat Mille kon antwoorden, had Alma zich opgericht.

'Mama!' riep ze. Haar stem sneed door de hitte. Het was zo'n dag, zou ze kunnen zeggen als ze hem had moeten beschrijven, dat alles wit, taai, warm en stil was en alles net iets langzamer ging dan anders.

Siri keek haar dochter vragend aan.

'Wat is er, Alma?'

Het was net alsof haar moeder heel ver weg stond. Dat was natuurlijk niet zo. Ze stond bij het hek. Ze waren misschien maar tien stappen van elkaar verwijderd. Maar er was iets gebeurd met de afstand tussen hen. Als in een droom. Siri's vermaningen. Mille die zich loom in het gras omdraaide. De zwartgestippelde bikini. Liv die met haar lange armen en benen en haar blonde haar op de handdoek in het gras met Milles mobiel zat te spelen.

Alma riep:

'Waarom kun je haar niet gewoon eens vertrouwen, alleen voor deze ene keer?'

'Je hoeft niet tegen mij te schreeuwen, Alma', zei Siri.

'Maar je blijft maar zeuren tegen Mille,' hield Alma vol, 'je moet eens leren om mensen te vertrouwen!'

Siri opende haar mond om iets te zeggen, haar wangen zagen vuurrood. Ze schudde haar hoofd en sloot het hek achter zich.

'We praten morgen wel. Alma. Nu moet ik aan het werk en ik hoop dat je in bed ligt als ik thuiskom, want het wordt laat. Stuur me een sms als jullie vragen hebben, dat geldt voor jullie allemaal. Nog een fijne dag en denk eraan om Liv met zonnebrand in te smeren.'

Haar stem en schaduw bleven een poosje in de hitte hangen om ten slotte te verdampen. Alma at langzaam een biscuitje, Liv staarde als gehypnotiseerd naar iets wat diep in Milles mobiel leek te zitten, er verstreken vijf minuten of vijf uren, maar opeens stond Jon voor hen en maakte hen wakker uit hun droom. Hij had Leopold bij zich.

Liv gooide de mobiel weg, holde zo snel ze kon op haar vader af en sprong in zijn armen. Ze sloeg haar armen om zijn hals. Alma en Mille bleven in het gras liggen. Jon zette een paar stappen naar voren en bleef toen naar hen staan kijken.

'Zo, hier liggen de meisjes dan te zonnen', zei hij met een glimlach.

Alma keek op naar haar vader. Er was iets met zijn stem. De ietwat valse toon. Iets plagerigs wat niet plagerig was, maar gemaakt plagerig.

'Het lijkt hier de Rivièra wel', ging hij door.

Alma probeerde zijn blik te vangen zodat hij kon zien dat ze met haar ogen rolde. *Het lijkt hier de Rivièra wel*, toe maar. Wat was er met hem aan de hand? Maar haar vader keek niet naar haar, hij had alleen maar oog voor Mille. Alma volgde zijn blik en zag dat die snel over Milles lichaam gleed – over haar voeten, haar benen, haar knieën, de gestippelde bikini, haar armen, haar haar, haar ogen. Pling. Pling. Pling. Alsof Milles lichaam een flipperkast was. Pling. En Mille liet het hem doen, zag Alma. Ze lag heel stil en liet het hem doen. Pling. Pling. Het was geen droom. Alma zag het maar al te duidelijk. Jon keek naar Mille, Mille liet Jon naar haar kijken en ze lieten het gebeuren. Het duurde niet lang. Alma zag dat Mille zich naast haar in het gras uitrekte, lenig als een ringslang. Toen was het voorbij.

'Wat zien jullie er mooi uit', zei Jon. En nu keek hij naar Alma.

'Wat doe je hier?' vroeg Alma. 'Moet je niet aan het werk om je boek af te maken?'

Jon lachte even.

'Dank je wel, Alma. Dat zal ik doen. Maar eerst gaan Leopold en ik een wandelingetje maken. Zolang niemand zin heeft hem uit te laten, moet ik dat doen.'

Hij zette Liv voorzichtig neer op het gras tussen Mille en Alma in.

'Pas goed op die kleine', zei hij nog en nu keek hij Mille op een heel andere manier aan dan daarnet. 'Een fijne dag nog.'

Hij boog voorover, deed Leopold aan de riem en verdween door het hek.

'Geniet dan maar van de Rivièra', riep Alma en rolde op haar buik zodat ze hem niet meer hoefde te zien.

'Je vader is erg aardig', zei Mille na een poosje.

'Mijn vader is een stomkop', mompelde Alma.

Nu stond Alma voor Milles deur en wilde naar binnen, Jenny's grote verjaardagsfeest zou over een paar uur beginnen en Mille beweerde dat ze tot God bad.

'Je mag wel binnenkomen', zei Mille. 'Ik ga straks weg om te helpen. Maar jij kunt hier blijven tot ik wegga.'

Alma glipte naar binnen.

Mille ging op het bed zitten en gebaarde dat Alma daar ook mocht gaan zitten. Alma klom op bed.

'Waar bid je voor?' vroeg Alma.

'Van alles', zei Mille. 'Maar ik ben klaar. Zal ik wat muziek opzetten?'

Alma schudde haar hoofd en vroeg:

'Geloof jij in God?'

'Ja, dat heb ik altijd gedaan', antwoordde Mille. 'En jij?'

'Wel toen ik klein was', zei Alma. 'Maar nu niet meer.'

'Waarom niet?'

'Weet ik niet', zei Alma. 'Ik geloof gewoon niet dat hij bestaat.'

'Ik geloof wel dat hij bestaat', zei Mille. 'Ik geloof dat hij bestaat en op me past.'

Alma haalde haar schouders op.

'God ziet alles', voegde Mille eraan toe. 'Toen ik klein was, zong mijn vader elke avond mijn avondgebed.'

Ze deed haar mond open en zong met hoge, heldere stem, alsof ze nog steeds een klein meisje was:

Veiliger kan niemand wezen
Dan Gods kleine kinderschaar,
Niet de sterren aan de hemel
Niet de vogels in hun nest.

'Hoe heet jouw vader?' vroeg Alma.

'Mikkel', zei Mille. 'Hij heet Mikkel.'

'Mag ik een glas water?' vroeg Alma.

Mille keek Alma aan.

'Haal zelf maar een glas water', zei Mille. 'Er staan glazen in de badkamer.'

'Wil jij het niet voor me halen?' vroeg Alma. 'Alsjeblieft.' Ze trok haar benen op en ging verzitten.

'Ik zit hier zo lekker op jouw bed en dan haal ik een andere keer water voor jou als je dorst hebt.'

Alma lachte.

'Ik zweer het in Gods naam', zei ze.

Mille lachte niet, ze glimlachte niet eens, maar kwam overeind en liep naar de badkamer. Alma hoorde dat de kraan werd opengedraaid.

In haar hand had Alma een lange, dikke bruine bosslak verstopt. Een Spaanse wegslak. De moordenaarsslak. Hij zat vastgekleefd aan haar hand. Koud, plakkerig en een beetje vochtig.

Die zomer stikte het in Mailund van de Spaanse wegslakken, ze hielden huis in Siri's bloemperken en zij bestreed ze met zout en bier. Ze hadden veel namen, maar geen huisje. Ze waren naakt, leken op ingewanden en waren afschuwelijk om te zien en de minister van Landbouw had ze de oorlog verklaard. Dat had haar vader verteld.

Jon had het een hele dag gehad over de oorlog tegen de slakken die de minister van Landbouw ergens in het voorjaar had ontketend. Daarom wist Alma hoe de minister van Landbouw heette, alleen was nu iemand anders minister van Landbouw. De vorige was minister van Olie geworden en interesseerde zich vast niet meer voor de oorlog tegen de slakken.

Alma pelde de slak van haar handpalm af en legde hem onder Milles dekbed. Er bleef wat slakkenslijm achter op haar vingers en ze veegde haar hand af aan het laken. Zo! De slak kromp ineen en bleef doodstil liggen. Alma trok het dekbed recht en ging op het uiterste randje van het bed zitten.

Als Mille vannacht thuiskwam, zou ze op de slak gaan liggen.

Misschien zouden ze het allebei uitgillen, hoewel de slak stom was, dus die zou niemand horen.

Mille kwam de badkamer uit met een glas water in haar hand.

'Alsjeblieft', zei ze tegen Alma.

Haar stem was hard.

'Drink op en dan moet je gaan.'

Alma pakte het glas aan en keek naar Mille. Ze had zich opgemaakt en haar haar geborsteld tot het glansde.

Mille zei:

'Nu ga ik eerst je moeder helpen en dan ga ik weg. Ik ga uit. Nu moet ik me klaarmaken. Ik heb geen tijd meer om me met jou bezig te houden. Je moet je maar ergens anders zien te vermaken.'

Ze maakte een ongeduldig gebaar met haar hand en haar armbanden rinkelden.

'Best', zei Alma. Ze dronk het water op. 'Ik ga.'

Siri wilde een groot feest voor haar moeder houden. Nee, zei Jenny, maar Siri was Oost-Indisch doof, daar kon geen sprake van zijn. Vijftig gasten, Spaanse speenvarkens, lange tafels in de tuin, lantaarns in de bomen, ze accepteerde geen nee, de speenvarkens kon ze braden in de grote broodoven in de keuken van het restaurant.

'We hebben vijf speenvarkens nodig', zei Siri, ze pakte haar mobiele telefoon en belde met de leverancier in Oslo. 'En geroosterde appels, wortelgroenten en aardappeltjes. Meer hoeven we niet te hebben. Eenvoudig en afdoende.'

'De voordeur moet geverfd worden', zei ze. 'Iedereen moet meehelpen. We moeten de gordijnen afhalen, ze moeten gewassen worden. We moeten de vloer boenen. Groene zeep! Dit huis', zei ze terwijl ze haar armen spreidde. 'We moeten het huis in orde maken. En de tuin. Een tuinfeest!'

Ze richtte zich tot Jon, haar ogen brandden.

'Het moet een feest worden dat iedereen zich zal herinneren', zei ze. 'En het zal Jenny goeddoen. Dat ziet ze zelf nog niet in, maar ze zal er blij van worden. Ze is dol op aandacht.'

'Jenny wil het liefst met rust gelaten worden', zei Jon aarzelend. 'Ze heeft het erover gehad dat ze met Irma een eind wilde gaan wandelen. Misschien 's avonds nog een ritje maken met Alma.'

Jenny en Alma hadden elkaar al gevonden toen Alma vijf was en gedurende de hele zomer langzaam, met gebogen hoofd, door het grote witte huis had gelopen, een zorgelijke rimpel op het voorhoofd en de handen achter haar rug. Ze deed niets anders dan lopen. Door de gang, de woonkamer en de enorme keuken, de eindeloze trap op en af, haar kamer in en uit.

'Ga toch buiten spelen', zei Jon.

'Zullen we iets leuks gaan doen?' vroeg Siri.

Ze begrepen die enorme ernst niet die hun dochter had bevangen.

'Laat dat kind met rust!' zei Jenny. 'Zien jullie niet dat ze ergens over nadenkt?'

Vervolgens had Jenny Alma bij de arm genomen en gezegd:

'Mag ik met je meelopen? Je hoeft niet te praten, we kunnen gewoon lopen zonder iets te zeggen!'

Jon wist dat Jenny dol was op dit ene kleinkind, maar dat ze niet veel moest hebben van het andere, van de kleine Liv met haar blonde krullen, voor wie iedereen een zwak had. Jon had gezien dat Alma en Jenny voortdurend met elkaar wandelden of eropuit gingen in de auto. Waar hadden ze het over? Wat verbond hen? De rusteloze, onverzoenlijke oude vrouw en het kleine, stompe meisje?

Nu was de grote dag aangebroken. De ongelukzalige vijfenzeventigste verjaardag. Jenny had zich vol gezopen na een mensenleeftijd lang te hebben drooggestaan. Een *vrouwenleeftijd* lang, zou Jenny hebben gezegd. Ze lalde toen Jon haar op de trap tegenkwam.

'Een goede middag, Jon', zei ze.

Jon bleef staan en keek haar aan.

'Wat zullen we nou krijgen?'

'Precies', zei Jenny. 'De spijker op de kop. Wat zullen we nou kríjgen? Goeie vraag!'

Jon keek haar onderzoekend aan.

'Ben je dronken, Jenny?'

'Ik ben meer dan twintig jaar nuchter geweest. Dat is meer dan jij kunt zeggen, toch?'

'Ja, dat is zo', zei Jon.

Hij keek om zich heen en dempte zijn stem.

'Weet Siri dat je gedronken hebt?'

'Ik ben vijfenzeventig jaar en ik doe wat ik wil.'

Jenny haalde een hand door haar haar en gebaarde naar Jon dat ze erlangs wilde – ze stonden nog steeds op de trap – maar Jon stak een hand uit om haar tegen te houden en kwam vlak bij haar staan.

'Gefeliciteerd met je verjaardag, Jenny', fluisterde hij in haar oor.

Ze knikte en probeerde hem weg te duwen. Jon bleef fluisteren:

'Siri heeft hard gewerkt om jou vanavond een mooi feest te be-
zorgen. Kun je niet een klein beetje...'

Hij zocht naar de goede woorden. Rekening houden? Nee, dat
was te veel gevraagd. Dankbaarheid tonen? Nee, dat leek te veel op
gevoelsmatige chantage. (En eerlijk gezegd had de oude heks niet
echt om dit feest gevraagd.) Haar fatsoen houden? Zich volwassen
gedragen? Moest hij een beroep doen op haar moedergevoel? Hij
begon opnieuw, liet haar arm los en sprak op gewone toon:

'Jenny, kun je vanavond niet doen alsof je prijs stelt op dit feest?
Het betekent veel voor Siri.'

Ze schudde haar hoofd en kwam weer in beweging.

'Hoor je wat ik zeg, Jenny?'

Jenny antwoordde niet, maar daalde overdreven langzaam en
zogenaamd waardig de trap af.

De speenvarkens waren gevacumeerd en lagen in kratten. Jon
stelde zich voor hoe ze er in de vrieskast van de leverancier in Oslo
uitzagen: roze, bijna wit en met een zachte uitdrukking op hun
snuit. De huid rond de nek en voorpoten was geplooid, zoals bij
weldoorvoede baby's. Ze waren diepgevroren, geïmporteerd uit
Spanje. Vijf biggetjes, 170 kronen per kilo plus btw. Zes kilo per
big. Siri kreeg uiteraard bulkkorting.

'Goed, dan eten we ze wel een andere keer', zei Siri, die op het
laatst van gedachte was veranderd, of had toegegeven aan de
druk.

Niemand wilde de speenvarkens hebben. Toen Alma op internet foto's van geroosterde speenvarkens had gezien, had ze het op
een gillen gezet en ze hield pas haar mond toen Jenny, met ogen als
dolken, haar kleindochter mee naar het strand nam. (De dolken
waren gericht op haar dochter, niet op haar gillende kleinkind).
Irma had iets gemompeld over dierenmoord en kannibalisme en
was naar het souterrain afgedaald. Nu stond Siri in de keuken om
de laatste hand te leggen aan een menu waar ze absoluut geen
liefde in kon stoppen, scampi's, kipspiesjes, gehaktballetjes, sala-
des en ander fingerfood.

Allemaal tevreden?

Dagen, nee, weken voor de verjaardag had Jon al het mogelijke gedaan om Siri de speenvarkens uit het hoofd te praten. Hij had zijn best gedaan om haar het hele feest uit het hoofd te praten. Jenny wilde het immers niet! Niemand wilde het! Hij had haar op het bed doen plaatsnemen, was op zijn knieën voor haar gaan zitten en had haar handen in de zijne genomen.

'Waarom organiseer je dat feest eigenlijk?'

'Wie zou het anders moeten doen?' zei Siri. 'Er moet toch een feest voor haar komen.'

'Moet dat?'

'Natuurlijk moet dat!' Siri keek hem aan. 'Waarom begin je daar nu over?'

'Ze zal het je niet in dank afnemen, hoor.'

Siri ging staan, haar stem schoot uit:

'Nu ga je te ver, Jon. Ik organiseer een feest voor mijn moeder, jij en ik weten allebei dat ze daar diep in haar hart blij mee zal zijn, ze is dol op aandacht, ze heeft al bedacht welke jurk ze zal aantrekken, het is simpelweg mijn cadeau voor haar. En nu trek jij opeens mijn motieven in twijfel, dat ik wel gek lijk of zo, dat die domme, kleine Siri een feest voor haar moeder gaat geven... wat een domme gans is het toch! Domme lul die je bent!'

'Hoor jezelf nou toch eens', zei hij. 'Je gaat er helemaal in op. Je verdwijnt gewoon!'

'Ík verdwijn...?' Siri hapte naar lucht. 'Ík verdwijn? Jíj bent degene die verdwijnt en nu doe je opeens alsof je je zorgen maakt en je verzint een of andere theorie over mij en mijn moeder en dat hele verdomde feest...'

Jon zette zich schrap.

'Het neemt te veel de overhand, Siri.'

Hij spreidde zijn armen.

'Dit... dit alles... dit hele feest maakt je kapot. Ze wil het toch niet?'

Hij sloeg zijn armen om haar heen. Ze wilde zich losrukken, maar hij hield haar vast.

'Laat me los, Jon', zei ze.

Hij hield haar vast, probeerde haar te wiegen en fluisterde:

'Kun je niet even hier bij me komen zitten? Vijf minuten maar. Je hoeft niets te zeggen. Laat me je gewoon vasthouden.'

Hij legde zijn hoofd tegen haar borst, fluisterde: 'Blijf hier. Blijf hier. Blijf hier. Blijf hier.'

Soms wist hij haar op die manier te bereiken. 'Kom terug, Siri.'

Maar deze keer duidelijk niet. Ze wrong zich los, greep zijn haar beet en trok eraan terwijl ze schreeuwde:

'Laat me los!'

De pijn van haartrekkerij (ja, haartrekkerij!) is onbeschrijflijk, dacht hij, maar toen haalde hij naar haar uit. Ze sloeg terug.

Hij had haar daar kunnen vermoorden, of zij hem. *Ik haat je*, schreeuwde ze en hij riep *Nee*, en sloeg erop los, hij hield haar vast en duwde haar weg, maar nooit, nooit, nooit zou hij zichzelf uit haar kunnen slaan, of in haar, en zij riep *Ik haat je* en alles wat hij kon bedenken was *nee, nee, nee*. Toen riep hij, jankte hij, schreeuwde hij het uit, *Nee, nee, nee*, hij bleef haar vasthouden tot zij zich, plotseling en zo eenvoudig als maar kon, uit zijn armen losmaakte, het was alsof zijn armen verwelkten, ze maakte zich gewoon los, alsof alles verwelkt en krachteloos was, hij had geen idee wat hij met zijn armen aan moest, ook niet met zijn handen, en zij stond op van het bed, schudde zich uit (net Leopold als hij in zee had gezwommen) en haalde diep adem.

Ze kreeg altijd rode wangen als ze zo bezig waren geweest. Dat rode kwam niet van de klappen. Hij had niet hard geslagen. Zij had harder geslagen. Hij was bang dat hij op een dag te hard zou slaan. Hij was geen man die sloeg. Maar hij was bang dat Siri op een dag zou slaan en dat hij dan te hard terug zou slaan. Maar de rode kleur kwam niet van de klap. Ze kreeg altijd rode wangen als haar woede de overhand kreeg, alsof ze zichzelf in haar gezicht had gekrabd.

Die ijskoude stem van haar.

'Jij hebt geen vinger uitgestoken, Jon, om mij met dit feest te helpen.' Ze trilde. 'Ik organiseer dit feest terwijl ik tegelijkertijd probeer een nieuw restaurant te runnen. Wil je weten hoe dat gaat? Interesseert het je? Heb je de afgelopen tijd wel gewerkt? Of zit je gewoon naar je telefoon te staren? Weet jij dat ik gisteren de hele nacht ben opgebleven om de rekeningen te betalen, nadat ik van mijn werk was thuisgekomen? Besef jij überhaupt wel dat er rekeningen zijn die betaald moeten worden?' Toen voegde ze eraan toe, op heel gewone toon:

'Een leven zonder jou, Jon. Ik droom ervan. Die koude, afschuwelijke handen van jou.'

Hij had al het mogelijke gedaan om haar over te halen af te zien van het feest, maar zonder resultaat, en nu was de grote dag aangebroken. Jon stond uit het raam te kijken.

Hij keek naar Alma, Liv en Mille in de bloemenwei. Ze plukten bloemen voor de tafels. Mille draaide zich verschillende keren om en leek hem echt aan te kijken, hij sloot zijn ogen, wilde haar blik niet kruisen, ook al wist hij dat zij vanuit de verte onmogelijk kon zien of hij daar stond of niet. Maar misschien wist ze het toch wel. Hij had haar verteld dat hij af en toe voor het zolderraam over de bloemenwei en het bos stond uit te kijken als hij niet langer stil achter zijn laptop kon zitten.

Notitie

15 juli 2008

Herman R. schrijft het verhaal over de helse dagen in Buchenwald toen hij een kleine jongen was en hij bedenkt een verhaal over een negenjarig meisje dat appels naar hem gooit over de onder stroom staande prikkeldraadversperring. Het verhaal circuleert op internet, de historica Deborah Lipstadt is de eerste die er de strijd mee aanbindt op haar blog, *Deborah Lipstadts blog,* dat ze begon toen haar boek *History on Trial: My Day in Court with David Irving* in 2006 verscheen.

Een klein meisje gooit appels (en soms brood) over de onder stroom staande prikkeldraadversperring in Buchenwald, zodat de kleine jongen (die daarna de Holocaust overleeft, opgroeit en een man wordt, naar de VS emigreert, trouwt, kinderen krijgt en op zeventigjarige leeftijd besluit een verhaal te vertellen) niet van honger zal omkomen. Maar het verhaal is niet waar. Herman R.

liegt. Het meisje bestond niet. Toch gaat Herman R. vele, vele jaren later achter zijn bureau zitten om een verhaal te schrijven. Hij kijkt naar zijn vrouw. Ze is een oude vrouw geworden. Misschien heeft ze bloemen geplukt in de tuin (*ik weet niet waarom ik me dat met die bloemen voorstel, dat ze bloemen heeft geplukt, maar voorlopig laat ik het staan*) en nu staat ze bij het aanrecht om de stelen korter te maken zodat ze de bloemen in een vaas kan zetten. Herman kijkt haar aan en zij kijkt hem aan. Ze glimlachen naar elkaar. Hij vindt het prettig dat ze met bloemen in haar gerimpelde vuist naar hem staat te glimlachen. Is dat het moment dat hij die ingeving krijgt van het meisje met de appels dat hem destijds het leven heeft gered?

'We hebben geen opgesmukte en/of onware verhalen nodig. De waarheid is meer dan genoeg', schrijft Deborah Lipstadt op haar blog.

Jon las wat hij de vorige avond had geschreven en schreef toen: *Dit moet nader uitgewerkt worden!*

Ja, maar wat moest er uitgewerkt worden en hoe moest hij dat doen? Voor de vijftiende keer die ochtend kwam hij overeind. Hij was vandaag onrustiger dan anders. Hij zag als een berg op tegen het feest. Verreweg de meeste gasten waren oud, velen waren boven de tachtig en een of twee zelfs boven de negentig. De gedachte aan die oude mensen die met spinnenweb in hun haar zouden dansen, aan Jenny daar op de trap, zichtbaar beschonken, en aan hemzelf als een dode man op de bodem van het zwembad (niet dat er in de tuin in Mailund een zwembad was, *but who cares*), deed hem denken aan de film *Sunset Boulevard*, die hij zo snel mogelijk weer wilde zien, besloot hij, en die gedachte monterde hem op. Siri en hij konden hem samen gaan zien. Ze vond het fijn om samen met hem naar een film te kijken. Af en toe ruzieden ze over wie van hen de meeste films had gezien. Maar dan maakte Siri iets lekkers klaar, ze opende een fles wijn en als Liv dan naar bed was, kropen ze naast elkaar op de bank. Soms keek Alma samen met hen naar een film. Nu Siri eindelijk eigenaar was van twee restaurants en niet als chef-kok in de keuken hoefde te staan, was het mogelijk om een normaal leven te leiden, zei ze.

Jon ging weer achter de laptop zitten, surfte naar Amazon en bestelde *Sunset Boulevard* per expressepost, het kostte driehonderd kronen extra, maar dan zou hij de film al over twee dagen hebben.

Jon dacht aan Siri. Wist ze dat Jenny op haar kamer zat te drinken?

Hij had het hart niet om het haar te vertellen. Of misschien kon hij het niet opbrengen. Wat dit feest betrof, had hij geen energie meer over om te vechten.

Leopold hees zich overeind en keek hem aan, legde zijn poot in Jons schoot. Siri had een hond willen hebben. Hij wilde geen hond. Maar nu hadden ze er een, en hij zorgde ervoor. En precies op het moment dat hij de ergernis daarover voelde opkomen (hij wilde geen hond, had geprobeerd zijn voet dwars te zetten, had gezegd dat hij vond dat ze moesten wachten en toch was hij als enige verantwoordelijk voor de hond, niemand anders gaf erom, hoe was dat zo gekomen) kwam er een sms binnen op zijn telefoon.

Wat doe je nu?

Zonder te aarzelen antwoordde hij:

Ik denk aan jou.

In feite was dat niet waar. Hij dacht niet aan haar. Maar misschien wilde ze dat graag horen en het was fijn om het te schrijven. Dat zou werken.

Hij legde de telefoon neer en keek naar het computerscherm.

Dit moet nader uitgewerkt worden.

Toen kwam er een nieuw bericht. Hij pakte de telefoon weer op. Zij was het.

Fijn om te weten en ook een beetje aandoenlijk.

Wat bedoelde ze daar verdomme mee? Wat was er nou fijn en ook een beetje aandoenlijk? Jon drukte op *verzonden berichten*:

Ik denk aan jou.

Ja, zo was het. Hij had geschreven dat hij aan haar dacht en dat had ze fijn gevonden, en een beetje aandoenlijk. Hij lachte. Leopold hief zijn kop op en keek hem aan. *Wat was dat voor lachje?* Haastig wiste hij de hele conversatie, zowel wat er in de *inbox* stond als de *verzonden berichten*, en hij dacht er ook aan om de *gewiste berichten* te wissen. Hij wist dat Siri zijn e-mail en mobiel contro-leerde en daarom vergat hij nooit om de gewiste berichten te wis-sen, maar elke keer weer vond hij het een paradox. De grap van het wissen van berichten was toch juist dat je ze vernietigde, niet dat je ze verhuisde naar een andere plaats op je mobiel die *gewiste berich-ten* heette? Ze werden pas gewist, echt en daadwerkelijk gewist, als je naar *gewiste berichten* ging en opnieuw verzocht ze te wissen en bovendien de vraag: *Weet u zeker dat u deze berichten wilt wissen?* be-vestigend beantwoordde.

Jon vond het een fijne gedachte dat zij, die ander, een eindje verderop aan dezelfde weg woonde, dat ze elkaar elk moment konden tegenkomen, dat hij bijna voor ieders ogen de binnenkant van haar dijbeen kon aanraken zonder dat het iemand opviel. Of haar achterwerk. Hij kreeg er een kick van dat ze zo dichtbij woonde. Dat ze een mogelijkheid was. Dat hij een mogelijkheid was.

Op een keer, het was winter, nodigde hij een heel andere vrouw bij hemzelf thuis uit. Ze was cultuurjournaliste en had in de krant *Dagbladet* een juichende recensie geschreven over zijn boeken. Hij had haar een e-mail gestuurd waarin hij haar bedankte voor een intelligent en zeer goed geschreven artikel. (*Niemand heeft gezien wat jij hebt gezien, maar dat verbaast me niet. Ik lees je stukken met veel plezier. Altijd.*) Daarmee was het begonnen.

Een paar maanden later moest Siri een hele dag naar Kopenha-gen. Ze moest een potentiële nieuwe chef-kok spreken. Zoiets. Of misschien ging het om iets anders. Hij wist niet meer precies waarom ze naar Kopenhagen moest. Maar ze moest op reis, ze zou de hele dag en de hele nacht weg zijn, zelfs naar het buitenland gaan. Hij verheugde zich erop. Hij maakte plannen. Hij sms'te de cultuurjournaliste en nodigde haar thuis uit. Hij wilde haar neu-ken in het tochtige rijtjeshuis. Hij had de erotische kracht van het overspel onderschat. Die ongeëvenaarde kracht – waar hij daad-werkelijk toe in staat was, welk genot hem te wachten stond als hij het gewoon liet gebeuren en zich liet gaan. Hij stelde zich voor hoe ze haar benen spreidde op de bank bij hem thuis. Hij wilde niet meer in de marge rommelen, waarom zou hij? Hij wilde alles kapotmaken. Vernietigen. En toch blijven bestaan. Kapotgemaakt, vastbesloten, alert. Hij was al zo lang moe. De smaak van vermoeidheid. De lucht van vermoeidheid. Irene heette ze, de cultuurjournaliste, ze was freelancer, overdag vrij en hij wilde haar verscheuren. Haar liefhebben, haar niet hoeven liefhebben. Hij wilde elk klein stukje van haar wakker schudden. Haar met de grond gelijkmaken. Haar volledig opdrinken. Verdwijnen.

Ze had aangebeld. De auto een paar blokken verderop geparkeerd. Gezorgd dat de buren haar niet zagen. Dat hadden ze allemaal afgesproken. De snelle sms'jes vol verwachting. Wat ze echter niet hadden afgesproken, was dat ze haar hond bij zich had. Een klein keffertje dat in de gang als een gek tekeerging tegen Leopold. Jon werd zich ineens bewust van de omgeving, van de plaats waar hij zich op dat moment bevond, van de voorwerpen om hem heen, van de scène die zich daar afspeelde: de kledingkast van IKEA, de fleurige manden voor sjaals, wanten en mutsen, één mand voor hem, één voor Siri, één voor Liv en één voor Alma, de zwarte stenen tegels, de vloerverwarming die het niet deed en het nooit had gedaan, de schoenen, laarzen en gevoerde regenlaarzen die eigenlijk op de schoenenplank moesten staan maar daar nooit stonden, natte sokken en maillots, een vuile kindertekening van een roze meisje onder een stralende zon, ondertekend met LIV, de stapel oude kranten, de tassen met lege flessen. En te midden van dat alles, in de gang van Siri en Jon, stond het keffertje van Irene de cultuurjournaliste tegen Leopold en Jon te blaffen. Alsof zíj de indringers waren.

'Waarom heb je je hond meegenomen?' vroeg Jon.

'Julius moest uit', zei Irene, ze trok aan de riem en probeerde het dier onder controle te krijgen.

'Ik kon hem niet de hele dag alleen laten', voegde ze eraan toe.

'Maar je bent hier toch niet de hele dag!' riep Jon uit.

Hij probeerde het beeld van deze vrouw, van Irene de cultuurjournaliste met gespreide benen op de bank, weer op te roepen. Maar ze zag er niet zo uit als hij zich herinnerde. Ze hadden elkaar een paar weken eerder ontmoet, haastig in een café, en daarna had hij haar overstelpt met sms'jes en e-mails. Alles wat hij met haar zou doen. *Alles wat hij met haar zou doen.* Op de terugweg van het café had hij in vuur en vlam gestaan. Ja, exact! In vuur en vlam. Maar de vrouw die hier nu stond, in de gang van Siri en Jon, was pafferig en had een snorretje.

Leopold zat zwijgend naast Jon naar het keffertje te kijken. Het geblaf hield niet op. Jon dacht aan de buren. Hij wist dat Emma, die naast hen woonde, thuis aan haar proefschrift zat te werken. Emma zou ongetwijfeld alles horen.

'Heet jouw hond Julius?' vroeg Jon.

'Ja...'

'Waarom heb je hem niet Brutus genoemd?'

'Nee...'

Irene kon haar zin niet afmaken. Want op dat moment begon Leopold te grommen en hij verhief zich op zijn vier poten. Hij stormde op het kleine hondje af, zette zijn tanden in het beestje en schudde het heen en weer. Irene gilde en trok aan de riem, het keffertje piepte en Jon wierp zich op Leopold, wist hem weg te trekken en bracht hem naar zijn werkkamer op zolder.

'Kutkeffertje!' mompelde hij op de trap. 'Bontmof. Blafrat.'

Jon aaide Leopold en krauwde hem achter zijn oor.

'Blijf', fluisterde hij. 'Flinke hond.'

Hij sloot de deur achter zich en bereidde zich voor op de aanblik van de gang als slagveld, met overal bloed en stukjes hond. Maar het was goed gegaan. Geen doden. Geen gewonden.

'Het was misschien toch niet zo handig om hier af te spreken', zei Irene toen ze hem op de trap naar beneden zag komen.

Ze hield de bontmof als een baby op haar arm. Hij merkte op dat ze om zich heen keek. *Waar zit jij naar te loeren? Naar onze rotzooi?* Jon pakte de tekening van Liv op die half onder een laars verstopt lag en streek hem recht. Het roze meisje glimlachte. De gele zon ook.

'Ik denk dat ik maar ga', zei Irene.

Jon schraapte zijn keel, vouwde de tekening op en stopte hem in zijn broekzak.

'Kun je niet nog even blijven?' zei hij. 'Dan zet ik koffie.'

Hij hoopte dat ze nee zou zeggen. Dat ze nu weg zou gaan. Ze had gezegd dat ze zou gaan en daar kon ze zich aan houden. Maar ze knikte en zei:

'Koffie zou lekker zijn – en misschien een bakje water voor Julius. Hij is erg geschrokken van de aanval.'

Ze liep op hem af. Ze glimlachte. Ze hield de iets te dikke blafrat in haar armen als een soort zieke parodie van een renaissanceschilderij van de Madonna met kind.

'Misschien moet je je hond wat beter onder controle zien te krijgen', zei ze toegeeflijk terwijl ze hem over zijn wang streelde. 'Ze worden voor minder afgemaakt.'

Maar nu ging het dus om die andere vrouw, met wie hij deze zomer had ge-sms't en die hier een vakantiehuis had, de vrouw die hij al sinds zijn vijftiende kende. Zij was gelukkig geen cultuurjournaliste. Ze was tandarts. Lang geleden waren ze ook buren geweest. En goed bevriend. En elkaars jeugdliefde. Ze had kort, blond haar, ze was mooi, maar miste misschien wat charme. Maar ze vond hém charmant en dat was meer dan genoeg. Dat maakte heel veel goed!

Hij had haar en haar man aan Siri voorgesteld en Siri had hen op een heerlijk diner in *Gloucester MA* getrakteerd. Siri stond zelf elke donderdag en vrijdag in de keuken. Het klikte tussen de twee stellen, ze gingen met elkaar om zoals volwassen mensen met andere volwassenen omgaan, in een gezellige, ontspannen sfeer. Jon en Siri vonden het maar zelden leuk om met andere volwassenen om te gaan. Het was een kunst om als volwassenen met andere volwassenen om te gaan. Maar Jon en Siri, en de tandarts en haar man, die ook tandarts was, nodigden elkaar uit voor feestjes, gingen met elkaar wandelen in het bos en deden gezamenlijk dingen met de kinderen.

De tandartsen hadden een zoon, Gunnar, een paar jaar jonger dan Alma, en dan was er nog een volwassen zoon, Morten, uit een eerder huwelijk.

Maar daar ging het Jon niet om, eigenlijk niet. Ook al zei Siri dat ze het fijn vond dat ze een paar gezamenlijke vrienden hadden.

Dat het mogelijk was om op volwassen leeftijd nieuwe vrienden te krijgen. Wat Jon bezighield was het volgende: dat hij *Ik denk aan jou* kon sms'en, dat ze elkaar in alle haast konden ontmoeten, dat hij de binnenkant van haar dij kon strelen, dat zij hem charmant vond.

Hij keek naar zijn mobiel.

Af en toe vreeën ze. Maar in seksueel opzicht verveelde ze hem en af en toe vroeg hij zich af waarom hij met haar doorging. Waarom hij er nog puf in had. Waarom hij weerzin opzocht terwijl hij daar al meer dan genoeg mee te stellen had.

De tandarts heette Karoline. De man van de tandarts heette Kurt. Karoline en Kurt, Jon en Siri. Goede vrienden.

Jon keek naar Leopold. Toen sms'te hij:

Ik ga de hond uitlaten. Zie ik je ergens?

Het antwoord kwam onmiddellijk.

Ja.

Heb je even tijd? Moet je direct terug?

Nee. Ik heb tijd.

Jon keek weer naar zijn laptop.

Dit moet nader uitgewerkt worden!

Nee, dit kan niet! Hij sloeg de file op, sloot de laptop af en krauwde Leopold achter zijn oor. Vervolgens keek hij naar buiten. Er hing mist en regen in de lucht. Mille en de kinderen waren nog steeds bloemen aan het pukken. Mille had een wollen jasje aangetrokken. Ze huppelde rond, onhandig en zwaar, hij merkte haar iets te forse rug op. Ze was een al te groot kind dat zich in hem had vastgebeten. Daar moest een eind aan komen!

Hij draaide zich om naar de hond.

'Kom, Leopold, nu gaan we uit.'

Leopold sprong overeind en volgde hem de trap af. Siri was in de keuken op de begane grond en riep hem toen ze hem op de trap hoorde.

'Moet je niet werken?'

Ze ontmoette hem in de hal en keek hem met haar niet-begrijpende blik aan.

'Jawel, maar de hond moet ook uit', antwoordde hij.

Haar donkere haar was opgestoken in een losse wrong. Ze droeg een dunne zomerjurk, de witte die hij zo mooi vond. De deur naar de tuin stond open, buiten werd het steeds donkerder, het was kil en nat tegelijk. Het leek alsof Siri een beetje had gehuild, haar ogen glansden altijd als ze had gehuild.

'Waar ga je heen?' vroeg ze.

'Uit met de hond', herhaalde hij. 'Iemand moet hem toch uitlaten?'

Siri sloeg haar ogen neer.

'Ik maak me een beetje zorgen over vanavond', zei ze. 'Ik ben bang dat het gaat regenen.'

'Nou ja, dan gaat het maar regenen.'

Hij vroeg zich af of ze wist dat Jenny had gedronken.

'Het is mama's vijfenzeventigste verjaardag', zei ze. 'Dan mág het niet regenen.'

'Nee... we moeten maar afwachten.'

Jon trok Leopold de deur uit en wilde die weer achter zich dicht doen. Maar ze liep achter hem aan.

'Waar ga je heen?' vroeg ze.

'Ik laat de hond uit, Siri', zei Jon. 'Leopold gaat nog dood als hij niet snel een eind kan lopen. Ik ben over een halfuur terug. Of over een uur. Of wil je dat ik je ergens mee help? Moet ik iets hakken? Of iets dragen?'

Siri schudde haar hoofd, stond op de drempel en rilde een beetje in de mistige wind. Ze keek naar de lucht.

'Misschien klaart het tegen de avond op', zei ze.

'Dat denk ik wel', zei hij en hij streelde haar over haar haar. 'Daar ben ik van overtuigd, Siri. Ik denk dat het een geweldig feest wordt!'

Alsof het Alma iets kon schelen. Alsof het iemand iets kon schelen. Alsof het oma, die de hoofdpersoon was, iets kon schelen. Oma wilde haar verjaardag toch niet vieren? Maar je kon niet IK WIL NIET roepen tegen mama, mama ging gewoon door alsof er niets was gebeurd. Mama wilde dit feest en daarmee basta.

Jezelf in stukken scheuren. In jezelf snijden. Knippen. Jezelf tegen de muur slaan. Alma sloeg haar handen voor haar gezicht. Het was te groot. Ze zag Jon de helling af lopen met Leopold op sleeptouw. Waar moest hij nu naartoe? Naar buiten, de weg aflopen. Naar buiten, de weg aflopen.

Oma zei:

'Alma, vanavond knijpen we ertussenuit. Tijdens het feest. We pakken de auto en gaan er gewoon vandoor, we nemen twee strandstoelen mee, een mandje met eten en frisdrank en we gaan op het strand naar de zee zitten kijken. Hoe dikker de mist is en hoe harder het regent, hoe beter.'

'We zullen kletsnat worden', zei Alma.

'We nemen paraplu's mee, die maken we aan de strandstoelen vast en dan doen we net of het parasols zijn,' zei Jenny, 'dan zitten we ieder onder een parasol en laat dan de storm maar komen.'

Jenny maakte fles nummer twee open en vervloekte zichzelf dat ze er niet in was geslaagd dit belachelijke feest dat Siri – tegen ieders wil – had georganiseerd, tegen te houden. En nu zou het al over een uur beginnen. Wie waren al die mensen die zouden komen? Jenny wilde het niet. Irma wilde het niet. Maar Siri had naar niemand geluisterd.

'Natuurlijk krijg je een feest', zei Siri. 'Natuurlijk moet je verjaardag gevierd worden, mama!'

Jenny nam een slok en wierp een blik uit het raam. Ze liet de blik rusten op haar jongste kleinkind, kleine Liv met de blonde vlechtjes. Daarna schoof haar blik verder naar de zware, maanmooie tiener van wie ze de naam maar niet kon onthouden. Konden Jon en Siri niet zelf op hun kinderen passen?

Het werd steeds donkerder terwijl ze daar stond, ze proefde smakkend van de wijn, probeerde de mist naar zich toe te kijken, erin op te lossen en te verdwijnen.

'Ze heet Mille', had Siri gezegd. 'Ze wordt ook wel Sweet Pea genoemd.'

'Sweet wat?'

'Sweet Pea.'

Het gras was gemaaid en het huis schoongemaakt en opgeruimd. Irma had zeven dagen op handen en voeten gekropen om de brede planken van de vloer met groene zeep te boenen. De week ervoor had ze de plafonds en de wanden onder handen genomen. De week daar weer voor de lades en kasten. De ramen had ze aan Siri overgelaten.

Jenny schudde haar hoofd. *Al dat geklets over liefde.*

Het was prettig dat Irma in huis was. Geen gezeur. Ze hield zich bezig met de praktische zaken nu Ola zo oud was geworden. Met het onderhoud van het huis. Het maaien van het gras. En ze liet Jenny met rust, dat was het belangrijkste.

Jenny bleef uit het raam staan kijken.

Irma had de lange tafels in de tuin gezet en op de tafels lagen de witte, pasgesteven tafelkleden die Siri naar binnen had genomen, toen weer naar buiten en toen weer naar binnen om ze niet nat te laten regenen, en op de witte, pasgesteven tafelkleden stonden glazen vazen met bloemen die door Liv, Alma en Mille in de wei achter het huis waren geplukt. In de bomen hingen lantaarns en dat was maar goed ook, want ook al was het zomer en waren de nachten licht, de mist kwam naar Mailund toegedreven en werd naarmate het later werd almaar dikker.

De mist mengde zich met de geur van de gerechten die Siri in de keuken had bereid, vlijde zich tussen de wijnflessen, borden, bestek en glazen die op de grote, witgedekte tafel onder de appelbomen gereedstonden, kroop onder de drempels en kozijnen van het oude huis door, trok door de slaapkamers, de woonkamers en de keuken en gleed verder naar de tuin en het veld achter het huis waar Liv, Alma en Mille bloemen hadden geplukt, maar Liv had de mist niet gezien, ook al had die haar wel gezien, en pas toen Alma, Mille en zij een emmer vol veldbloemen hadden geplukt, was het weer gaan miezeren en mengde de mist zich met de geur van regen, zomeravond en Jenny's L'Air du Temps, want nu was het feestvarken bijna zover om de trap af te dalen en haar gasten te ontvangen, de mist mengde zich met het licht van de lantaarns in de bomen en vanuit de verte kon het lijken alsof de tuin een paar meter boven de grond zweefde.

Het oude witte landhuis aan het eind van de weg kon wel een lik verf gebruiken, maar in het mistige licht viel dat niemand op. De staande klok in de woonkamer die nog van Jenny's grootvader was geweest, zou zeven keer slaan en dan zou alles gereed zijn. De tuin zou tot leven komen. Het huis zou tot leven komen. De deuren die op het erf en de tuin uitkwamen, zouden open worden gezet. De regen zou afnemen, en ook al hing de mist nog stevig in de boomtoppen, zowel binnen als buiten zou het licht van kaarsen en lantaarns stralen. Ze zouden allemaal op het erf staan om de gasten te begroeten. Jenny en Irma, Siri en Jon, Alma en de kleine Liv en het maanmooie meisje dat Mille heette.

Jenny hield het gordijn vast om zich staande te kunnen houden. Laat het feest beginnen! Bijna vijftig gasten van heinde en verre. Ze kwamen met cadeaus, bloemen en champagne en regen in het haar, gelach, zomerjurken en witte zakdoeken om Jenny Brodal met haar verjaardag te feliciteren.

Siri draaide zich om naar Mille. Ze stonden allemaal op het stoepje voor het huis op de gasten te wachten. En ze wachtten op Jenny. Het was de bedoeling dat Jenny nu beneden zou zijn om samen met hen op de gasten te wachten. Het was immers haar verjaardag. Een uur eerder, om zes uur, was Siri de trap op gestampt en had op de deur van haar moeders kamer geklopt.

'Mama, hoe is het? Ben je al bijna klaar? Heb je nog hulp nodig?'

Ze kreeg geen antwoord. Siri hield haar oor tegen de deur en luisterde. Alles wat ze hoorde, was een zacht geneurie. Stond haar moeder te zingen? Ze deed de deur op een kier open en keek naar binnen. Jenny zat op het bed. Ze was half opgemaakt (poeder, lippenstift, maar geen make-up rond haar ogen), ze had haar zwarte jurk aan en de dikke grijze wollen sokken. In haar hand hield ze een bijna leeg glas rode wijn.

Siri sloeg de deur open en even zag ze een zweem van echte angst in haar moeders blik, toen hief Jenny haar glas en proostte. Ze bleven elkaar aankijken. Siri moest haar best doen om niet te huilen, niet te schreeuwen, maar gewoon te zeggen:

'Hoeveel heb je gedronken?'

Jenny krabde op haar hoofd, keek naar het plafond en dronk het glas leeg.

'Eerlijk gezegd, Siri,' antwoordde ze met een glimlach, 'weet ik het antwoord niet op die vraag. Redelijk veel, geloof ik. Maar beslist niet genoeg!'

'Waarom?' vroeg Siri toonloos.

'Tja, waarom niet?'

Siri kwam een stap dichterbij, maar Jenny hief haar hand op om stop te zeggen. Kom niet dichterbij. Raak me niet aan.

'Je zou toch niet drinken?' fluisterde Siri. 'Je kunt niet tegen...'

'Eén dag tegelijk, Siri. Eén dag tegelijk. Ik heb nooit nooit gezegd.'

'En nu dan?'

'Nu ben jij een volwassen vrouw', antwoordde Jenny terwijl ze het glas op haar nachtkastje zette. 'Je bent zelfs van middelbare leeftijd, een vrouw van veertig... en je kunt je uitstekend redden, ongeacht wat ik doe. Je hoeft je niet druk te maken... Jij en ik...'

Jenny wendde haar blik af.

'Jij en ik wat?' vroeg Siri. 'Jij en ik wat?'

Jenny schudde haar hoofd.

'Vergeet het', zei ze. 'Wil je alsjeblieft weggaan? Alsjeblieft. Kun je de deur dichtdoen en mij met rust laten?'

Siri draaide zich om en liep weg. Voordat ze de deur dichtdeed, zei ze:

'Het feest begint over een uur.'

Jenny lachte luid.

'Ja, laten we dat vooral niet vergeten. Het feest begint over een uur.'

Ze wuifde Siri weg en bleef lachen.

'Het feest begint over een uur...'

En nu stond iedereen op het stoepje voor het huis op de eerste gasten te wachten. Iedereen, behalve Jenny.

Mille droeg haar lange haar los, ze had een rode paraplu, rode lippen en hooggehakte schoenen die sopten in de miezerige regen. Ze had een witte pioenroos uit Siri's witte bloemperk achter haar rechteroor gestoken.

Haar jurk was gemaakt van dunne rode katoen en over haar schouders droeg ze een rode zijden sjaal die ze van Siri had mogen lenen.

Siri kon het niet laten om iets over de bloem in haar haar te zeggen. Jon zag aan haar dat ze wist dat ze er niet over moest beginnen.

'Wat zie je er mooi uit, Mille', zei Siri.

Mille begon te stralen. Jon wist dat er nog wat kwam, hij kon aan Siri zien dat ze het niet kon laten. Hij wist niet wat er kwam, of wat Siri nu weer irritant vond aan Mille, maar dat er iets zou komen, was duidelijk. Alma keek vol belangstelling toe. Jon drukte hard in Siri's hand. *Niet zeggen.* Siri dwong zichzelf tot een glimlach en wees naar de bloem in haar haar. Ze kon het niet laten.

'Maar ik heb liever niet dat je bloemen in de tuin plukt. Die witte pioen in je haar, die komt uit een van mijn perken. Je vernielt ze, snap je.'

Maar vele uren later zag niemand Milles gezicht toen de jongen die ze KB noemden haar hoofd tegen het grind duwde. Zijn hand was klam en hard, zijn adem koud.

'Wil je hem hier?' fluisterde hij. Hij drong van achteren bij haar binnen en scheurde haar open.

Ze wilde het niet, maar ze kon zich niet omdraaien, ze kon haar hoofd niet schudden, ze kon met haar mond vol steentjes niet duidelijk antwoord geven.

'Zei je nou dat je niet wilde?' zei hij.

En Jenny's gasten cirkelden rond in de tuin, ze probeerden een klein wit bordje in de ene hand en een glas wijn in de andere in balans te houden, ze deinden mee met de muziek, ze lachten hard om iets wat werd gezegd, ze liepen in hun eentje het veld op waar eerder die middag bloemen waren geplukt, grasklokjes, fluitenkruid, margrieten, boterbloemen, ranonkels, rode klaver, wilgenroosjes en bosooievaarsbek, en sommige gasten stonden roerloos naar de lucht te kijken en vroegen zich hardop af of het zo meteen alsnog zou gaan hozen.

||| Sweetheart like you

Ze overwoog om niet weg te gaan van het feest, ze overwoog om te blijven, ook al waren de meeste gasten honderd jaar oud en zouden ze spoedig in de mist verdwijnen. Mille keek om zich heen waar Jon was, maar kruiste Siri's blik. Siri stond in haar eentje onder een boom. Dat deed Siri wel vaker, alleen onder een boom, in gedachten verzonken. Ze droeg een lange, lichtblauwe jurk, een oude zijden jurk die vroeger van Jenny was geweest. *Veel mensen zullen Siri mooi vinden*, had Mille tegen haar vriendinnen kunnen zeggen als ze lang genoeg had geleefd om de foto's van die zomer te laten zien. Hoewel Mille haar foto's nauwelijks liet zien, ze hield ze liever voor zichzelf. Ze maakte geheime plakboeken en was altijd op zoek naar mooie, grote schetsboeken met een hard kaft en dikke, witte, blanco vellen die ze kon versieren met foto's, tekeningen, citaten en liedteksten, dagboeknotities, gedroogde bladeren, bloemen en gras. Mille was niet op veel plaatsen in de wereld geweest (nog niet!), maar het plan was om de komende jaren een verre, heel verre reis te gaan maken, misschien naar Australië, maar ongeacht waar ze zich op de wereld bevond, ongeacht hoe ver ze van huis was, ze trok altijd een plukje gras uit de grond, stopte dat in haar plakboek en noteerde er de datum en de vindplaats onder.

Mille vond het leuk om mensen te fotograferen die niet doorhadden dat ze werden gefotografeerd, en die foto's deed ze ook in haar plakboek.

Ze had veel foto's van Siri genomen. Siri was donker, slank en sterk tegelijk. Ze was lang, een beetje scheef en haar mond was groot en vol.

Op een keer lag Siri te slapen in de rieten stoel in de grote tuin. Mille was net teruggekomen van het strand, ze droeg een grote watermeloen die ze op de markt had gekocht en die ze in stukken wilde snijden en delen met Liv, die om haar heen liep te dansen terwijl ze zong *We eten watermeloen, we eten watermeloen, we eten watermeloen als het morgen wordt.*

'Sst', fluisterde Mille terwijl ze wees naar Siri in de rieten stoel. 'Kijk, mama slaapt!'

'Mama slaapt', fluisterde Liv.

'Kun jij op de watermeloen passen', ging Mille verder en ze

legde de meloen voorzichtig op de grond. 'Kun je hier in het gras zitten en op de watermeloen passen? Ik moet even iets doen.'

'Wat moet je doen?' fluisterde Liv.

'Sst, maak mama niet wakker', antwoordde Mille zacht en hield haar vinger tegen haar lippen. 'Het is een verrassing. Doe je ogen dicht en tel in jezelf tot twintig, dan gaan we naar de keuken om de watermeloen in stukken te snijden.'

'Wat is de verrassing?' riep Liv.

'Sst, sst. Dat kan ik niet zeggen, anders is het geen verrassing meer. Maar je moet heel stil in het gras blijven zitten en op de watermeloen passen en in jezelf tot twintig tellen; en misschien heeft de verrassing wel iets met ijs te maken.'

Liv ging in het gras zitten, kneep haar ogen dicht en fluisterde: 'Eén, twee, drie...'

Mille pakte haar mobiel die in de zak van haar shorts zat, sloop naar de stoel waarin Siri lag te slapen, boog zich over haar heen en maakte een foto. Ze keek naar de foto, ze keek naar Siri. Siri werd niet wakker. Mille maakte nog een foto. En daarna nog een. Siri had een dunne plaid over zich heen getrokken, maar die was op de grond gezakt. Ze was diep in slaap, er liep een beetje kwijl uit haar open mond. Mille stopte haar mobiel terug in haar zak, pakte de plaid op en legde die over Siri heen.

'Veertien, vijftien, zestien, zeventien...'

Liv opende haar ogen en fluisterriep:

'Mag ik al ophouden met tellen, Mille?'

Mille draaide zich om naar het meisje in het gras en zei dat ze mocht ophouden met tellen, want nu zouden ze watermeloen gaan eten.

'En ijs!' riep Liv.

'En ijs', fluisterde Mille en hield haar vinger weer voor haar mond. 'Denk eraan, mama mag niet wakker worden. Laat mama maar slapen.'

Siri stond altijd op het punt om ontzettend kwaad op Mille te worden, maar dan kreeg ze er spijt van en probeerde oprecht aardig te doen. En als ze spijt kreeg, mocht Mille dingen van haar lenen, bijvoorbeeld die rode zijden sjaal die bij de rode jurk paste.

Mille wilde ook graag dat Siri haar aardig zou vinden, maar het lukte haar gewoon niet. Het was niet Milles fout dat Jon af en toe liever met haar praatte dan met Siri, of dat Liv en Alma liever bij haar waren. Siri was altijd zo boos. Alma had gezegd dat alle koks boos waren. Vooral de koks die in Frankrijk waren opgeleid. Dat was gewoon zo.

Maar de kipspiesjes waren verrukkelijk. Eerst was het de bedoeling dat ze speenvarkens zouden krijgen, dat had Siri zo bedacht, ze had een soort visioen gehad over wat voor feest ze wilde houden, maar niemand had zin in haar visioen. En toen werd ze nog bozer. Mille had voor het feest stiekem een heleboel kipspiesjes gegeten, ze had hier een paar en daar een paar uit de vriezer gepakt en ze in de oven opgewarmd nadat de anderen naar bed waren gegaan.

'Wat ik nu maak, mama, zijn kipspiesjes met satésaus', zei Siri met hoge, schrille stem. Ze stond in de grote, oude keuken en zweette zich rot, haar halflange haar was losjes opgestoken met een mooie oude, haarspeld. (Mille zou graag zo'n haarspeld hebben.)

Mille stond in de bijkeuken, met de deur op een kier, en volgde de scène in de keuken. Ze moest een kan limonade halen voor Liv, Alma en haarzelf, maar wilde zich niet in de keuken laten zien nu Siri, Irma en Jenny zich daar bevonden.

Jenny ging met de armen over elkaar tegen de muur staan. Zo bleef ze een eeuwigheid naar Siri staan kijken zonder een woord te zeggen. Irma zat op een keukenstoel te gniffelen. Onder haar bovenlip zat een klont snus.

Opeens zei Jenny:

'SATÉSAUS, WAT IS DAT?'

Siri schrok op en draaide zich om naar haar moeder.

'Kipspiesjes in satésaus', zei Siri. 'Dat is een specialiteit uit Thailand, gemaakt van pindakaas, kokosmelk en...'

Irma snoof hoorbaar.

'Ik wil verdomme geen specialiteit uit Thailand', onderbrak Jenny haar.

Irma keek Siri aan.

'Je had naar me moeten luisteren', zei ze.

'Wat?' vroeg Siri verward.

Ze keek eerst haar moeder aan en toen Irma.

'Wat zeggen jullie?'

'Ik wil verdomme geen specialiteit!' schreeuwde Jenny.

Irma lachte nog harder.

'Hoor je wat ik zeg, Siri?' Jenny stond nog steeds tegen de muur geleund.

Siri keek weer naar Jenny, de tranen stonden in haar ogen.

Mille dacht dat als ze had gedurfd, als ze zeker had geweten dat ze daar achter de deur niet zou worden ontdekt, ze op dat moment een foto van Siri zou hebben gemaakt.

'Ik wil verdomme geen specialiteit!' schreeuwde Jenny. 'Ik wil verdomme geen feest! Ik wil geen speenvarkens, ik wil geen specialiteit. Ik wil niks van jou! Ik wil dit niet!'

Vervolgens stormde ze op haar hoge hakken de keuken uit en ze had niet eens in de gaten dat ze Mille in de bijkeuken bijna omverliep.

Een paar dagen later, toen het feest eindelijk aan de gang was, dacht Mille dat ze misschien niet weg hoefde te gaan zoals ze van plan was geweest, zelfs al was iedereen bijna honderd jaar oud en zelfs al had ze vrij. Liv danste staande op de voeten van een of andere verre oom en het was die avond Alma's taak om haar naar bed te brengen, haar te helpen met tandenpoetsen, haar voor te lezen en een liedje voor haar te zingen. Mille dacht dat ze kon blijven en misschien wat met Jon kon praten. Ze wilde hem vertellen dat ze naar dat liedje had geluisterd dat hij haar had aangeraden. Hij had haar een cd gegeven (geen nieuwe, maar een die op zijn werkkamer lag, en hij had hem niet echt aan haar gegeven, het was meer een soort van lenen), en daarna had hij haar midden in de nacht een sms gestuurd en haar gevraagd om naar *Sweetheart like you* te luisteren. Verder niets.

Lieve Mille, stond er, *Je moet naar Sweetheart like you luisteren – dat zul je mooi vinden. J.*

Mille had het lied verschillende keren gedraaid (ze had eigenlijk nog nooit van Bob Dylan gehoord) en zich afgevraagd waarom Jon niet bij Siri in bed lag te slapen, maar haar vanuit zijn werkkamer sms'jes stuurde. Misschien ging het niet zo goed tussen hem en Siri? Kwam dat omdat hij aan Mille dacht? 's Nachts ook? Kon hij daarom niet slapen? Mille luisterde een paar keer achter elkaar naar het liedje, ze zocht de tekst op internet op, las die steeds weer opnieuw, noteerde die op een vel papier en plakte dat in haar plakboek. Het was een mooie tekst en misschien lag er wel een geheime boodschap van Jon voor haar in besloten.

By the way, that's a cute hat
And that smile's so hard to resist
But what's a sweetheart like you doing in a dump like this?

Mille pakte een glas witte wijn en dronk het achter elkaar leeg. Toen nog een. Ze deed haar best om kalm op haar hoge hakken door de tuin te lopen (haar naaldhakken boorden zich in het gazon en zakten bij elke stap die ze zette in de grond weg) naar de wc in de hal, die voor de gasten was bedoeld, ze ging voor de spiegel staan en haalde de mascara uit het kleine gouden tasje met franje dat over haar schouder hing. Ze glimlachte naar zichzelf in de spiegel en trok het schouderbandje van haar rode jurk recht. Ze kon vanavond best wat leuks gaan doen. Ze had in Pizzeria Palermo mensen van haar eigen leeftijd gezien en ze wist dat veel jongeren naar Bellini gingen. Jon moest zich maar met de bejaarden bezighouden en misschien dat hij op een bepaald moment in de loop van de avond in de tuin om zich heen zou kijken en zich zou afvragen waar ze was. Maar ze zou hem nu alvast een sms sturen om hem te bedanken voor het liedje van Bob Dylan.

Sweetheart like you
Sweetheart
Sweet like you

Ze wierp een laatste blik op zichzelf in de spiegel en liep terug naar de tuin. De oude bomen ruisten in de wind. De mist kroop om groepjes feestvierende mensen heen. Hier en daar keek iemand omhoog om te zien of de hemel zich weldra zou openen en iedereen zou wegspoelen, overal klonken brokstukken van hetzelfde gesprek. *Zou het zo meteen gaan regenen? Gaat Siri het hele feest soms naar binnen verplaatsen als het slecht weer wordt? Is daar wel over nagedacht? En hoe moet het met al dat eten?* Opeens klonk boven alles een hoge vrouwenstem uit die zong: *Een beetje water in je haar betekent geluk.* Mille voelde een regendruppel op haar schouder en kon een glimlach niet onderdrukken. Ze liep naar de ruimte onder de zeilen die Jon en Irma hadden opgehangen en bleef staan bij de buffettafel. Ze werkte een kipspiesje naar binnen, en toen nog een, ze kon er gewoon niet van afblijven, die lekkere hartige smaak, ze had zin in vanavond, de spanning tintelde in haar buik, misschien kwam het door de wijn, misschien door het sms'je van Jon of misschien gewoon door de verwachting dat er iets leuks zou gebeuren.

Ze keek om zich heen en weer kruiste haar blik die van Siri. Mille had medelijden met Siri. Scheve Siri die 's nachts alleen in bed lag terwijl haar man aan anderen dacht. Mille glimlachte naar haar. Scheve Siri die nooit blij was. *Glimlach dan terug! Ik weet hoe verdrietig je bent. Hoe eenzaam je bent!* Nieuwe regendruppels troffen Mille. Ze voelde ze op haar schouder. In haar haar. Op haar wang. Over haar ruggengraat glijdend. Ze wilde lachen. Het kietelde. Maar toen Siri (na haar even kort aangekeken te hebben) haar blik afwendde, bijna vol walging, kreeg ze opeens aandrang om te huilen.

'Wijf! Kutwijf!'

Ze zei het niet hardop. Niemand hoorde haar, ze was een meisje met een rode jurk dat met de mond vol kip bij de buffettafel stond te mompelen. Mille slikte, wierp haar haar achterover en liep naar het hek aan het eind van de tuin. Ze draaide zich nog een laatste keer om en keek Siri, die omgeven was door gasten, recht aan. Maar Siri zag Mille niet. Negeerde haar. Ze vroeg zich af wat Siri zou zeggen als ze het wist van Jon en haar. Mille pakte haar telefoon. Kon ze hem nu sms'en? Of zou ze wachten? Ze wist dat hij graag met haar praatte, ook al was hij bijna dertig jaar ouder, dat hij het fijn vond als ze zijn werkkamer binnenkwam terwijl hij aan het werk was. Hij vond het leuk om haar dingen te laten zien. Te vertellen. Het poppenhuis en de poppenmeubels en de poppen die vroeger van Siri waren geweest. De oude boeken, de verzameling cd's. Mille dacht aan gisteren. Hoe hij naar haar had gekeken, met haar had gepraat.

'Stoor ik je, Jon? Ik vroeg me af waar de zonnebrandcrème van Liv is. Ik kan hem niet vinden en ik had bedacht dat we naar het strand konden gaan nu het zulk mooi weer is.'

Jon draaide rond op zijn kantoorstoel en keek Mille aan. Hij keek haar altijd op een speciale manier aan. Zijn ogen glinsterden. Ze had zin om tegen hem te zeggen dat hij zo cool was. Dat hij een coole energie had. Of zou dat stom klinken? Hij was natuurlijk wel schrijver en ze wist niet goed hoe ze zich tegenover een schrijver moest uitdrukken. Ze wilde niet dat hij dacht dat ze dom was, dat ze een onnozel wicht was, nog niet rijp voor haar leeftijd.

'Je stoort niet, Mille. Ik verveel me eigenlijk te pletter!'

Hij had een hele stapel cd's op zijn bureau liggen. Hij pakte er een van, de cd van Bob Dylan, en gooide die naar haar toe.

'Deze is mooi. Ga daar maar eens naar luisteren.'

'Dank je', zei Mille. 'Heel erg bedankt.'

Jon gaf geen antwoord. Mille bleef staan.

'Wat schrijf je?'

Jon wendde zijn blik af. Lachte een beetje.

'Ik schrijf een roman die nooit af komt. Het zit gewoon niet in me om dat boek af te krijgen.'

'Cool', antwoordde Mille. 'Ik bedoel,' verbeterde ze, 'het is cool dat je een roman schrijft. Het is niet cool dat je hem niet afkrijgt. Maar het lukt vast wel.'

Jon lachte opnieuw. Niet om haar. Ze dacht tenminste van niet. Hij lachte in zichzelf, alsof zij er niet was, alsof hij aan iets grappigs moest denken. Maar opeens ving hij haar blik en zei:

'Je bent een leuke meid, Mille. Je ziet er leuk uit.'

Mille glimlachte.

'Ik vind jou cool', zei ze. 'Je hebt een enorm coole energie en ik weet zeker dat je een fantastische roman schrijft.'

Jon lachte hard en kort, het was moeilijk om die lach te duiden. Mille bloosde. Het was natuurlijk heel stom om te zeggen dat hij een coole energie had.

'Jou te zien geeft mij energie, Mille', zei hij, maar hij keek haar niet aan.

'Jouw schoonheid', voegde hij eraan toe. 'Jouw licht.'

Jon keek weer naar zijn laptop. Ze wilde niet dat het daarmee was afgelopen. Ze zei:

'Ik kan niet zo goed schrijven, dat heb ik nooit gekund, ik heb enorm veel respect voor je dat je hier dag in, dag uit zit te schrijven en je hebt al heel wat boeken geschreven, ik had er op school ontzettend veel moeite mee, het lukte me gewoon niet, maar ik heb vaak gedacht dat als ik kon schrijven, ik een heel bijzonder boek zou gaan schrijven.'

Jon keerde zich weer naar haar om. Nu lag er iets anders in zijn blik. Niet dezelfde vriendelijkheid als daarnet. Iets uitdagenders.

'Een boek over jou? Over je leven?'

'Ja, zoiets. Er is zo veel wat ik graag zou beschrijven, als je begrijpt wat ik bedoel.'

'Ik denk dat ik begrijp wat je bedoelt', zei hij.

Hij lachte weer even. Toen keek hij haar aan en vroeg:

'Ben je soms een elf, Mille?'

'Wat?'

Mille dacht even dat ze hem verkeerd had verstaan. Maar hij vroeg haar inderdaad of ze een elf was. Wat moest ze daarop antwoorden? *Haar schoonheid. Haar licht.*

'Wat... een elf?... Ja, misschien wel.' Ze lachte even. 'Er is eigenlijk best veel magie in mijn leven.'

'Mooi', zei Jon kort, 'dat is mooi.' Opeens zag hij er heel moe uit.

Mille gaf niet op.

'Wat ik wilde zeggen, is dat ik ook boeken maak. Niet zoals jij, ik bedoel... niet zoals jij. Het is gewoon iets wat ik voor mezelf doe. Geheime plakboeken. Ze zijn geheim omdat ik ze aan niemand laat zien, ik heb ook nog niemand erover verteld. Alleen aan jou, nu. Jij bent de enige die het weet. Ik neem foto's. Ik fotografeer alles wat ik tegenkom, mensen, dieren, natuur. Maar vooral mensen. Als ze niet weten dat ze gefotografeerd worden. Ik plak alle foto's in het boek. En ook dingen die voor mij een speciale betekenis hebben. Alles, van grassprieten tot mooie citaten. En ik schrijf ook zelf nog, maar niet veel. Dagboeknotities.'

Mille zweeg. Jon draaide weer rond op zijn stoel en nu keek hij haar recht in de ogen.

'Heb je ook foto's van jezelf?' vroeg hij. 'In je boek?'

Nu had hij weer die uitdagende blik.

Mille aarzelde.

'Nee, wat bedoel je?'

'Ik bedoel dit: dat boek is ván jou en óver jou en je vertelt me dat je veel foto's van andere mensen maakt die je erin plakt en daarom vroeg ik me af of je er ook foto's van jezelf in stopt.'

Mille probeerde eronderuit te komen.

'Ik vind het niet prettig om foto's van mezelf te zien. Ik ben niet zo fotogeniek.'

'Geef me je mobiel', onderbrak Jon haar.

'Wat?' Mille giechelde.

'Geef me je mobiel, kom op, geef hier.'

Ze haalde haar mobiel uit haar zak, liep naar hem toe en legde die in zijn hand.

Jon gebaarde dat ze moest weglopen.

'Ga maar in de deuropening staan. Zo. Kijk me aan. Niet poseren. Kijk me gewoon aan. Maak je niet druk om de zon in je ogen, dat is juist mooi. Zo, ja!'

Jon drukte af en op dat moment kwam Leopold overeind en ging bij de deur zitten. Mille stond in de deuropening naar Jon te kijken, de zon scheen in haar ogen en gaf haar het gevoel dat hij met zijn hand over haar heen streek.

'Kijk hier maar eens', zei hij terwijl hij naar de foto keek. 'Je bent prachtig. Deze moet je in je boek plakken. En kijk eens,' zei hij terwijl hij wees op de zwarte vlek in de onderste hoek, 'daar heb je de staart van Leopold.'

Jon reikte haar de mobiel aan. Ze keek naar de foto. Ze was

mooi, dat zag ze meteen. Hij had een foto van haar gemaakt en ze was mooi. Haar blauwe spijkerjurk zat als gegoten, de paardenstaart flatteerde haar, haar lippen waren rood en in haar blik school geen onzekerheid of hulpeloosheid. *Jouw schoonheid. Jouw licht.*

'Dank je wel', zei ze. 'Heel erg bedankt. Het is een mooie foto.'

Hij draaide zich weer om naar zijn laptop en zei:

'Mille, nu moet ik aan het werk, hoor. Oké?'

'Oké', zei ze.

Ze keek naar zijn rug en hoopte dat hij zich nog een keer naar haar zou omdraaien.

'Ik denk dat Liv op je wacht', zei hij met de rug naar haar toe. 'Jullie zouden toch naar het strand gaan?'

'Ja, ja', zei Mille. 'Oké. Tot ziens dan. Heel erg bedankt voor de cd. En voor de foto.'

'Tot ziens', zei Jon afwezig, nog steeds met de rug naar haar toe. 'Veel plezier.'

Mille opende het tuinhek, haalde diep adem en verliet het feest. Ze dacht dat het niemand zou opvallen dat ze weg was. Ze had er trouwens niets te zoeken. In de mist dansen, met de bejaarden. Ze was jong. *Sweetheart like you.* Ze was mooi. *Jouw schoonheid. Jouw licht.* En als ze vannacht thuiskwam, zou ze Jon sms'en, of misschien zou ze het nu doen, zo meteen. De weg kronkelde als een worm tussen Jenny's huis op de top van de heuvel en de haven bij de zee aan het andere eind. Aan weerszijden van de weg stonden vakantiehuizen en gewone huizen, allemaal klein en bijna onzichtbaar in de mist. Maar Jenny's huis was niet klein en evenmin onzichtbaar. Er straalde licht uit de ramen, er straalde licht uit de tuin en de stemmen en het gelach waren op grote afstand hoorbaar.

Mille begon te lopen, *niet omkijken*, dacht ze. De lichte rode stof van haar jurk zweefde om haar heen en beroerde maar nauwelijks haar huid, de wind voerde een zacht regentje mee. Niet omkijken! Het was alsof ze haar eigen stem in de mist hoorde, haar eigen stem zoals die klonk toen ze klein was en een fietstocht maakte met Mikkel, haar vader, die altijd van alles een wedstrijdje maakte.

'Ik wil ijs, papa!'

Ze moest hard trappen om hem bij te houden, zelfs als ze een heuvel afdaalden, moest ze stevig doortrappen.

'Kunnen we geen ijsje kopen?'

Mikkel versnelde, draaide zich om en keek naar zijn dochter. Lange, donkere paardenstaart. Roze meisjesfiets. Roze helm.

'Wil je een ijsje?'

'JA!'

Hij ging nog sneller fietsen.

'Als je van mij wint, kopen we een ijsje, als ik van jou win, kopen we geen ijsje. Goed?'

'Goed.'

'Ben je klaar?' vroeg hij.

Mille had zo hard getrapt dat ze nu naast hem reed.

Hij keek van boven op haar neer. Hij had een grote, mooie mond, de wind deed zijn haar opwaaien. Ze stoven naar beneden. Mille liet het stuur los. Ze kon zonder handen aan het stuur afdalen. Dat had Mikkel haar geleerd.

'Eén! Twee! Drie!' riepen ze tegelijk en allebei staken ze een arm uit. 'Steen! Schaar! Papier!'

Mille koos steen. Ze koos altijd steen. Mikkel had gezegd dat ze moest afwisselen. Slim zijn. Niet altijd hetzelfde kiezen. Dat maakte van haar een gemakkelijke prooi, zei hij. Maar steen was steen. Niets was harder dan steen. Als je een steen in papier inpakte, was hij nog net zo hard als wanneer er geen papier omheen zat. De steen verloor geen kracht. Mille was acht jaar en zeker van haar zaak. Papier was voor mietjes.

'STEEN!' riep ze en ze stak haar vuist triomfantelijk omhoog.

Mille voelde dat de fiets bijna werd opgetild en begon te vliegen, als een gigantische vogel, ze vloog haar vader voorbij.

'STEEN!' riep ze weer en ze keek om om te zien wat hij had gekozen.

Toen ze haar evenwicht verloor en de fiets omviel, was het alsof de helling levend werd. Die sloeg, krabde en beet haar en timmerde erop los.

Ze zag nog net dat haar vader – terwijl hij langs haar heen

zweefde – met zijn lippen het woord papier vormde. Zijn hand-palm plat in de lucht, alsof hij haar toewuifde.

Niet omkijken. Als je omkijkt, val je van de fiets. Als je omkijkt, verander je in een zoutpilaar. Als je omkijkt, sterft je geliefde. *Jouw schoonheid. Jouw licht.* Mille keek om. Er lag iets eenzaams over het grote, witte, verlichte huis dat ze zojuist had verlaten. Ze hoorde stemmen, gasten die riepen en lachten, maar het geluid was ver-pakt in dik fluweel. De mist zou ze spoedig te pakken krijgen. Het huis. De tuin. De mensen. *Sweetheart like you.* Mille liep verder.

Midden op de weg lag een verwrongen fiets en in de berm zat een jongetje te huilen. Mille kwam naderbij, de jongen keek op, zag haar en begon nog harder te huilen. Ze liep naar hem toe, ging op haar hurken zitten en zag dat hij zijn knieën en handen had opengehaald. Het bloedde. Er waren steentjes in de wonden op zijn knieën gekomen. Die moest je met je vingertoppen eruit pul-ken voordat je de wond kon schoonmaken en verbinden. Er ging een steek door haar knieën, alsof het haar eigen knie was, haar eigen bloed.

De wond was rood, vochtig en een beetje zwart, met lichtrode strepen er dwars overheen, alsof iemand met een scherp lichtrood potlood op zijn knie had getekend, maar hoefde waarschijnlijk niet gehecht te worden. Dat hoefde bij haar toen ook niet. Ze legde een hand op zijn schouder. 'Ben je van je fiets gevallen? Heb je je pijn gedaan?'

De jongen ging nog harder huilen en knikte heftig. Mille keek om zich heen, vroeg zich af of hij alleen was of dat er iemand bij hem was, een mama of een papa, die weldra uit de mist zou opdoe-men. Maar kennelijk was hij alleen. Ze pakte zijn hand beet, hielp hem overeind en gebruikte de rode sjaal die ze van Siri had geleend om het vuil en de tranen van zijn gezicht te vegen. De jongen werd stil.

'Hoe heet je?' fluisterde ze.

Er kwamen bloedvlekken op de sjaal. Dat gaf niet, dacht ze. Ze zou Siri uitleggen dat het niet haar bloed was, dat ze niet onacht-zaam was geweest, maar een kleine jongen had geholpen die van zijn fiets was gevallen.

'Simen', snikte hij. 'Ik geloof dat mijn fiets kapot is en ik heb geen geld voor een nieuwe.'

Hij begon weer te huilen terwijl hij tegelijkertijd voorzichtig met zijn hoofd tegen haar aan leunde. Mille liet hem zo even staan, maakte zich toen los en liep naar de fiets, die midden op de weg lag. Ze boog zich erover heen en onderzocht hem. De fiets had het gered, hij was wel smerig, maar er was niets kapot.

'Hij is niet kapot', zei ze en ze zette hem overeind. 'Kijk, Simen, hij is niet kapot.'

Toen vroeg Mille of ze met hem mee naar huis zou lopen. Simen knikte, hij leek bijna vrolijk en liet haar zijn hand vastpakken.

'Waar woon je?' vroeg Mille toen ze aan de lange weg omlaag begonnen.

Met haar ene hand hield ze de zijne vast, haar andere hand lag op het fietsstuur. De paraplu zat in haar tas, die over haar schouder hing.

'Bijna helemaal onder aan de heuvel', zei hij. 'Het is het tweede huis aan de linkerkant als je van beneden komt.'

'Maar nu komen we niet van beneden', lachte Mille. 'We komen van boven.'

'Hè?' mompelde Simen.

'We komen niet van beneden maar van boven, en dan ligt je huis aan de rechterkant. Dan moeten we naar rechts kijken om het huis te vinden waar je woont.'

Daarna zeiden ze niets meer. Maar Mille keek af en toe naar hem terwijl hij naast haar liep, rank als een kleine tinnen soldaat. De mist omsloot hen.

'Alsof we in de wolken lopen', fluisterde Mille.

Toen ze bij het huis waren aangekomen, zei ze: 'Ik heet Mille.'

Ze zette zijn fiets tegen het hek. Hij keek haar aan en begon bijna weer opnieuw te huilen. Misschien omdat ze weg zou gaan.

Ze boog zich naar hem toe en kuste hem op zijn hoofd.

'Ik heet Mille', zei ze 'en jij heet Simen en nu moet je ophouden met huilen.'

Toen draaide ze zich om en liep weg.

Jenny verstopte zich achter het gordijn van de slaapkamer en keek naar de tuin met alle opgedirkte gasten die in de mist rondwervelden. Alsof ze een kans maakten. De mist was te groot voor hen. Te zwaar. Te grijs. Te ondoordringbaar. Te sterk. Te mooi. Jenny kneep haar ogen dicht. Ze had hoofdpijn. Haar handen trilden. En ze was de mist dankbaar dat het mist was en niet iets anders, want al het andere had haar hoofdpijn alleen maar erger gemaakt. Rode wijn hielp tegen het trillen. Dat was aangetoond. En de mist hielp tegen de hoofdpijn. Beter dan dit kon het niet zijn. Proost! Haar voeten leiden hun eigen vlezige leven in de nectarinekleurige sandalen en haar jurk spande zich over haar buik zodat ze bijna geen adem kon halen – net als die keer dat ze zwanger was van Syver en plotseling vanuit het bos naar huis moest hollen om andere kleren aan te trekken. Om een nauwsluitende rood met wit gestippelde zomerjurk te verwisselen voor iets wat prettiger zat. Jenny deed haar ogen open en keek naar buiten. Kijk, daar had je Daniel en Camilla met hun ongelukkige dochters, en daar was Steve Knightley uit Seattle, en Berit, en die goeie, ouwe Ola, de buurman die zo grijs en treurig werd toen Helga stierf dat hij maar een hond kocht, en kijk, daar had je de dames van de Soroptimisten en haar oude collega's uit Oslo en wat had Bente nou aan, een soort kaftan? Was die niet veel te kort? Maar toch niet erg veel korter dan wat Jenny zelf bijna veertig jaar geleden droeg toen ze zwanger was van Syver en al haar gewone kleren te strak om haar buik gingen zitten. Dat gebeurde bijna van de ene dag op de andere. Je loopt rond, bent zwanger en er is niets te zien en niets is anders (behalve dan de misselijkheid die net als de mist elke avond kwam opzetten, maar die haar overdag met rust liet), en opeens puil je hier uit en daar uit en kun je bijna geen adem meer halen en moet je het bos uit hollen met Bo Anders op je hielen om iets aan te trekken wat niet strak zit. Ze kregen allebei een lachstuip tijdens het hollen en toen ze de kamer hadden bereikt – deze kamer die er toen bijna net zo uitzag als nu – werd Bo Anders hitsig en wilde daar met haar vrijen. In dat bed. Jenny draaide rond. Kwam het door de manier waarop ze zich uit die strakke, roodgestippelde jurk wrong en zich in het licht van het raam aan hem vertoonde? Kwam het omdat ze hier en daar uitpuilde? Was het haar lach? Jenny keek weer uit het raam. Daar was Jon. En daar was Siri in die blauwe zijden jurk die vroeger van haar was geweest. Jenny dronk haar glas leeg. Ze keek naar haar dochter die in de tuin de gastvrouw liep uit te hangen. Met Siri kwam het wel goed. Ook zonder dat wat Jenny haar niet kon geven. Siri had haar restaurants, ze had Jon en ze had haar beide kinderen. Die waren niet dood. En kijk nou eens, wie daar waren gekomen, het hele eind van waar ze nu ook maar woonden, zoals gewoonlijk tot in de puntjes verzorgd, Marie Evensen en dat belachelijke mannetje van haar. Wie waren die mensen? In elk geval niemand met wie Jenny haar tijd wilde doorbrengen. Waren dit ook de mensen die op haar begrafenis zouden komen? Als ze dan nog zouden leven, tenminste? Jenny zag verschillende personen die zeer beslist eerder dan zij de ogen zouden sluiten, wat ze met een zeker genoegen registreerde. Anni Berge en Lars Smith Eriksen, Louise Hansson en Arild Jonsson. Die zouden allemaal vóór haar de pijp uitgaan. Gegarandeerd. Ze voelde zich in topvorm. In dat verband bedacht Jenny dat het wel een goed idee was om zich weldra op het feest te vertonen en met haar gasten te dansen en misschien een toespraak te houden. Ja, dat zou ze doen. Er waren wel een paar dingen die ze wilde zeggen. Jenny strompelde naar het bed en ging er languit op liggen. Pen en papier. Ze moest pen en papier hebben. Ergens op haar kamer had ze pen en papier liggen. Waarom was het zo onmogelijk om pen en papier te vinden? Nu moest ze een toespraak schrijven. Geen lange toespraak. Een korte. En die zou als volgt beginnen:

niets.

Jenny ging zitten en staarde voor zich uit. De toespraak zou als volgt beginnen.

niets.

Of misschien:

Lieve familie en vrienden. Lieve Siri, die dit feest voor mij heeft georganiseerd. Lieve Irma. Nu staan we hier in de mist en vragen we ons af of het nog gaat regenen…

Ja, dat was goed.

Siri sloot de voordeur achter zich en op slag was het stil. Haar lede-maten knakten dubbel, alsof ze een pop was, een marionet (Frans voor kleine Marion, de naam van de jonge maagd Maria), ze ging op de vloer liggen, maar richtte zich weer op, omdat, dacht ze, ik geen pop ben, ik ben geen kleine Marion, geen kleine Maria, en ik heb zelf de controle over mijn bewegingen, ik moet gewoon even zitten om tot rust te komen, en toen sloeg ze haar handen voor haar gezicht. Mislukt. Mislukt. Mislukt. Dat hele feest dat nu in de tuin aan de gang was, zonder haar, zonder haar moeder, en waar-voor? Wat had ze eigenlijk met haar leven gedaan? De lange, licht-blauwe jurk die ze van Jenny had overgenomen, stroomde van haar lichaam naar beneden en vloeide als een zee uit over de vloer rond haar voeten. *Wat ben je mooi*, had Jon gefluisterd. Ze hadden zich opgesteld op het stoepje voor het huis, Siri, Jon, Alma, Liv en Mille en zelfs Irma (de reuzenvrouw Irma, die een gezicht had dat Jon eens had vergeleken met dat van de engel Uriël op een schilderij van Leonardo da Vinci), ze hadden als het ware op het toneel ge-staan om de gasten te ontvangen en te verwelkomen. *Wat ben je mooi, wat ben je mooi.* En meteen daarna: *Laat haar nou!* Zo onver-wacht. Zo hard. En alleen maar omdat Siri (op een rustige manier: zacht, beheerst en kalm) iets had gezegd over de bloem in Milles haar. In de wei achter het huis groeiden volop veldbloemen die Mille voor haar haar had kunnen plukken: dat grote, onhandige kind dat met al haar treurigheid naar Mailund was gekomen, zo ontzettend treurig en zo ontzettend eenzaam.

Laat haar nou!

Zo onverwacht.

Zo hard.

Het witte bloemperk was Siri's trots, mooier dan de kruiden-tuin die ze ook had aangelegd, geïnspireerd door Vita Sackville-West, de vriendin van Virginia Woolf.

'Hoor eens, Jon, ik wil je graag iets voorlezen. Wil je luisteren?'

Ze wilde hem vertellen over het boek dat ze had gelezen. Over de maneschijntuin die Vita Sackville-West in een droom had ge-zien en die Siri in een nieuwe droom had gezien. Maar Jon was al-leen in zijn eigen boeken geïnteresseerd. (Het was lang geleden dat iemand het over zijn boeken had gehad – en dat was het eigenlijke probleem, of niet soms?) Voor tuinen interesseerde hij zich niet, hij had nooit over tuinen geschreven, niet over witte of groene of rode en ook al had ze van hem een uitspraak gehoord over Virginia Woolf – *een beetje anemisch, vind je niet?* – wist ze niet of hij wel wat van haar had gelezen. Af en toe ging ze 's avonds naar hem toe op zijn zolderkamer om welterusten te zeggen, hij bleef daar steeds vaker slapen, het was alsof er iets tussen hen stuk dreigde te gaan maar ze kon er de vinger niet op leggen – en dan zag hij er zo eenzaam uit terwijl hij op zijn bed naar het plafond lag te staren of de krant las op zijn mobiel of in zijn eigen boeken bladerde.

'Lees je alleen maar boeken die je zelf hebt geschreven?' vroeg ze.

'Laat me met rust, Siri, laat me lezen wat ik wil.'

'Misschien als je iets anders leest, wat door iemand anders is geschreven, dat je dan weer zin krijgt om te schrijven?'

'Dank je. Laten we het gewoon zo stellen: ik geef jou geen kookadvies en jij geeft mij geen schrijfadvies. Oké?'

'Oké.'

Ze luisterde. Het was doodstil in huis. Siri zat nog steeds in de gang op de vloer. Ze had zich verwijderd van het feest in de tuin, glimlachend, proostend, de perfecte gastvrouw, ze had de deur achter zich gesloten en zat op de vloer. Ze keek om zich heen. Het was verkeerd om deze ruimte *gang* te noemen. Zolang ze zich kon herinneren, hadden ze het 'gang' genoemd – *Ik wil geen rotzooi in de gang, Siri, help Syver even om de buitenkleren netjes op te hangen* – maar het was toch echt een hal. Een grote hal. Een hoog plafond, een oude houten vloer, geen meubels, afgezien van de grote kast waar een heleboel oude kleren hingen, onder andere een groene loden jas die ooit van haar vader was geweest, en natuurlijk de trap, die als een troon midden in de ruimte prijkte, de brede trap die naar alle verdiepingen omhoogkronkelde. Op de eerste verdieping zat Jenny op de rand van het bed (of misschien stond ze achter het gordijn naar buiten te kijken) en weigerde om op haar eigen feest te verschijnen. Waarschijnlijk dronken. Siri was gekomen om orde op zaken te stellen. *Ze zou orde op zaken stellen.* Ze had deze uitdrukking nooit eerder gebruikt en plotseling waadde ze rond in de tuin in haar lange blauwe zijden jurk en op haar hoge hakken (die bij elke stap die ze zette in de grond wegzakten, sop, sop, sop) en ze gedroeg zich alsof ze een vreemde was, ze gebruikte woorden en uitdrukkingen die vreemd voor haar waren. Af en toe, tijdens korte, verschrikkelijke ogenblikken, zag ze zichzelf: de manier waarop ze rondwaadde en zich aanstelde. *Orde op zaken stellen.* Haar schrille stem. Het was alsof er iets ouds en ranzigs op haar tong lag dat ze meteen moest weghalen, ook al waren er gasten aanwezig; bijvoorbeeld de uitdrukking *nu moet ik orde op zaken stellen,* uitgesproken op een zalvende, theatrale toon, om vervolgens een groot, glanzend insect uit haar mond te halen.

'Nu wordt het hoog tijd dat ik orde op zaken stel', zei ze glimlachend tegen de oude mevrouw Bente Strøksnes (die, gekleed in een ietwat zonderlinge groene kaftan die haar oude, magere en blauwdoorschijnende benen vol met spataders accentueerde, door de tuin drentelde en met iedereen sprak. Was Bente Strøksnes domweg vergeten een broek aan te trekken?)

'Nu ga ik orde op zaken stellen', zei Siri. 'Ik ga haar halen. Natuurlijk moet mama nu komen. We kunnen niet langer wachten.'

Siri luisterde. In de tuin ging het feest gewoon door, maar de zware voordeur dempte de geluiden. De stilte in dit huis was oorverdovend, en dat was sinds de dood van Syver zo geweest. Ze had geprobeerd het met geluid te vullen, te doorboren, te overwinnen, eerst met haar eigen geluid.

'MAAAAMMMMA!'

Als kind had ze een hoge, heldere, doordringende stem, maar ze had geleerd die te beheersen.

'Niet die stem, Siri, alsjeblieft!'

Maar af en toe vergat ze het, en dan riep, danste en zong ze door het huis en maakte ze alles stuk.

Op de kist van het lijk zaten vijftien man
Jo-ho-ho en een fles vol met rum!
En de rest werd gevloerd door duivel en kan
Jo-ho-ho en een fles vol met rum!
Hopla!

Plotseling kon Jenny dan op de trap verschijnen, ergens halverwege de eerste verdieping, met haar krijtwitte gezicht, haar rode mond en haar lange, golvende haar, op hoge hakken en met haar kleine, keurige figuurtje. En dan fluisterde ze:

'Je stem, Siri, kun je die niet ergens anders laten klinken? Alsjeblieft. Alsjeblieft! Ik kan er niet tegen.'

Buurman Ola was de enige die met Siri praatte nadat Syver was gestorven. Ola en zijn vrouw, die Helga heette. Ola en Helga hadden geen kinderen. Maar ze hadden Siri op een bepaalde manier. Helga, die begin jaren negentig stierf aan maagkanker, was groot, rond en opgewekt. Ola was mager en grijs. En tussen hen, in hen, bij hen thuis, om hen heen hadden ze Siri, die ze een tijdje liefhadden als was het hun eigen kind. Als Siri 's avonds naar huis was gegaan (want ze was niet van hen, ze was van Jenny, die dronk, schold en meer dan genoeg met zichzelf te stellen had), praatten ze over haar, maakten ze zich zorgen om haar, bedachten ze wat ze met haar konden gaan doen, misschien een hut in het bos bouwen, misschien naar de film gaan, ze wilde altijd naar zijn bijenkasten toe, misschien konden ze haar de verantwoordelijkheid geven over een van de kasten? Helga breide een sjaal voor haar, Siri was altijd zo dun gekleed, ze breide een trui. En altijd wanneer Ola en Helga over haar praatten, gaven ze haar een andere naam, een geheime naam: Kleine Bij, Kleine Lu, Kleine Ka.

Siri dacht dat ze het 's avonds over haar hadden. Ze wist het natuurlijk niet zeker. Ze dacht dat ze haar geheime namen gaven en dingen bedachten die ze samen konden gaan doen. Dat moest gewoon zo zijn. Toen ze de oude Ola vanavond weer zag, verdrietig, grijs, mager en eenzaam, en nooit meer dezelfde na Helga's dood, had hij zijn armen om haar heen geslagen en gefluisterd:

'Je weet jezelf uitstekend te redden, Siri.'

Ola had het poppenhuis en de meubeltjes getimmerd en hij had ook de poppen voor Siri gemaakt. Ola had Siri zeeroverliedjes geleerd en Ola had gezegd – en dat had hij maar één keer gezegd, toen hij haar op een herfstavond naar huis bracht:

'Dat met Syver was niet jouw fout, Siri! All right? Het is verschrikkelijk wat er is gebeurd. Maar het was niet jouw fout! Jij bent een kind! Hij was een kind. Het is onverklaarbaar, maar het was niet jouw fout. Jullie waren twee kinderen die buiten aan het spelen waren.'

Maar zulke ernstige gesprekken waren een uitzondering. Siri kon zich ook nog iets anders herinneren.

Helga lacht en fluistert:

'Wat ben ik toch met een knappe kerel getrouwd, hè?'

Ola komt overeind en zingt uit volle borst:

Op dat middaguur is het stil bij de haven
Als men vraagt wie er sterven moet
En dan zullen ze me horen zeggen: 'Allemaal!'
En als dan hun kop rolt zeg ik: 'Hopla!'
En het schip met acht zeilen
En met vijftig kanonnen
kiest met mij 't ruime sop!

Siri zat op de vloer, keek naar de trap die oprees zoals hij altijd had gedaan, het was altijd eng om op die trap te lopen, zowel naar boven als naar beneden, alsof het de trap om jou te doen was, alsof je het nooit met de trap eens kon worden, alsof er zomaar een trede kon verdwijnen of erbij komen. In de loop der jaren was de trap geschuurd, in de olie gezet en geverfd, er was een loper op gekomen en een nieuwe leuning met spijlen, de loper was vervangen door een nieuwe loper, maar niemand in het huis hield van lopers, *Ik wil geen loper*, zei Jenny, en nu was de trap opnieuw geschuurd en geverfd, hij was kobaltblauw zoals hij lang geleden, voordat Siri was geboren, ook was geweest. Ze had de traptreden vele malen geteld. Eén traptrede. Twee traptreden. Drie traptreden. Vier traptreden. Tot ze bij negenentwintig kwam. Meestal kwam ze bij negenentwintig uit. Soms bij achtentwintig, andere keren bij eenendertig, en een keer was ze bij tweeëndertig uitgekomen. Toen Jon de traptreden telde, kwam hij bij achtentwintig uit. Zo bleven ze bezig. De kinderen ook. *Er zijn negenentwintig traptreden*, zei Alma. *Er zijn honderdnegenentwintigduizend traptreden*, zei Liv.

En nog maar een paar dagen geleden, niet zo lang na hun grote ruzie, hadden Jon en Siri elkaar bij de hand genomen en waren ze langzaam, als een bruidspaar, de trap opgelopen terwijl ze samen de treden hadden geteld, *Eén, twee, drie, vier, vijf, zes, zeven,* tot ze bij negenentwintig kwamen, maar Jon beweerde dat ze verkeerd hadden geteld, dat hij haar te veel had gekust en dat ze niet serieus hadden geteld, en daarom wilde hij het opnieuw doen, en deze keer mochten ze niet praten, niet lachen en niet kussen, was ze het daarmee eens? Ja, daar was ze het mee eens, dus ze draaiden zich om en gingen weer naar beneden, *Eén, twee, drie, vier, vijf, zes, zeven, acht,* maar toen ze bij achttien waren, struikelde Siri en verstuikte ze haar enkel. Het deed pijn, maar niet heel erg. Au! zei ze en ze lachte even. Sorry, zei ze en ze kuste hem. Ik weet dat we niet mogen lachen. Of au zeggen. We gaan terug, zei Jon, ik moet je enkel onderzoeken, en dus draaiden ze om en liepen ze weer naar boven. Jon ondersteunde haar naar de tweede verdieping (onduidelijk hoeveel traptreden), waar hun kamer was, hij legde haar op bed, kleedde haar uit, stapelde kussens op elkaar voor onder haar been, stopte ijsblokjes in een handdoek en legde die handdoek om haar enkel. Siri zei lachend dat het nu ook weer niet zo heel erg pijn deed, maar Jon blies op haar enkel en blies op haar knie alsof ze een klein meisje was dat zich pijn had gedaan, hij hield zijn mond tegen de binnenkant van haar dijbeen en liet zijn tong haar vinden.

Maar nee. Siri hield haar adem in. Ze sloeg haar handen voor haar gezicht en zoog de lucht door haar vingers naar binnen. Ze wilde niet aan Jon denken. Niet nu. Alles wat ze niet tegen elkaar hadden gezegd. De brief die ze lang geleden had gevonden. Ze kon er niet over beginnen. Niet hier. Niet nu. Waar was hij trouwens? Was hij nog steeds in de tuin, steeds met andere gasten aan de praat, *Ja, ik ben nu bijna klaar met een boek, het komt in de herfst uit, het had eigenlijk vorig jaar moeten verschijnen, maar nu komt het in de herfst, hoop ik tenminste, als het me lukt,* ze had hem druk zien praten met Ola, die steeds ouder en grijzer werd, hij had met Steve Knightley uit Seattle gesproken, ze had hem met oom Oskar en tante Astrid gezien, ze had hem met Karoline Sørheim en Kurt Mandl zien praten en opeens had ze bedacht dat ze Karoline nooit had kunnen uitstaan, die ijdele, humorloze jeugdvriendin van Jon. Hadden Karoline en Kurt niet ergens anders een vakantiehuis kunnen kopen? Moesten ze per se hierheen komen? Ze stelde zich Karolines gezicht voor, nee, ze mocht haar echt niet, zo veel onzekerheid en ijdelheid in zoiets kleins, blonds en druks. Jon mocht haar ook niet. Ze heeft totaal geen charme, zei hij, en daar was Siri het mee eens, af en toe moesten ze gewoon lachen om Karolines gebrek aan charme, maar Kurt was een prima vent, dat vonden ze allebei, aardig, geestig en warm, maar misschien wat streberig, zei Jon, maar toen had Siri gezegd dat er niets streberigs aan was om elke dag naar je werk te gaan, je brood te verdienen, als vader aanwezig te zijn en bovendien flink te sporten om in vorm te blijven, maar dat ervoer Jon als een persoonlijke beschuldiging aan zijn adres, en misschien was het dat ook wel.

Siri zat op de vloer van de hal en probeerde haar moed bij elkaar te rapen om de trap op te lopen en haar moeder te halen, en ze dacht dat het geen kwaad kon als Jon wat meer verantwoordelijkheid nam, financieel had hij al verschillende jaren niets bijgedragen, het boek kwam nooit af en ze konden niet leven van uitsluitend de inkomsten van het restaurant in Oslo. Maar aangezien Jon niets anders wilde of kon doen dan aan het boek werken, hadden ze een veel te hoge hypotheek genomen, boven op de hypotheek die ze al hadden... Siri hield haar adem in, ze wilde daar nu niet aan denken, ze wilde er niet aan denken, want wat had ze met haar leven gedaan, en Karoline (zonder charme) en Kurt (streberig) waren nu eenmaal hun vrienden, hun gezamenlijke vrienden, ze hadden het gezellig met zijn vieren.

Maar er klopte iets niet.

Drie jaar geleden, in mei 2005, waren Siri en Jon op Gotland geweest om Sofia te bezoeken die haar huis wilde verkopen en naar een tweekamerappartement in Visby zou verhuizen. Een deel van de boedel was van Siri, als erfenis van haar vader, en er moesten papieren worden ondertekend. Siri en Jon (en Leopold) zouden vijf kinderloze dagen doorbrengen op Gotland. Liv en Alma bleven in Oslo. Ze logeerden bij Emma, de buurvrouw, die zelf twee kinderen had.

Siri zwom in haar eentje bij het strand, zoals ze een paar jaar geleden had gedaan toen haar vader dood in bed lag met een zakdoek om zijn hoofd, ze legde een bloem op zijn graf, ze plukte *kajp*, een soort wilde prei die alleen op Gotland groeit, en maakte soep voor Jon, Sofia en haarzelf en op een avond toen ze met Jon een tochtje maakte, hij reed, zette hij de auto stil en zei:

'Zullen we hier op Gotland een huis kopen, een wit kalkstenen huisje waar jij en ik, Alma en Liv kunnen wonen?'

Elke dag ondernamen ze lange autotochten, ze onderzochten het eiland van Burgsvik tot Fårö en bekeken de oude stenen kerken uit de middeleeuwen. De kerk van Bunge, de kerk van Lokrume, de Dom van Visby, de kerk van Hörsne, de kerk van Gothem met de hoge toren, de kerk van Fallingbo met de hoge plafondschilderingen, de kerk van Eskelhem, de kerk van Hamra.

'Je kunt hier een restaurant beginnen dat alleen 's zomers open is, ik kan het derde deel afmaken en daarna iets anders, we verkopen het huis in Oslo en lossen onze schulden af, we kennen niemand, gaan met niemand om, we zijn gewoon ons, jij en ik, Alma en Liv, Leopold, de liefde en dit allemaal.' Hij spreidde zijn armen en omhelsde alles, de lage horizon, het veranderlijke licht, de akkers, de velden van Fårö die op Afrikaanse savannen leken, de vierhonderd miljoen jaar oude kalkstenen rotsformaties, de duinen, de cementfabriek in Slite, het spookschip in Norsholmen.

'Een klein kalkstenen huisje', herhaalde hij, 'in Burgsvik, Hemse, Roma, Klintehamn, Katthammarsvik of op Fårö.'

Siri lachte en schudde haar hoofd. Je kunt niet simpelweg naar een andere plaats verhuizen en denken dat je dan eindelijk je boek zult afschrijven, dacht ze, maar ze zei het niet. Het laatste deel van de trilogie had vorig jaar af moeten zijn, maar het was niet gelukt en nu had hij opnieuw om uitstel gevraagd. Hij had minstens tweehonderdvijftig pagina's afgekeurd en wilde opnieuw beginnen. Ze waren uitgestapt om het spookachtige landschap te bekijken dat zich op weg naar de oude kalksteenfabriek op het schiereiland Furillen ontvouwde.

'Alma kan naar een Zweedse school en Liv kan hier naar de crèche,' ging hij verder, 'er is hier gegarandeerd plaats op de crèche, en ze kunnen allebei in het bos en op de velden spelen, vuurrode klaprozen plukken en tot laat in september in zee zwemmen.'

Siri streek hem over zijn haar en zei dat hij dat in zijn boek moest schrijven. Alles. Het kalkstenen huis, de liefde en de klaprozen.

'Ik meen het', zei hij zacht. 'Ik bedoel in werkelijkheid.'

'Maar we horen hier niet, Jon', zei Siri. 'Je kunt niet zomaar opbreken en weggaan. Dat heeft niets met de werkelijkheid te maken. Ik wil bij je zijn, ik wil bij Alma en Liv zijn, bij jullie hoor ik thuis, maar hier niet. Dit eiland heeft niets met ons te maken. Het is maar een droom.'

'Waarom kun je niet gewoon opbreken en ergens anders opnieuw beginnen?' vroeg Jon. 'Waarom niet? Waar staat geschreven dat dat niet kan?'

'Dat weet ik niet', zei Siri.

Ze begon haar geduld te verliezen. Ze ging weer in de auto zitten. 'Dat kan gewoon niet. *End of story.*'

Maar met Mailund was het anders. Niet het dorp, dat leek op zo veel andere kleine plaatsjes in Noorwegen, maar het huis. Jenny's grote oude landhuis en de grote tuin met de fruitbomen en de bessenstruiken, de kruidentuin en het witte bloemperk, de bloemenwei achter het huis en het bos daar weer achter.

Na de treurige, onpersoonlijke vakantiehuizen langs de eindeloze weg vanaf de dorpskern gepasseerd te hebben, openbaarde het landhuis zich als een oase uit een andere tijd, de tijd van de witte kanten jurken, van de strohoeden, de knevels, van rijnwijn en *boccia*. Maar in het licht van de herfstmaan leek het huis een bijna griezelige gloed te hebben en bij mistig weer kon het huis ontoegankelijk lijken, alsof het een meter boven de grond zweefde. Dit was het huis van haar jeugd en het was sinds 1947 familiebezit geweest, toen haar grootouders hier kwamen wonen met hun enige dochter, Jenny, die toen veertien jaar was. Ze kwamen uit Molde om een nieuw leven te beginnen.

In 1940, toen de Duitsers het centrum van Molde bombardeerden, werd de manufacturenwinkel van Siri's grootvader in de as gelegd. Jenny sprak nooit over haar jeugd, maar Siri wist dat haar grootvader in het verzet had gezeten en dat haar grootmoeder, een gediplomeerd verpleegster, een van degenen was die in 1937 de Linkse Vrouwenbeweging in Molde hadden opgericht en dat ze actief was in de Vrouwen Arbeidshulp toen Molde werd gebombardeerd. Allebei stierven ze jong, een paar jaar voordat Siri werd geboren. Karen, Siri's grootmoeder, stierf aan een infarct en Henrik, Siri's grootvader, stierf slechts een paar weken later aan de complicaties van een longontsteking. Siri had een zwart-witfoto van hen op haar nachtkastje die ze af en toe bekeek, het was hun verlovingsfoto van 29 september 1915, Henrik staarde recht in de camera en Karen keek weg. Geen van beiden glimlachte. Siri had altijd gevonden dat ze er zo eenzaam uitzagen, zo serieus, alsof ze beseften wat hun te wachten stond. Af en toe streelde ze voorzichtig met een vinger over hun gezicht, over Henriks strenge mond en Karens norse blik; wat had zij van hen meegekregen? Ze hadden Jenny gehad, ze hadden dit huis gehad, ze hadden de nieuwe winkel in de dorpskern gehad, die *Magazijn voor Dames* heette en die weliswaar niet zo chic was als de zaak die Henrik destijds in Molde had opgebouwd, maar die bekendstond om de goede kwaliteit. Nu was het *Magazijn voor Dames* verdwenen en vervangen door een kledingketen.

Siri kende dit huis op haar duimpje, elk vertrek, elke slaapkamer op de verdiepingen, elke centimeter van de grote keuken (waar ze blind kon koken), elk raam, elke drempel, elke wand en elke vloerplank op alle verdiepingen, ze kon op elk willekeurig moment de verschillende geluiden oproepen die bij de afzonderlijke kamers en traptreden hoorde, net als het blauwige maanlicht dat de meubels en prullaria in de mooie kamer liefkoosde of dat elke nacht als ze niet kon slapen over haar grote bed in de veel te grote slaapkamer op de tweede verdieping gleed. En niet te vergeten de trap. Een keer droomde Siri over de trap in Mailund, het huis was weg, de tuin was weg, de bloemenwei en het bos waren weg, de weg die van de dorpskern naar het huis slingerde was weg, Jenny was weg, Irma was weg, alles wat er van Mailund over was, was de trap, statig en ongenaakbaar, omgeven door uitgebrande huizenblokken, als coulissen die Warschau of Berlijn na de oorlog moesten voorstellen, of Sarajevo na de oorlog, het sneeuwde on-ophoudelijk en Siri, Jon, Alma en Liv holden over de trap, ze zoch-ten steun bij elkaar, klampten zich aan elkaar vast, omhoog en om-hoog, omlaag en omlaag, omhoog en omhoog, omlaag en omlaag, maar in de droom kwamen ze nooit boven of beneden, ze bleven maar hollen, en een paar jaar later zag ze een vergelijkbare scène in een film van Ariane Mnouchkine over Molière. Molière zakt op een winteravond op het toneel in elkaar en wordt naar huis ge-bracht, zijn neus en mond zijn met bloed besmeurd en de rest van zijn gezicht is een mengeling van wit en zwart – restanten van de schmink – en opeens verandert het gezicht. Het wordt het gezicht van een dier, van een gewonde beer, tot het wegglijdt, Molières ge-zicht glijdt weg in de dood en dat wat Molières blik was, verandert in twee vochtige, angstige dierenogen die alles zien wat komt en alles wat is geweest, en de theatergroep draagt hem, ondersteunt hem, klampt zich aan hem vast en rent die eindeloze trap omhoog zonder hun doel te bereiken, want nu heeft de dood hen te pak-ken, de dood heeft hen tot staan gebracht, de dood houdt hen tegen, voor de stervende Molière kunnen ze het leven niet berei-ken, ze hollen, ze vechten, ze werpen zich naar voren maar ze komen niet van hun plaats en overal is het winter en het machtige, bevende, verkillend koude lied uit de zeventiende eeuw daalt op hen neer: *Let me, let me, let me freeze again to death* en dan verdwijnt alles en iedereen, eerst Molières gezicht en daarna de rest, een voor een, tot alleen de trap, die eindeloze trap, overblijft.

Maar goed. Genoeg was genoeg. Nu had ze hier lang genoeg in de gang – in de hal! – gezeten. Nu moest ze naar boven gaan en haar ophalen, Jenny, dronken of nuchter, dood of levend, liefde of geen liefde, op naar de eerste verdieping, eerste deur links. Haar met zich meetrekken, het huis uit en de tuin in, schoppend en schreeuwend, ze moest het gewoon doen.

Maar wacht. Er klopte iets niet. Siri liet haar gezicht in haar handen rusten.

Die ochtend vroeg hadden ze afscheid genomen van het huis in Slite en van Sofia. Siri zou Sofia nooit meer terugzien. Ze stierf een jaar later kalm en stil in haar tweekamerappartement. Siri zou naar huis vliegen, Jon en Leopold gingen met de auto en zouden overnachten in Örebro. Jon vond het prettig om in zijn eentje lange afstanden te rijden en ze konden Emma met goed fatsoen echt niet nog een dag met de kinderen belasten.

Toen Siri klein was, knakten haar ledematen vaak dubbel en dan zat ze in de gang om zich heen te kijken. Alsof ze zichzelf voorbereidde. Ze kwam thuis uit school, gooide haar rugzak af, sloot de deur en zakte in elkaar. Na een poosje kwam ze soms weer overeind (ze kon zelf beslissen of ze op de vloer bleef liggen, ging zitten of overeind kwam). Ze luisterde. Daar ging het om. Luisteren. Het getik van de staande klok in de kamer. Zwak gestommel op de eerste verdieping of in de keuken. Waar was Jenny? Was ze thuisgekomen van haar werk? Was ze überhaupt naar haar werk gegaan? Wat deed ze nu op dit moment? Was ze boos? Had ze gedronken? Wat was vandaag normaal? Dat was het raadselspelletje dat Siri en haar moeder van Jenny moesten spelen. Waar zijn we vandaag? Wie zijn we vandaag? Wat doen we vandaag? Wat zeggen we vandaag?

Alle dagen waren anders en daarom had Siri dit nodig als ze was thuisgekomen. In elkaar zakken en zich voorbereiden. Oplossen en zich aanpassen. Doodstil liggen of zitten of staan luisteren. Eén groot oor worden. Hoorde ze gehuil? Gemompel? Gefluit en schoonmaakgeluiden? Gesnurk? Gezucht?

'Siri, ben jij het?'

Het was belangrijk de toon te duiden. Verdrietig kon boos betekenen en boos kon verdrietig betekenen, blij betekende niet noodzakelijkerwijs blij en liefde betekende... nee, dat was niet goed te zeggen.

'Ik hou meer van jou dan van wie dan ook, Siri,' kon haar moeder zeggen, 'ik verwijt je niets, dat doe ik niet, ik mis hem alleen zo enorm.'

Het drinken nam toe toen Siri en Jenny naar Oslo verhuisden, naar het kleine appartement in de wijk Majorstua, en Siri naar het voortgezet onderwijs ging, maar toen Siri zeventien jaar was, stopte Jenny plotseling en vastbesloten met de drank.

Siri hield haar oor tegen de voordeur.

De stemmen, de muziek, het gerinkel van de glazen, de borden, het bestek, de flapperende tafelkleden (ze had ze op de tafels gelegd, weer mee naar binnen genomen en toen weer buiten op de tafels gelegd), brokstukken van gesprekken, *Hebben jullie het feestvarken al gezien, nee, ik ook niet,* al die verschillende manieren waarop mensen lachen als ze op een feest zijn, hard, zacht, bulderend, gierend, hartelijk, flirtend, uitdagend, wanhopig, vals, giechelend, berekenend, vragend, maar ook de geluiden van alles wat er niets mee te maken heeft, alles wat de gasten niet horen: de wind, het geruis van de boomtoppen, de eerste regendruppels, *Ik denk niet dat het gaat regenen. Er was regen voorspeld, maar op het weerbericht kun je nooit vertrouwen.*

Het was de bedoeling dat ze de trap op zou hollen, op Jenny's kamerdeur zou kloppen, nee, slaan, en zeggen dat ze nu toch echt naar beneden moest komen, nu was het tijd om de gasten met haar aanwezigheid te vereren. De bedoeling was dat Siri orde op zaken zou stellen. Maar nog steeds zat ze in de gang op de vloer naar de trap te kijken. Ze zei: Sta op en ga haar halen. Ze bleef zitten. Toen zei ze: Ik blijf hier nog even zitten. Ik bepaal zelf of ik blijf of ga.

Ze kon er de vinger niet op leggen. Er klopte iets niet. Er was iets mis. Daarom sloop ze naar zolder en deed ze Jons computer aan en uit. Ze wilde weten of hij aan het boek werkte en niet alleen maar als een gek op de toetsen hamerde – *all work and no play makes Jon a dull boy* – en soms werkte hij ook inderdaad aan het boek en soms als ze las wat hij had geschreven, kreeg ze het gevoel dat hij voor haar schreef.

Siri was ervan overtuigd dat hij wist dat ze in zijn territorium rondsnuffelde als hij er niet was. Ze was er tamelijk zeker van dat hij hetzelfde deed. Haar e-mail controleerde. Haar mobiel controleerde. Toen ze zwanger was van Liv, hield ze een dagboek bij om van elke maand, elke week, elke dag verslag te doen. *Ik ben nu aan het eind van de vijfde maand en jij bent bijna 30 cm lang, ik zou je in een poppenbedje kunnen leggen, ik ben nog steeds misselijk, maar ik voel dat je in me beweegt en dan leg ik mijn hand op mijn buik en ben blij, ik weet dat je een meisje bent, ik weet dat je lichaam bedekt is met zacht dons alsof je een vogeltje bent, ik weet dat je papa en ik allebei van je*

houden en niet alleen wij, maar ook je grote zus, die Alma heet, ik weet
dat er op je hoofd haar begint te groeien, en wenkbrauwen en wimpers die
helemaal wit zijn.

Jon vond het dagboek onder het matras en las het. Ze wist dat
hij het las. Zo leefden ze, pijnlijk in elkaar verstrengeld. (Siri hield
ook een dagboek bij toen ze zwanger was van Alma, maar dat
dagboek kreeg Jon niet te zien. Hij wist niet dat het bestond – en
ze had zich er al een tijd geleden van ontdaan. Het zwarte boek,
noemde ze het. Daar stonden dingen in die hij nooit mocht lezen.
Een keer vroeg hij: Hield je geen dagboek bij toen je zwanger was
van Alma? Toen glimlachte ze en antwoordde op luchtige toon:
Nee. Dat heb ik pas bij Liv bedacht.)

Ze snuffelden rond in elkaars territorium en deden alsof er niets
aan de hand was. Hij zei nooit wat. Zij zei nooit wat. Misschien was
het een manier om met elkaar te praten.

Jarenlang droomde Siri steeds dezelfde droom die ze later aan Jon
vertelde. Hij kon niet begrijpen waarom ze er zo overstuur van
raakte. Een droom zou zeven uur lang in je lichaam blijven zitten,
maar Jon kon domweg niet begrijpen waarom ze zeven uur lang
boos op hem moest blijven vanwege iets wat in zijn oren maar een
triviaal verhaaltje was, en nog een droom ook. *Ik bedoel maar, Siri,*
godnogantoe, ik ben toch niet verantwoordelijk voor wat jij droomt! Het
was niet zijn schuld dat zij 's nachts bevend wakker werd en het
was niet zijn schuld dat ze droomde.

De droom was altijd hetzelfde, het handelingsverloop veranderde niet, het was monotoon, banaal en zonder schoonheid: op
een dag vertelt Jon aan Siri dat hij zes weken naar Duitsland gaat,
hij gaat naar Hamburg, München, Dresden en Berlijn om vrienden
en bekenden te ontmoeten, misschien wat te werken, het is geregeld, het is definitief, alle vliegtickets zijn besteld, en nee, ze mag
niet mee. Siri probeert hem over te halen niet te gaan en als hij zich
niet laat overhalen, begint ze te smeken en als ook dat niet helpt,
begint ze te huilen en te krijsen, ze klampt zich aan hem vast om
hem maar niet te laten gaan en ten slotte wordt ze wakker van haar
eigen gekrijs.

'Ja maar ik ga niet naar Duitsland. Het was een droom, Siri', zegt Jon. 'Ik ken niemand in Duitsland.'

'Het gaat niet om Duitsland', zegt Siri. 'Het gaat erom dat ik je niet kan bereiken! Daar gaat het om. Dat je ergens anders bent.'

'Ik kan me niet verdedigen tegen een droom! Ik ga niet naar Duitsland! Ik ben hier bij jou, ik hou van je, ik ga nergens heen.'

'Ik weet dat je anderen hebt.'

Jon wordt woedend.

'Omdat jij droomt dat ik naar Duitsland ga? Daaruit concludeer jij dat ik een ander heb? Dat ik je bedrieg?'

Hij haalt adem. 'Siri, ik kan niet tegen jouw verwijten. Je moet ophouden.'

'Ik verwijt je niets, ik wil alleen...'

'En nog iets', valt hij haar in de rede. 'Als ik tegen alle verwachting in toch een keer naar Duitsland zou willen gaan, of ergens anders naartoe... naar Sandefjord bijvoorbeeld, een paar dagen... om te schrijven. Dat is níét onredelijk.'

Ze wilde weten met wie hij sprak en met wie hij schreef. Ze wilde bij hem zijn in al zijn verschillende toonaarden. Bij hem zijn van A tot Z. E-mails naar collega's. E-mails naar zijn redacteur. E-mails naar toevallige contacten. E-mails die met zijn werk te maken hadden, bijvoorbeeld zijn antwoord op een vraag of hij in een café in Son aan de Oslofjord wilde komen voorlezen uit boek één en twee. E-mails naar oude vrienden. Ze wilde weten of hij andere vrouwen had en zo ja, wie dat waren en wat hij met hen deed. Maar ze vond niets. Hij wiste alles. Zelfs wat niet verdacht was, wiste hij. Hij wilde gewoon niet dat ze erachter zou komen, ja, waarachter eigenlijk? Wat zocht ze?

Siri keek op naar de trap. Als een ratelslang kronkelde die door het huis. Dat dacht ze. Als een ratelslang. Ze hoorde Jenny door haar kamer lopen. Siri kwam overeind en rekte zich uit, ze rekte zich helemaal uit, zodat de knik in haar taille onder haar lange, lichtblauwe zijden jurk bijna niet zichtbaar was, en ze riep uit volle borst (ze gaf er niet om dat haar stem schril klonk): 'Nu moet je beneden komen, mama! Het feest is in volle gang en je gasten wachten op je!'

De regen viel gestaag, in dunne, grijze stromen, de wind trok aan en rukte aan Milles rode paraplu. Niemand kon precies zeggen wanneer ze het feest had verlaten en naar het dorp was vertrokken. Misschien waren er andere feesten aan de gang. De haven was in mist gehuld. Mille kocht een broodje worst in de kiosk, morste ketchup op haar rode jurk en kreunde zacht. Een jonge vent met blond haar draaide zich om, keek Mille aan en glimlachte.

'Coole paraplu.'

Mille glimlachte terug.

'Dank je. Maar ik heb op mijn jurk gemorst. Moet je kijken!'

De jongen, die door zijn vrienden KB werd genoemd, haalde zijn schouders op en spreidde zijn armen.

'Waardeloze zomeravond, vind je ook niet?'

'Ik was een paar weken geleden jarig', zei Mille, die het wel een leuke jongen vond. 'Ik ben negentien geworden en ga een nieuw leven beginnen.'

'Oké. Cool. Hoe oud ben je nu?'

'Negentien', herhaalde Mille.

'Jammer van het weer. Gefeliciteerd nog, trouwens.'

'Dank je wel.' Mille staarde de jongen aan. 'Maar het is alweer een paar weken geleden.'

De jongen ging door:

'Oké. Misschien zien we elkaar later nog. Ik ga naar Bellini om wat mensen te zien. Ben jij al eens in Bellini geweest?'

Mille schudde haar hoofd.

'Misschien zien we elkaar daar dan. Tot ziens.'

'Tot ziens', zei Mille met een glimlach. 'Wie weet.'

'Ik ga nu', zei Jon. Hij voelde regendruppels op zijn vingertoppen, maar maakte zich geen zorgen voor het feest. Als het zou gaan regenen, kon iedereen schuilen onder het zeil dat hij in de tuin had opgehangen.

'Ga je?'

De bebrilde literatuurprofessor die ergens halverwege de vorige eeuw misschien of misschien ook niet Jenny's minnaar was geweest, keek Jon verschrikt aan.

'Je kunt nu toch niet gaan?'

'Jawel hoor', zei Jon.

'Maar de jubilaresse is nog niet verschenen.'

'Daar kan ik helaas niets aan doen', zei Jon. 'Ik moet gaan.'

De man met wie Jon sprak, heette Hansén en had de vreemde gewoonte om steeds zijn hoofd naar achteren te gooien en hard te lachen als hij vond dat hij iets grappigs had gezegd. Hij schreef literatuurrecensies in de krant *Bergens Tidende* en stond erom bekend dat hij ooit een obscuur Amerikaans essay over William Faulkner had geplagieerd. Hij had een dikke buik, een grote neus en een lange baard. Jon had aandachtig naar de baard gekeken terwijl hij een eeuwigheid had staan luisteren naar Hanséns uitweidingen over wat er aan de eerste twee boeken van zijn trilogie niet deugde. (*Is het niet zo, Dreyer, dat je een verband postuleert dat niet in de tekst is gegrondvest?*) en tot zijn vreugde ontdekte hij dat er een lieveheersbeestje woonde in het zachte harige kuiltje tussen Hanséns onderlip en kin.

'Dus ik wil je bedanken voor dit gesprek', zei Jon, en hij wendde zijn ogen af van het lieveheersbeestje.

'Misschien dat we het een andere keer kunnen voortzetten?' vroeg Hansén.

Jon glimlachte, bevestigend noch ontkennend.

'Mijn hond, Leopold,' zei hij, 'die de organen eet van zoogdieren en vogels – een belezen man als jij ziet natuurlijk het verband – is toe aan zijn avondwandeling.'

Hansén knikte kort, draaide zich om en liep weg. Jon keek om zich heen of hij Karoline zag. Kurt en zij stonden een stukje verderop met Steve Knightley uit Seattle te praten. Karoline voelde zijn blik en maakte met haar hand een klein gebaar dat hij niet helemaal begreep. Een wenk, misschien, of een liefkozing. Hij glimlachte naar haar en liep verder op zoek naar Siri. Ze stond met een verre tante te praten die onlangs aan haar heup was geopereerd, Siri luisterde en knikte vol medeleven, ze was oogverblindend mooi en een beetje onbereikbaar in die lichtblauwe jurk met dat donkere haar. Jon liep op haar af en sloeg zijn arm om haar heen. Hij kuste haar op haar wang en fluisterde in haar oor:

'Waar is Jenny?'

Siri glimlachte, knikte (op het oog had ze alle aandacht voor haar tante) en fluisterde terug:

'Op haar kamer, straalbezopen.'

Jon drukte haar hand, ze hadden het er niet over kunnen hebben, ze hadden niet gepraat over Jenny die op haar kamer zat te drinken, maar dit was niet het goede ogenblik. Jon produceerde zijn allercharmantste glimlach en stelde de aan haar heup geopereerde oude dame een paar heupgerelateerde vragen, waarna hij zich verontschuldigde en verder liep.

'Mijn hond is toe aan zijn avondwandeling', zei hij. 'Hij zit opgesloten in mijn werkkamer en voelt zich waarschijnlijk erg eenzaam.'

De tante knikte vol begrip, maar Siri keek hem vragend aan.

'Moet je nu alweer uit met de hond?'

'Leopold...' zei Jon. 'Ik weet het niet, ik was net bij hem, maar hij lijkt onrustig. Ik ben over twintig minuten terug.'

Siri knikte en draaide zich om.

Jon deed de deur open en ging het huis binnen, het was oorverdovend stil. Hij holde de trap op en haalde Leopold van zolder.

'Nu gaan we uit, Leopold. Kom maar', mompelde hij. 'We gaan via de achterdeur.' Hij krauwde Leopold achter zijn oor, de hond kwispelde als een gek en trok Jon mee de trap af.

Het was op de weg veel donkerder dan de tijd van het jaar deed vermoeden. Hij besloot naar het strand te gaan, misschien een broodje worst te kopen in de kiosk en een paar biertjes bij de supermarkt om vervolgens ergens te gaan zitten en naar de zee te kijken. Hij keek op zijn horloge, de winkel was tot acht uur open. Hij verafschuwde feestelijke gelegenheden als deze. Hij had een hekel aan de mensen, hun maskers, de conversatie, de valse glimlachjes. Hij vond het vreselijk om te zien hoe Siri iemand anders werd, de perfecte gastvrouw, die door de tuin gleed en tegen alles en iedereen lachte. Wat viel er te lachen? Het was gewoon flauwekul. Het was allemaal één grote leugen. Hij had eens geprobeerd om er met haar over te praten. Over haar leugenachtigheid als ze zich onder de mensen bevonden. Toen lachte ze en zei:

'Mijn leugenachtigheid, Jon? Míjn leugenachtigheid?'

Hij probeerde te zeggen dat hij het vreselijk vond als ze toneelspeelde.

'Ik word er gewoon onzeker van,' zei hij, 'als jij zo ontzettend vrolijk, hartelijk, charmant en grappig wordt.'

'Jij vindt het vreselijk als ik vrolijk, hartelijk, charmant en grappig ben?'

Hij knikte.

'Je geeft de voorkeur aan depressief en woedend?'

'Ik denk dat je wel snapt wat ik bedoel.'

'Nee, Jon, ik snap niet wat je bedoelt.'

Wat hij bedoelde was dat hij de echte Siri wilde hebben. De naakte Siri. De vrouw met de smalle taille waar hij met zijn hand overheen kon strijken. Niet de Siri met de snelle, berekenende blik; niet de Siri met de piepkleine lijntjes van afkeuring rond haar mond; niet de Siri bij wie in elke fraaie beweging teleurstelling en minachting was gechoreografeerd. Maar hoe hij het ook zou uitdrukken, het zou niet goed zijn. Hij begreep het.

Een worstje in een slap broodje, een berg garnituur en een paar biertjes. Een halfuur op het strand. Meer niet.

'Alleen jij en ik, Leopold. Oké?'

Zijn mobiele telefoon piepte. Hij zat in de binnenzak van zijn pak. Hij haalde hem tevoorschijn en las het bericht.

Waarom eigenlijk Sweetheart like you?

Hij zuchtte en bedacht dat hij hier een uitweg uit moest zien te vinden. Kleine Mille van negentien jaar. Hij kon niet...

Jon stopte zijn mobiel terug in zijn zak. Leopold trok aan de riem en gaf aan dat hij zin had om los over het strand te lopen. Jon haalde zijn telefoon weer tevoorschijn. Hij keek naar het bericht dat hij zojuist had ontvangen. En uiteindelijk antwoordde hij:

Lieve Mille. Ik weet niet precies waarom dat liedje mij aan jou doet denken. Iets met de titel. Sweet. Sweet like you. Sweetheart you. Zoiets. J.

Het antwoord volgde onmiddellijk.

Ik maak vanavond een ommetje door het dorp mocht je zin hebben om het feest te verlaten en een glas wijn met mij te drinken, in Bellini bijvoorbeeld.

Jon bond Leopold vast aan een paal bij de supermarkt en liep naar binnen. Hij griste een sixpack mee en sms'te:

Een andere avond misschien, Mille? Mijn aanwezigheid is elders vereist. Tot morgen. J.

Jenny was op bed ingedut, maar werd wakker doordat Siri haar riep. Ze opende haar ogen en kreunde zacht. Haar hoofd bonsde. Siri. Kleine Siri. Jenny herinnerde zich hoe Siri 's avonds bij haar kwam om haar moeders haar te borstelen. *Even bukken, mama*, zei Siri, en dan bukte ze zich, zodat haar haren als een waterval naar de grond stroomden en Siri kon gaan borstelen. Eén. Twee. Drie. Vier. Ja, honderd keer moest het, anders had het geen zin. Vijf. Zes. Zeven. Jenny herinnerde zich dat ze pijn in haar rug kreeg door zo te blijven staan, maar het was absoluut nodig dat Siri de honderd haalde. Acht. Negen. Tien. Elf. En terwijl ze daar voorovergebo- gen stond en last van haar rug kreeg, deed ze haar best om aan an- dere dingen te denken, aan boeken die ze had gelezen, aan mannen die haar aan het lachen hadden gemaakt, aan de reis naar de VS die ze zo graag wilde maken maar waar nooit iets van kwam, aan Bo Anders Wallin die ervandoor was gegaan en met die Zweedse sloe- rie was gaan samenwonen, nee, niet daaraan denken, maar aan iets leuks denken, zodat ze vergat dat ze steeds meer pijn in haar rug kreeg. Vierenveertig. Vijfenveertig. Zesenveertig. Dat ze nog steeds jong en mooi was, nou ja, niet zo heel jong meer misschien, *aan de verkeerde kant van de dertig*, zoals Jane Austen het zou hebben uitgedrukt, maar dat ze mooi was, stond buiten kijf. Haar eigen moeder was erg mooi geweest en veel moediger dan Jenny, on- danks alles. Ze dacht aan de heldere blik van haar moeder toen die Duitser zijn hoofd boog en zei *Krieg ist ein Jammer,* en dat ze af en toe de stem van haar vader en het geruis van haar moeders jurk hier op de trap kon horen. Zevenenzestig. Achtenzestig. Negen- enzestig. Zeventig. En hoe al haar gedachten altijd weer samen- vloeiden en in één gedachte uitmondden, die enige, eeuwige, on- vermijdelijke gedachte. Vierentachtig. Syver. Al haar gedachten mondden uit in Syver. Eenennegentig. Waarom had ze de kinde- ren alleen naar buiten laten gaan? Waarom stond ze erop dat de kinderen buiten moesten blijven? Ze hadden toch aangeklopt omdat ze naar binnen wilden, maar zij had nog wat tijd nodig voor zichzelf, ze had rust nodig, het was zwaar met twee kleine kinde- ren als je er voortdurend naar verlangde je talenten ergens anders aan te besteden, ze wist nog hoe ze zich erop verheugde dat haar kinderen groot genoeg zouden zijn om naar school te gaan zodat zij weer kon gaan werken, en ze zei tegen hen *In dit huis hebben we binnentijd en buitentijd, en nu is het buitentijd, kom om twee uur terug.* Die blauwe blik. Die grijze muts. Die dunne, fijne handjes met de lange vingertjes. Dat zachte lichaampje. Die heldere stem. De haarkruin die ervoor zorgde dat een deel van zijn haar altijd rechtop stond. En dat het niet mogelijk was om er een eind aan te maken, ook al was het leven zonder hem zonder licht, geluid, smaak, geur en gevoel, ook al was het dat nog steeds en zou het dat altijd blijven, het was niet waar dat verdriet en gemis sleten, de tijd zou niet in haar voordeel werken, zoals absoluut iedereen destijds tegen haar had gezegd, het leek wel een sport om het tegen haar te zeggen, en elke keer dat iemand dat tegen haar zei, had ze zin om te slaan, ze had willen schreeuwen en krijsen, wat wisten zij nou verdomme van tijd, maar ze kon er geen eind aan maken, ze had er nog een, ze kon niet... HONDERD! riep Siri. En elke keer dat Siri HONDERD riep, ging Jenny weer rechtop staan, ze wierp haar hoofd in haar nek en liet haar haren om hen beiden heen naar beneden vallen, want dat vond Siri het fijnste wat er bestond.

Jenny keek zichzelf aan in de spiegel. De haarborstel lag op het nachtkastje samen met een paar haarspelden en een parfumflesje. Ze stak haar haar op, stiftte haar lippen en kwam overeind. Ze wankelde een beetje. De zwarte jurk viel mooi over haar borsten, maar was om haar buik net iets te strak. Maar die buik kon ze inhouden. De schoonheid van een vrouw zat in haar houding. Als ze niet zo'n hoofdpijn had, was deze avond misschien te verdragen geweest. De rode wijn was op. Ze had geen andere keus dan haar voeten in de sandalen te wurmen en de trap af te dalen om de tuin in te lopen en alle gasten te begroeten. In de tuin was namelijk meer wijn. Het stikte er van de wijn. Het stroomde er van de wijn. Hier in de kamer was alles leeg. Ja. Precies! Hier was het volkomen leeg! En ze had nooit nooit gezegd. Eén dag tegelijk, had ze gezegd. Ze vroeg zich af wat Irma ervan zou vinden dat ze weer was gaan drinken. Dit was namelijk geen toevalstreffer. Het was niet zo dat ze voor de verleiding was bezweken, zoals dat zo fraai wordt genoemd. Dit was bewust. Dit was een keuze. Zij was iemand geweest die niet dronk. Nu was ze iemand die dronk.

Jenny pakte het vel papier waarop ze haar toespraak had genoteerd.

Lieve familie en vrienden. Lieve Siri, die dit feest voor mij heeft georganiseerd. Lieve Irma. Nu staan we hier in de mist en vragen we ons af of het nog gaat regenen...

Was dat alles wat ze had geschreven voor ze was ingedut? Ze herinnerde zich toch heel duidelijk dat ze veel meer had geschreven en misschien ook iets met meer inhoud. Een paar woorden voor Siri, bijvoorbeeld, waren wel op hun plaats geweest. Siri, die dit allemaal had georganiseerd. Dit feest, waar weliswaar niemand op had zitten wachten, en Jenny al helemaal niet, maar desondanks. Jenny wist zeker dat ze een paar trefwoorden had opgeschreven over wat ze in een eventuele toespraak tegen Siri kon zeggen. Iets wat Siri blij zou maken. Iets met inhoud. Ze keek om zich heen alsof ze een ander vel papier zocht, ook al wist ze maar al te goed dat er geen ander vel was.

Nu staan we hier in de mist en vragen we ons af of het nog gaat regenen... Nee, dat was niet erg goed. Dat was gewoon onzin. Ze moest iets beters bedenken. Of geen toespraak houden. Ze had een verbod afgekondigd op toespraken van ánderen voor háár, dus het was misschien wel goed dat zijzelf ook geen toespraak zou houden. Het was een tuinfeest, toespraken waren niet verplicht.

Toch zou het fijn zijn geweest om iets tegen Siri te zeggen. Iets zinvols. Voor Irma gaf het niet. Jenny en Irma begrepen elkaar. Zij hadden een afspraak. Ze hadden geen toespraak nodig. Wat zij samen hadden, kon alleen worden beschreven met heel kleine woordjes, zo klein dat ze bijna niet te horen waren. Bijvoorbeeld: als Jenny zou besluiten dat het niet langer ging, dan was het tijd om afscheid te nemen en dan zou Irma haar helpen. En vice versa. Maar het was niet erg waarschijnlijk dat Irma dergelijke hulp van Jenny nodig zou hebben. Irma was jong, tweeënvijftig, drieënvijftig jaar, en kerngezond, ondanks haar ietwat bijzondere verschijning.

Jenny keek naar de toespraak.

Lieve familie en vrienden. Lieve Siri, die dit feest voor mij heeft georganiseerd. Lieve Irma. Nu staan we hier in de mist en vragen we ons af of het nog gaat regenen...

Nee, dat kon niet. Bovendien was het wat Jenny betrof één dag tegelijk, zo was het geweest sinds de dag dat Syver stierf. Tuinfeesten waren trouwens ook niet geschikt voor toespraken. Ze kon Siri altijd nog vertellen wat ze had gedácht, als ze haar een keertje onder vier ogen sprak. Niet nu vanavond, maar als dit allemaal voorbij was. En nu... Jenny draaide zich om voor de spiegel. De zwarte zijden jurk spande zich om haar borsten. Ja, nu was het tijd om de gasten te gaan begroeten.

Laat haar nou, had Jon gezegd, en Siri vroeg zich af waarom hij het voor Mille had opgenomen. Mille had een bloem in het witte perk geplukt en daarmee haar haar versierd. Toen verdween ze. Siri herinnerde zich dat Mille zich in haar eentje te goed deed aan het overvloedige buffet in de tuin. Ze vulde haar bord met kleine, gemarineerde kipspiesjes. Siri stond onder een boom naar haar te kijken. Siri had de kipspiesjes gemaakt, maar niet om ze door Mille te laten opeten. Siri zag het ene na het andere kipspiesje in haar mond verdwijnen om in een bodemloze put terecht te komen. Overal in de mistige appelboomgaard stonden feestelijk uitgedoste mensen te praten en te proosten en niemand van hen had oog voor Mille. Maar daarin vergiste Siri zich toch. Destijds dacht Siri *Ik ben de enige die haar ziet*, maar heel wat mensen bleken haar te hebben gezien. Heel wat mensen was het meisje in de rode jurk met de rode sjaal (die ze van Siri had geleend) en de bloem in het haar opgevallen. Mille was daar, op het verjaardagsfeest van Jenny Brodal, ze werd gezien. En vervolgens verdween ze zo nadrukkelijk dat niemand haar meer kon vinden.

Ze was niet de enige die die avond verdween. Jon sloop weg en kwam pas tegen elven terug. Zijn pak was nat en gekreukt en hij zei dat hij op het strand in slaap was gevallen. Hij had tijd nodig gehad voor zichzelf, hij was vertrokken om naar de golven te luisteren en was in slaap gevallen.

Jenny en Alma waren er ook vandoor gegaan. Ze waren van plan geweest om naar het strand te gaan en daar ieder op een strandstoel onder een paraplu te gaan zitten, maar nee, ze waren niet naar het strand gegaan (dan zouden ze Jon immers zijn tegengekomen), Jenny had met Alma in de Opel lukraak over smalle weggetjes gereden, Jenny in zeer beschonken toestand. Ze waren pas vlak voor middernacht teruggekomen. Onvergeeflijk, zei Siri. Ze neemt Alma mee in de auto terwijl ze dronken is. Het is onvergeeflijk. Het is gewoonweg niet te geloven. Maar toen eenmaal bleek dat Mille was verdwenen, niet tijdelijk, zoals met Jon, Jenny en Alma het geval was, maar echt verdwenen, moest de ruzie met Jenny wachten. Volgens Alma was haar oma *broodnuchter* geweest, wat meer was, merkte ze op, dan je van zowel Jon als Siri kon zeggen, en oma had aan één stuk door gepraat en onder andere verteld over toen ze als klein meisje in Molde had gewoond en de Duitsers de stad plat hadden gebombardeerd, ja, alles wat niet door de grote brand vierenveertig jaar eerder was vernield, werd door de Duitsers in slechts een paar dagen in april en mei 1940 in puin geschoten, en vervolgens vertelde Alma Jenny's geschiedenis helemaal opnieuw voor Siri en voor Jon, die het voor de eerste keer hoorde.

Jenny was zeven jaar en met haar moeder aan het wandelen. Haar moeder, die Karen heette. En toen de Duitsers het stadscentrum bombardeerden, werd Karen lid van de Vrouwen Arbeidshulp, die ten doel had om iedereen te helpen die van het bombardement te lijden had gehad.

'Op een dag,' vertelde Jenny aan Alma, 'toen ik met mijn moeder en een paar andere vrouwen samen was, kwam er een Duitser op bezoek, ik weet niet precies waarom, misschien was hij een bode, maar daar gaat het niet om, dat wat indruk op me maakte en wat ik me nog steeds herinner, is de manier waarop hij om zich heen keek, alsof hij verbaasd was. Moeder en de andere vrouwen waren druk bezig om kinderkleertjes klaar te leggen die later die dag zouden worden uitgedeeld aan gezinnen die het nodig hadden, en de Duitser vroeg: *Zijn ook kleine kinderen hierdoor getroffen?* De vrouwen keken hem verrast aan en moeder antwoordde: *Ja.* Ik geloof niet dat ze nog meer zei. Alleen maar ja. Toen boog de Duitser zijn hoofd en fluisterde: *Krieg ist ein Jammer.*'

Het verschil was dat Mille niet terugkwam. Siri en Jon gingen er eerst van uit dat ze met iemand mee naar huis was gegaan, met een vreemde jongen of man, en Siri herinnerde zich dat ze zich voornam een hartig woordje met Mille te wisselen over hoe gevaarlijk het was om met een vreemde mee naar huis gaan, maar in werkelijkheid had ze alleen maar een enorme woede jegens Mille gevoeld. Omdat ze ervandoor was gegaan. Omdat ze zichzelf had aangeboden. Siri begreep niet waarom ze zo boos was geworden, Mille was immers geen kind. Een kindvrouw, misschien. Maar geen kind. Maanmooi, opdringerig, zichzelf aanbiedend. Wat was er gebeurd, waarom kwam ze niet terug? Wanneer je eenmaal onrust voelt, is het alsof je de deur voor de vloed opendoet, en die volgende ochtend, na vele vergeefse pogingen om Mille op haar mobiel te bellen (die kennelijk uitgezet of niet opgeladen was, Siri kreeg meteen de voicemail), en lang voordat ze klaar waren met het opruimen van de feestrommel, stuurde Siri Jon eropuit om Mille te zoeken.

'Maar waar moet ik zoeken?' vroeg Jon.

'Ik weet het niet... Overal, bij de haven of bij Bellini, ze is vast in Bellini geweest.'

'Dat is nu toch dicht?' Jon keek op zijn horloge en Siri zuchtte.

'Zoek dan ergens anders, als je haar maar zoekt. Wij zijn toch verantwoordelijk voor haar? En ik moet zo meteen naar mijn werk!'

Zo werd het morgen op de eerste dag zonder Mille, het werd middag en tegen de avond belde Jon met Milles ouders, met Amanda en Mikkel, en ook zij kwamen zoeken, en vervolgens werd de politie ingeschakeld en kwamen de journalisten. De jongen die ze KB noemden, kwam snel in de belangstelling van de politie te staan, hij werd verschillende keren verhoord, maar ten slotte moesten ze hem laten gaan. Er werd gezegd dat hij in Bellini met Mille had gedanst en dat ze de uitgaansgelegenheid samen hadden verlaten. KB gaf zelf een interview aan de krant, waarin hij bevestigde dat ze samen huiswaarts waren gegaan, maar dat hij geen zin had gehad om Mille helemaal naar Mailund te brengen over die lange weg heuvelopwaarts en dat ze, toen ze bij het huis van KB waren gekomen, afscheid hadden genomen. Ze waren als vrienden gescheiden, zei hij. Het speet hem nu, zei hij, dat hij geen gentleman was geweest. Hij was een van degenen die haar gingen zoeken. Hij zocht overal, net als de rest.

Mille werd beroemd. Iedereen wist wie ze was, iedereen herkende haar, maar zelf was ze nergens te vinden, zelf was ze spoorloos verdwenen.

Op de voorpagina's van de kranten en in het nieuws op tv prijkte altijd dezelfde foto van haar. Siri, die haar altijd maanmooi had genoemd, keek naar de foto en zei dat haar gezicht niet meer zo veel van een maan had. Nee, op die plaats en op dat moment, het moment waarop de foto was genomen, was Mille jong en mooi. En zo zou ze herinnerd worden door iedereen die haar niet kende. Mooie Mille die verdween en deze foto naliet. Blauwe spijkerjurk, paardenstaart, volle, droge lippen met iets te rode lippenstift. Ze straalt op die foto, het is het portret van een andere Mille, geen achtergrond, geen rekwisieten, geen verhaal – afgezien van een vage, zwarte vlek linksonder op de foto. Een defect aan de camera? Een voorteken, een waarschuwing, ergens voor, maar waarvoor? Mille glimlacht en knijpt haar ogen halfdicht vanwege het felle zomerlicht. Ze kijkt de fotograaf aan met een quasi geïrriteerde blik, alsof ze zegt *Maak nu geen foto's meer van mij, laten we in de zon iets anders gaan doen.* De foto van Mille lijkt niet op de Mille die Siri zag. *Zo vol leven,* zeiden haar vriendinnen terwijl ze een kaars aanstaken. *Een lichtverspreidster.* Veel mensen vertelden over Milles licht. Gezien, geliefd, gemist.

Siri knipte de foto uit en keek er af en toe naar. *Kom dan, laten we iets anders gaan doen...* Niemand kon met zekerheid zeggen dat ze echt dood was, maar de hoop dat men haar levend terug zou vinden verdween geleidelijk aan. Haar vriendinnen riepen op Facebook op om een kaars voor haar te branden. En daar had je hem weer, diezelfde foto. Er zit een lach in haar blik. Naar wie lacht ze? Wie is de fotograaf? *Steek een kaars aan voor Mille. Het was donker toen ze verdween, steek een kaars aan zodat ze ons kan terugvinden.* Altijd aanwezig. Altijd dezelfde foto. *Kom, ga met me mee!* Mooi en verdwenen.

Ze was zo klein als een pop, veel kleiner dan andere meisjes van dezelfde leeftijd, en ze zat op haar vaders arm, ze holden door het hoge gras en ze herinnerde zich zijn warme adem tegen haar wang en zijn grote mond waarmee hij haar kietelkusjes gaf en zijn stem die fluisterde *Opschieten, Mille, nu moet je opschieten, niet omkijken, schiet op, rennen,* maar Mille kon niet opschieten. Ze zat niet op haar vaders arm. Ze kon niet rennen. En ze was niet zo klein als een pop. Niemand was zo zwaar als zij. Haar vader was er niet. Er was niemand. Voor haar lag de lange weg naar Mailund en ze wist niet of het haar zou lukken om het huis op de top van de heuvel te bereiken. Haar benen deden het niet zoals anders. Haar knieën lagen open. Wonden op haar dijen. Op haar buik. In haar gezicht. Hij had zijn knie in haar maag gestoten, dat gebeurde toen ze nog overeind stond, ze kon geen adem meer krijgen, viel op haar knieën en haalde ze open. Hij had niet naar haar willen luisteren toen ze zei dat ze naar huis wilde. Zijn mond was week en nat en zijn tong zwol op in haar mond, ze had hem weggeduwd en gezegd dat ze nu naar huis wilde, dat ze dit niet wilde en dat hij haar verkeerd had begrepen, en toen stootte hij zijn knie in haar maag en zei:

'Zei je nou dat je niet wilde?'

Ze waren uit Bellini vertrokken en hij had tegen haar gefluisterd dat hij een plekje wist waar ze wat meer privacy hadden, en toen waren ze op een paadje in de buurt van de ruïne achter de oude school terechtgekomen, niet ver van de Bragevei. Overal lag grind, zand en stenen, daarom waren haar handen zo toegetakeld.

Mille had het overleefd. Ze liep hier nu. En hij was er niet meer. De verkrachting zelf was snel voorbij en na afloop had hij haar zelfs weer overeind willen helpen. Hij had zijn hand uitgestoken.

'Kun je de weg naar huis zelf vinden?' had hij gevraagd.

'Ja', zei Mille.

Toen lag ze nog steeds op de grond. Ze had zich opgerold als een klein diertje.

'Mooi,' zei hij, 'dat is goed. Tot ziens dan maar. Oké?'

'Oké', zei Mille.

'Ik ga nu de auto halen', zei hij, en toen liep hij weg, en Mille begreep niet waarom hij dat zei van die auto. Ze dacht dat het belangrijk was, dat het iets was waarvan ze de betekenis moest proberen te doorgronden, maar ze wilde er niet aan denken, ze kon het nu niet opbrengen.

Ze had haar kapotgescheurde onderbroek gebruikt om zijn zaad af te vegen. Toen was ze voorzichtig overeind gekomen, het schrijnde in haar buik en onderlichaam, ze was bang dat er in haar lichaam iets zou loslaten en door haar heen vallen, en toen had ze een paar stappen gelopen en haar gouden tasje opgepakt dat een eindje verderop op het pad lag. Een gouden tas met franje. Zo stom. Mille zou dat tasje nooit meer gebruiken. Maar ze moest haar onderbroek ergens in stoppen, ze kon er niet mee in haar hand blijven lopen en die tas was het enige wat ze had. Hij had haar mobiel ook meegenomen. Ze vroeg zich af waarom. Wat was daar nou het nut van? Hij had toch zelf een mobiel? Nu kon ze haar vader niet bellen om hem te vragen haar op te halen. Ze onderzocht het tasje nog een keer. Maar nee, de mobiel was weg. Ze wist het toch, dat haar mobiel er niet in zat. Ze had op de grond gelegen en hij had gevraagd of ze zelf de weg naar huis kon vinden, en toen had hij zich omgedraaid en was weggelopen, en toen zag ze dat hij het tasje oppakte, haar mobiel eruit haalde en het tasje weer op de grond smeet. Ze probeerde te gaan zitten, maar zitten deed pijn, dus ging ze liggen zoals ze daarnet had gedaan, opgerold, eventjes maar, ze zou zo weer gaan lopen. Hij had haar dit aangedaan, maar ze leefde, ze was niet dood, hij zou alleen even de auto halen, waarom zei hij dat, en Mille zei tegen zichzelf dat ze best overeind kon komen en naar huis lopen. Maar het was erg vreemd dat hij haar mobiel had meegenomen en dat ze haar vader niet kon bellen om te zeggen dat hij moest komen. Mille begon te huilen.

Ze kon bijna niets zien toen ze begon te lopen, maar toch zette ze haar ene voet voor de andere en liep. Niet alleen was het erg donker, maar ook deden haar ogen zeer. Ze had er zand of zo in gekregen, een steentje in haar ene oog. Ze bloedde niet erg. Haar ogen niet, haar handen niet, de schaafwonden en de sneeën niet, haar schede niet en dat was gek, dacht ze, dat ze niet erger bloedde.

Het was stil op straat. Donker en behoorlijk koud. Het regende. Mille trok de rode sjaal om zich heen. Eigenlijk had ze gewoon op het grindpad willen blijven liggen. Hij had haar bijna vermoord toen hij die in haar mond had gepropt. Maar ze had het koud en ze had alleen die sjaal maar die ze om haar schouders kon slaan en ze dacht dat ze die dan maar moest wegdoen als ze eenmaal thuis was. Iets bedenken om tegen Siri te zeggen. Het was immers Siri's sjaal. Ze kon zeggen dat ze hem verloren had. Dat iemand hem had meegenomen. En dat ze natuurlijk een nieuwe sjaal zou kopen als vervanging voor de oude. Mille keek naar de lucht. Het was ongetwijfeld al erg laat, het regende, het was beslist niet zo'n zomernacht die je buiten doorbracht, en de enige mensen die ze zag waren een paar dronken jongeren, twee jongens en een meisje, die bij de haven rondhingen. Ze had geen idee hoe laat het was. Hij had haar mobiel meegenomen en dat was haar enige klok. De dronken jongeren hadden iets onverstaanbaars naar haar geroepen. Misschien waren het toeristen en spraken ze een vreemde taal? Ja, dat was het waarschijnlijk. Want ze had geen woord verstaan van wat ze naar haar geroepen hadden. Ze hadden geglimlacht en gezwaaid en er school niets kwaads in, en ze had haar hand opgestoken en teruggezwaaid.

Nadat hij zijn knie in haar maag had gestoten en zij voor hem op haar knieën was gevallen, had hij haar op haar achterhoofd geslagen, niet zo hard, maar hard genoeg dat ze op haar buik viel en met haar gezicht in het grind bleef liggen. Hij zei niets toen hij zijn spijkerbroek naar beneden trok, haar jurk over haar dijbenen omhoogtrok, haar onderbroek kapotscheurde en van achteren bij haar binnen drong. Toen ze met haar gezicht in het grind probeerde te schreeuwen, greep hij haar rode sjaal, die ze van Siri had geleend en waar vlekken van Simens bloed op zaten, frommelde die in elkaar en propte die in haar mond.

'Oké?' zei hij. 'Zo beter?'

Zijn pik scheurde alles open wat haar lichaam samenhield, bindweefsel, bot, heupkom, vlees, alles wat haar skelet bij elkaar hield werd in elkaar gedrukt voor het uit haar vloeide. Het was niet tegen te houden.

Mille stond onder aan een smalle, donkere weg die zich van Simens huis omhoog slingerde tot aan het huis van Jenny Brodal helemaal aan de top. Simen was de jongen van de fiets. Hij lag nu natuurlijk in bed. Maar ze vroeg zich af of ze kon aanbellen om met zijn ouders te praten, ze kon bijvoorbeeld zeggen: Ik heet Mille, ik ken Simen een beetje, hij is eerder vanavond van zijn fiets gevallen en heeft zich pijn gedaan en nu vraag ik me af hoe het met hem gaat.

Maar nee. Ze zouden haar ongetwijfeld raar aankijken. Ze droeg geen onderbroek en er liep nog steeds wat uit haar schede. Het stonk. Ze had geen schoenen aan haar voeten en haar jurk en sjaal zaten vol vlekken. De paraplu was ze kwijt. Wat zouden ze denken? Het was een beetje moeilijk om, zoals de situatie nu was, zoals ze er nu uitzag, zo iemand als ze nu leek te zijn, uit te leggen dat Simen en zij vrienden waren, dat ze met hem mee naar huis was gelopen, dat ze niets verkeerds van hem wilde, dat degene die ze nu was, die ze zagen en die ze roken, niet degene was die ze eigenlijk was en dat ze alleen wat hulp nodig had. Kon ze misschien even van de telefoon gebruikmaken en haar ouders bellen? En waarom kon ze haar eigen telefoon dan niet gebruiken? Nee, waarom niet? Wat moest ze dan zeggen? Wat was de verklaring? Omdat hij die had meegenomen? Het was onmogelijk. Ze zou instorten en in gestamel of huilen uitbarsten voordat ze nog maar de helft had kunnen zeggen van wat ze moest zeggen.

Ze liep nog een eindje en bleef toen staan. Ze moest even terugschakelen. Zo zei je dat toch? Dat kon je toch zeggen als je een beetje moe was? Dat je even moest terugschakelen? Mille had eens een oud vrouwtje helpen oversteken en de vrouw was verschillende keren blijven staan, had Mille aangekeken en gezegd, ik moet even terugschakelen, hoor, waarop Mille wachtte, de auto's wachtten en alles stil bleef staan tot de vrouw had teruggeschakeld. Zo was het nu ook met Mille. Ze moest even stilstaan om terug te schakelen. Ze wilde maar dat ze zichzelf vele uren terug kon schakelen. Maar dat ging niet, dus moest het maar zijn zoals het was, en moest ze als een oud vrouwtje blijven doorlopen, de weg met de honderd bochten aflopen, en opeens hoorde ze het geluid van een auto.

Ze draaide zich om. De auto kwam in volle vaart aangereden en verlichtte de hele weg voor zich. Een verwarrend ogenblik dacht ze dat het haar vader was die was gekomen. Of haar moeder. Maar toen moest ze opzij springen en in de berm wegduiken. De auto had enorme vaart. Het leek op Jenny's Opel. Mille ging rechtop zitten. Het wás Jenny's Opel. En de auto stopte, het was moeilijk te zien wie er in de auto zat, er waren twee inzittenden, ze zag hen niet van voren, maar Mille meende zeker te weten dat het Jenny en Alma waren. Waarom reden ze midden in de nacht rond in de auto? Waarom waren ze niet op het feest? Was het feest afgelopen? Hoe laat was het eigenlijk? De auto startte weer en reed langzaam verder, hij sloeg de bocht om, reed de heuvel op en begon aan het laatste stuk naar het huis. Zelfs toen ze de auto niet meer kon zien, kon ze de motor horen. Ze hoorde dat die afsloeg toen de auto het doel had bereikt. En het was goed, dacht ze, het was goed dat ze haar niet hadden gezien. Wat had ze in vredesnaam moeten zeggen?

Mille kwam weer overeind en liep een eindje verder.

Ze keek omhoog naar de donkere hemel.

'Papa!' fluisterde ze. 'Mama!' Toen ging ze weer in de berm zitten, ze vouwde haar handen en probeerde te bidden. Ze had een andere auto horen aankomen en ze wist dat haar ouders niet in die auto zouden zitten. Dat had ze de hele tijd geweten. Dat haar ouders niet zouden komen en dat ze niet thuis zou komen. Hij zei dat hij de auto zou halen en ze begreep dat dat belangrijk was en dat ze de betekenis daarvan moest proberen te doorgronden, en nu wist ze het, en daarom sloot ze haar ogen en hield ze haar handen voor haar oren. Ze wilde de auto niet horen. Ze wilde hem niet zien. Nee, wat ze wilde was hier zitten en blijven ademen tot ze niet langer ademde. De auto naderde en zelfs al sloot ze haar ogen, ze merkte toch dat alles om haar heen verlicht werd. De auto stopte. En Mille herinnerde zich dat ze samen met haar vader stond te kijken naar iedereen die aan het schaatsen was, *Ja, nu blijven we gewoon hier staan kijken*, had haar vader gezegd, *we gaan niet zelf schaatsen, het kost tijd om het te leren*, en ze herinnerde zich dat het meisje met de zwarte mantel, dat altijd op de ijsbaan was als haar vader en zij er waren en dat mooier was dan alle anderen, haar ene enkel beetpakte en haar been naar zich toe trok. En hoe de zwarte mantel zich plooide, haar skelet zich plooide, de vallende sneeuw zich plooide en het heelal zich plooide. Ja, hoe alles zich plooide. En Mille herinnerde zich dat het meisje rondtolde, steeds sneller en sneller en in een zuil van rook veranderde, en ze herinnerde zich dat ze dacht dat als ze gewoon haar ogen sloot, tot drie telde en haar ogen weer opendeed, ook de tijd zou gaan tollen en het meisje zichzelf zou hebben weggetold.

IV
Oogappels

Jon zit in zijn werkkamer in Oslo te schrijven. Met Mille verdween de zomer en nu is het herfst, het boek is opnieuw uitgesteld, 's ochtends en 's nachts is het koud, maar vandaag schijnt de zon, de lucht is helder en het is midden op de dag behoorlijk warm. Eigenlijk had hij de hond moeten uitlaten, maar hij moet schrijven, het boek moet af, Gerda en hij zijn het eens geworden over publicatie in het voorjaar, zoals al eerder is gebeurd: in het voorjaar, in het najaar, in het voorjaar, in het najaar. Hij is bang dat ze hem heeft opgegeven. Hij is bang dat hij het heeft opgegeven. Hij moet doorschrijven, hij moet het afkrijgen.

Leopold tilt zijn kop op en kijkt hem aan: *Maar hij schrijft helemaal niet. En zo dadelijk gaat hij met zijn voorhoofd op het toetsenbord liggen huilen.*

Zijn werkkamer in Oslo is een zolderkamer, net zoals in Mailund, gedeeltelijk verbouwd, de wanden zijn wit gesausd en in het schuine dak is een raam met dubbel glas gezet, zodat hij naar buiten kan kijken. Nu kijkt de zon naar binnen, genadeloos en verblindend. In de zolderkamer staat een schrijftafel en er ligt een matras op de vloer. Jon staart uit het raam vanwaaruit hij de hemel kan zien en op de oprit kan uitkijken, maar hij moet zijn ogen sluiten voor de zon. Hij kan hier niet blijven zitten, hij komt overeind, strijkt met zijn vinger over zijn cd-verzameling in de kast voor de lange wand en probeert iets te vinden waar hij naar kan luisteren, maar hij vindt niet wat hij zoekt en gaat weer zitten, hij krijgt de zon in zijn ogen (er was regen voorspeld!), hij pakt het grijze kleed van de hond, trekt het onder de lange, zwarte voorpoten vandaan waardoor de hond gedwongen wordt overeind te komen, wankelt en zich uitschudt terwijl Jon het kleed over de oude gordijnroe hangt, zodat het hele raam is afgedekt. Zo! Nu is het donker! *Hij krijgt dat boek nooit af.* De hond gaat weer voorzichtig liggen, met de snuit tegen Jons voeten, deze keer zonder zijn kleed. *Nooit!*

Jon en Siri leefden nog steeds van de inkomsten van het restaurant in Oslo (en van een torenhoge lening van de bank, plus het voorschot van de uitgeverij) in afwachting van de afronding van het derde deel van Jons boek dat vele jaren geleden (en gebaseerd op de twee delen die al wáren geschreven en uitgegeven) werd omschreven als 'dé trilogie van dit millennium' en als 'het belangrijkste prozawerk over het moderne Noorwegen van de afgelopen tien jaar'. De verwachtingen voor deel drie waren overweldigend, in deel drie zou hij volgens de recensenten alle beloften 'waarmaken'. Jon had het manuscript al vijf jaar geleden zullen inleveren, maar nee, de dagen verstreken en opeens had niemand het meer over het millennium of over Jon en zijn trilogie (ze hadden het over andere schrijvers en andere romans), en nu was de publicatie opnieuw uitgesteld, zelf was hij de vijftig gepasseerd en het gezicht dat hem elke dag in de spiegel aankeek, was een beetje ingevallen en leek op een pruim, hij had een nogal prominente buik gekregen die uitstak, of liever gezegd, neerhing van zijn verder tamelijk magere lichaam, en de knappe, jonge moeders die hij elke morgen tegenkwam als hij Liv naar de crèche bracht, keken dwars door hem heen.

Elke donderdagochtend was Jon samen met zijn vriend, tandarts Kurt Mandl, aan het joggen. Eén rondje, twee rondjes, drie rondjes om het Sognsvann, en raad eens wie er al na het eerste rondje op zijn tandvlees liep, buiten adem en met beslagen brillenglazen, en het steeds vaker liet afweten?

'We worden er niet jonger op, Jon!' riep Kurt Mandl tegen Jon, die als vanzelfsprekend op grote achterstand was geraakt, puffend, hijgend en ervan overtuigd dat hij zou doodgaan.

De honden van Kurt Mandl waren, net als Kurt zelf, zijn vrouw en zijn kinderen, op alle vlakken bewonderenswaardig. Ze konden gerust loslopen, Kurt hoefde alleen maar een klein klikgeluidje met zijn mond te maken of daar liepen ze, zijn honden dus, al gehoorzaam naast hem, slank en trots.

Leopold meenemen bij het joggen was onmogelijk, hij ging er meteen vandoor zodra hij de vrijheid kreeg, en als Jon hem aan de riem hield, deed hij niets anders dan trekken. Die ene keer dat hij hem tijdens het joggen had meegenomen, was het niet goed gegaan. Leopold wilde spelen met de honden van Kurt Mandl en liep de mannen voor de voeten, toen ging hij ervandoor en moesten Jon, Kurt Mandl en diens twee gehoorzame honden Leopold zoeken in plaats van een eind joggen, en toen Jon zich voor het gedrag van zijn hond probeerde te verontschuldigen, zei Kurt Mandl kregelig dat hij de hond niet de schuld moest geven, dat het niet aan de hond lag, maar aan de baas.

Jon en Leopold rekten zich tegelijkertijd uit. *Ook vandaag zou er niets geschreven worden.* Hij liet zijn vingers over het toetsenbord gaan, gewoon maar wat opschrijven, wat hem inviel, zonder te denken aan het boek dat al vijf jaar geleden af had moeten zijn. Jon schreef:

MISÈRE 16-9-2008:

1. Ik heb geen geld en leid een armzalig bestaan, ik word onderhouden door mijn vrouw.
2. Ik kan Kurt niet uitstaan (mijn enige vriend?).
3. Mijn dochter heeft haar lerares gekortwiekt, is daarmee in de krant gekomen (*'meisje van dertien valt lerares aan'*) en is van school gestuurd. Waarom?
4. Ik ben een overspelige klootzak.
5. Ik heb een domme hond die aan de riem trekt als ik met hem uitga: elke dag weer het bewijs dat ik niet genoeg gezag en karakter heb.
6. Ik sport niet en ik drink te veel.
7. Ik kan niet schrijven.
8. *Mille?*

Zo. En het werd alleen maar erger, hij voelde gewoon hoe alles afbrokkelde. Hij dacht aan Milles ouders, Amanda en Mikkel, die het verdriet over het gemis van hun dochter door het hele huis liepen uit te schreeuwen. Of misschien deden ze wel iets anders. Mille was niet gevonden. Ze was weg. Verdwenen in de mist. Siri en hij hadden het er vaak over gehad dat ze Amanda en Mikkel een brief moesten schrijven. Om te zeggen dat ze. Om aan te geven dat. Om hun te laten weten dat. Wat moest je in vredesnaam in zo'n brief schrijven? Jon ging met de muis naar punt vier en punt acht en drukte op *delete*. Siri controleerde zijn mobiel, ze checkte zijn e-mail en ze vlooide door zijn romanfiles, deels omdat ze naar aanwijzingen over andere vrouwen zocht, maar ook om te controleren of hij daadwerkelijk aan het schrijven was. Kwam er wel een boek? Ze spraken er niet over en hij hield haar niet tegen.

Af en toe lukte het hem wat te schrijven, juist omdat hij wist dat zij het zou lezen. *Hij schreef voor haar.* En hij zou haar nooit iets over die andere vrouwen laten ontdekken.

Hij wiste de hele lijst en schreef een nieuwe, een die Siri kon lezen:

UITDAGINGEN 16-9-2008:
1. Alma van school gestuurd omdat ze het haar van haar lerares heeft afgeknipt. Waarom heeft ze dat gedaan? Hoe gaan we daarmee om? Hoe kunnen we haar helpen? Hoe kunnen we haar bereiken?
2. Ik sport niet en ik drink te veel (schema maken!)
3. Ik kan niet schrijven. Oplossing: Gerda van de uitgeverij bellen, samen met haar een opzet maken, elke dag drie bladzijden schrijven (discipline is het enige wat helpt!), de volgende honderd bladzijden over circa drie maanden inleveren, ongeveer rond de kerst. Vragen om een nieuw voorschot???
4. Milles ouders een brief schrijven.

Er waren dingen die hij nooit opschreef, die te gevaarlijk waren om in woorden te vatten en die misschien niet uitgewist werden door simpelweg op *delete* te drukken. Hij wist ongeveer hoe laat Mille het feest had verlaten, hij was zelf weggegaan en had met haar ge-sms't, maar hij had haar niet gezien toen hij zelf op stap was.

Jenny en Alma waren naar Mailund teruggekeerd toen het feest op het eind liep, na een geëxalteerde autorit over smalle weggetjes. Jon en Siri waren woedend geweest op Jenny. Hoe kon ze stomdronken achter het stuur gaan zitten met Alma in de auto? Hoe kon ze? Maar het feest was nog aan de gang, Jenny negeerde hen, liep naar Steve Knightley toe en vroeg op luide toon hoe het eigenlijk was in Seattle. Was hij nog steeds met zijn vierde vrouw getrouwd, die met de smalle lippen? En toen de laatste gasten waren vertrokken en Jenny naar bed ging, Alma naar bed ging en Siri naar bed ging, toen ging Jon aan het uiteinde van een lange tafel zitten en begon aan de rode wijn.

Ten slotte kwam hij overeind en liep onvast naar het tuinhuis waar Mille sliep. Om te zien of ze was thuis gekomen? Of alles goed met haar was? Hij zorgde ervoor dat niemand hem zag, klopte aan en wachtte een paar tellen, deed toen de deur open en ging naar binnen. Hij bleef even in het donkere kamertje staan, er hing een parfumlucht, het bed was onopgemaakt, de schrijftafel rommelig, de boekenkast propvol, op de vloer lag vuil wasgoed. Hij liep naar de schrijftafel en liet zijn hand gaan over de tijdschriften, de make-up en een roze boek dat waarschijnlijk haar dagboek was. Het geheime plakboek waar ze hem over had verteld. Hij stak het achter zijn broekriem, onder zijn dikke trui. Hij voelde zijn hart bonzen. Waarom was hij zo nerveus? Hij maakte de twee kledingkasten open. Dacht hij dat ze zich daar had verstopt? Hij trok het wit-blauw gestreepte dekbed van het bed en zag een donkere klont op het laken. Hij haalde zijn mobiel tevoorschijn en bescheen de klont met het licht van het schermpje. De dikke slak stak als een bruin-zwarte pik af tegen het laken.

Siri klaagde geërgerd over rimpels in haar gezicht en wat de tijd met haar had gedaan (alsof de tijd haar ten dans had gevraagd en daarna brutaal op haar tenen was gaan staan), ze keek voortdurend in de spiegel, in etalageruiten of in de glanzende lak van geparkeerde auto's, niet omdat ze zo veel ijdeler was dan anderen, maar omdat ze hoopte dat ze in een van die spiegels een glimp van een andere Siri zou opvangen. Jon zei tegen haar dat ze mooier was dan ooit. Ze hielden elkaars hand vast als ze buiten liepen. Ze kusten elkaar voorzichtig op de mond als ze elkaar een tijdje niet hadden gezien. Ze waren wanhopig op zoek naar tederheid.

De eerste keer dat Jon Siri zag, was van een afstandje, en het was de manier waarop ze bewoog die maakte dat hij verliefd op haar werd – en het feit dat ze hem had genegeerd. Ze stak de Akersgata over en liep hem op hooggehakte laarsjes tegemoet. Hij dacht even dat ze hem zag, maar nee. Ze liep hem straal voorbij. Dit was in de periode dat Jon werd gezien, ja, hij wist zelfs aandacht te trekken. Hij hoefde alleen maar ergens, bijvoorbeeld op een straathoek, stil te blijven staan en naar een vrouw te kijken of ze werd hem gewaar, rekte zich uit en richtte haar blik op hem. Hij dacht graag dat hij een soort magische kracht bezat, het vermogen om een vrouw naar zich toe te kijken. Maar Siri had hem niet aangekeken, ze liep hem straal voorbij en hij wist nog dat hij dacht dat hij nog nooit een vrouw had gezien die zich zo mooi voortbewoog.

Leopold kwam overeind en liep de werkkamer uit. Jon hoorde hem de trap afsloffen. Dat geslof hoorde hij elke nacht. Het tochtige rijtjeshuis had alle geluiden van hun gezin de afgelopen twintig jaar als het ware ingekapseld, Leopolds geslof op de trap, Siri's gezucht toen ze zwanger was van Liv en Alma's voortdurende interpretatie van *Kleine zanglijster*. Ja, Jon kon zijn dochter nog steeds horen zingen, haar hoge, heldere, zuivere kinderstem, als een kleine fluit door het huis, die losstond van het meisje zelf. Alma was onlangs dertien geworden en het was al jaren geleden dat ze iets had gezongen. Nu knipte ze er met een enorme schaar op los en waren Alma, Siri en hij een geval voor de jeugdzorg.

Jon was alleen thuis en kon een beperkte hoeveelheid tijd doen wat hij wilde. Bijvoorbeeld gaan slapen. Dat wilde hij eigenlijk de hele tijd het allerliefst, gewoon slapen en alles laten verdwijnen, Siri, Alma en Liv, de blikken van al die vrouwen, zijn onverdraaglijke beste vriend en die vrouw van hem die totaal geen charme had (*NB: een eind maken aan de verhouding met Karoline!*) en de brief aan Milles ouders die Siri en hij maar niet konden schrijven, die ze steeds weer uitstelden, maar hij durfde niet te gaan slapen, want dan zou Siri zijn werkkamer binnenkomen, naar hem blijven kijken tot hij wakker werd en dingen zeggen als *De schrijver is aan het werk, zie ik*, om hem vervolgens de rug toe te keren en de kamer te verlaten. Maar nu was hij alleen en hij mocht geen tijd verspillen, dus moest hij in elk geval aan het boek dénken en dat ging nu eenmaal het beste als hij lag. Ze lachte. Siri lachte, ze lachte hem uit. Geluiden in het huis. Geslof, gezucht, gezang, Siri's lach. O ja, het was alsof ze de hele tijd met elkaar praatten, onontwarbaar, voor altijd in elkaar verstrengeld, hij wist zeker dat het voor haar ook zo was, dat ze de hele tijd met hem praatte en zijn stem hoorde, ook al zeiden ze nauwelijks nog iets tegen elkaar, ook al was het geluid tussen hen bijna volledig verstomd, maar het gegons van hun stemmen in de wand, van de ene kamer naar de andere, van de ene geest naar de andere, heen en weer, hun gelach met de vele nuances die hij had leren duiden, hield niet op:

'Dénken gaat het beste achter je laptop of als je in beweging bent – *een beetje tempo, Jon!* - dénken doe je het best als je het minst verwacht dat je zult denken, bijvoorbeeld als je schoonmaakt, kookt of Liv 's avonds voorleest. Maar niet als je op de bank ligt. Je gaat niet liggen om te denken. Waag het niet.'

Het duurde maar een paar seconden. Hij ging op de bank liggen, zijn hoofd op het kussen, en viel in slaap.

Jon praatte niet over zijn ouders, hij schreef ook niet over hen. Ze waren dood. Hun tijd op aarde was voorbij. Hij miste ze niet. Als zeventienjarige was hij uit huis gegaan, naar een klein appartement in de wijk Grønland voordat daar alles werd gesloopt en weer opgebouwd, zijn vader zat op een stoel in de woonkamer te lezen en keek niet op toen Jon – lang en mager, kromgebogen onder een grote rugzak, met een gitaar om zijn schouder en een koffer vol boeken en platen in de hand – riep *Dag hoor, ik ga weg.* Zijn moeder lag op bed in de slaapkamer, de gordijnen dicht, hij weet nog dat buiten de zomerzon scheen en hoe die probeerde door de dikke, blauwe gordijnstof heen te dringen en zijn moeder met licht te doorboren, en hoe het licht haar pijn nog erger maakte, en dat zijn maag ineenkromp, maar dat hij het niet kon opbrengen, hij wilde niet haar kamer binnengaan om haar een kus te geven of haar voorhoofd te strelen, hij kon het niet opbrengen haar te beloven dat hij heel vaak op bezoek zou komen, bij vader en haar zou komen eten, of koude doeken op haar voorhoofd zou leggen, hij was nog steeds zo jong dat hij het beneden zijn waardigheid achtte om dergelijke troostende leugens te verkondigen. Nooit meer liegen! Van nu af aan altijd zeggen waar het op stond! De waarheid kon kwetsen, ja-zeker, maar hij kon nu eenmaal geen rekening meer houden met andermans gevoelsleven. Hij wilde zichzelf zijn, helemaal, zijn eigen muziek spelen (Neil Young, Steve Harley & Cockney Rebel, Bob Dylan, The Band), in huis met schoenen aan rondstampen, het midden in de nacht uitschreeuwen. Jon kon zich nog steeds herinneren hoe de warme bries aan zijn haren trok toen hij de deur achter zich sloot en naar de tram liep die hem zou voeren naar zijn nieuwe leven als volwassen man, student, medewerker in een boekwinkel en inwoner van Grønland. Hij herinnerde zich hoe de middagzon hem in zijn gezicht trof. En zijn vreugde dat hij aan de donkere slaapkamergordijnen was ontsnapt, dat hij jong was, dat hij het vermogen had om harteloos te zijn omdat dat, zoals hij nu begreep, de sleutel naar de vrijheid was. Dat hij zich niet in de deuropening had omgedraaid, naar zijn moeder was toegelopen, naast haar op bed was gaan liggen en had gefluisterd dat het over zou gaan, *dat het altijd overging.* Dat hij zijn slechte geweten niet had laten winnen van de warme bries, de zon en de vreugde. Een duizelingwekkende, ongeëvenaarde, bevrijdende harteloosheid! En hij hield voet bij stuk! Hij keerde niet terug naar Frogner. Hij had geen telefoon en hij antwoordde niet op de korte briefjes van zijn moeder. Hij was twintig jaar toen zijn vader stierf aan COPD. Zijn moeder – Celine heette ze – verscheen voor zijn deur in Grøn-land en zei dat ze niet zou vertrekken voordat hij haar binnen had gelaten, dus liet hij haar binnen. Ze was nooit bij hem thuis geweest, maar nam niet de moeite rond te kijken. Ze ging in een wijnrode leunstoel zitten, ze droeg een blauwe mantel en een blauwe muts, ze had haar ogen een beetje opgemaakt en haar lange haar in een vlecht gebonden.

'Papa is dood', zei ze. 'Het gebeurde vannacht, om tien over twaalf. Ik vertel het je nu. Ik wil dat we samen de overlijdensadvertentie opstellen en die naar de krant sturen, ik wil dat je me helpt iets...' ze zocht naar woorden, 'iets moois te schrijven. Je bent altijd goed met woorden geweest, dat vonden we allebei, papa en ik.'

'FUCK YOU MAMA!' Jon opende zijn ogen en kwam met een ruk overeind toen Alma's stem door het huis, zijn slaap en zijn schaduwherinneringen heen drong. Het was halftwee geworden en hij had nog geen woord geschreven (maar hij had een dutje gedaan), en nu waren ze terug uit de stad. Siri had Liv en Alma mee uit winkelen genomen en gezegd dat hij nergens aan hoefde te denken, hij zou de rust krijgen om te schrijven, had ze gezegd – en nu had hij de hele ochtend gelanterfant. Deze dierbare uurtjes alleen – verspild. Siri had gezegd: Ga zitten en schrijf! Vergeet de kinderen! Vergeet Alma en de schaar en vergeet Jenny! (*Vergeet Mille.*) Ik regel alles! Denk aan je werk. Het komt goed. En nu – verspild. Dit geschenk. Deze uren. Wat had hij gedaan? Op internet gesurft. Aan die ander (die hij helemaal niet zo graag mocht) gedacht. Ja, wat had hij gedaan? Hij was gaan slapen. En nu rollen ze zijn leven weer binnen. De voordeur knalt. FUCK YOU MAMA! Gehol op de trap. Stemmen. Het geslof van de hond. Siri roept hem, gespannen. Jon! Jon! Ben je met Leopold uit geweest? Moet hij niet uit?

Wat Jon nodig had, was een lange, aaneengesloten periode voor zichzelf. Zonder kinderen. Zonder Siri. Zonder hond. Naar het vakantiehuis in Sandefjord gaan dat een kennis hem had aangeboden. Jon ging achter zijn laptop zitten en tikte erop los, zodat Siri, als ze haar oor tegen de deur hield, een waanzinnige werklust en creativiteit zou horen. Tik tik tik tik tik tik! Hij keek naar het boek dat op de schrijftafel lag. *Danish Literature: A Short Critical Survey* van Poul Borum (Det Danske Selskab, Copenhagen, 1979). Hij sloeg het open op bladzijde zeven en begon over te schrijven wat daar stond. *Preliminary Remarks: This book is a short survey of contemporary Danish Literature, preceded by an even shorter sketch of the first thousand years of Danish Literature* tik tik tik tik tik.

'Oké, dan ga ik nu met hem uit', riep Siri vanaf de gang. 'Hij moet echt nodig plassen!'

'Fantastisch! Hartstikke bedankt! Ik ben nu bijna klaar!' Tik tik tik.

Hij hoorde haar zuchten. Was ze chagrijnig? En was ze chagrijnig op hem, of lag het aan Alma's FUCK YOU MAMA? Straks zou hij haar vragen hoe het in de stad was gegaan en of ze met Alma had kunnen praten, en dan zou hij net doen of hij Alma's uitbarsting niet had gehoord, opgeslokt door het schrijven en zo, en hij zou oneindig aanwezig zijn, belangstellend, luisterend en constructief. Zijn vingers dansten over het toetsenbord. *In a significant lecture on the aesthetics of Literary influence at the second congress of the international Comparative Literature Association (reprinted in his book* Literature as System, *printed 1971), the American critic Claudio Guillén put it very succinctly: It is important ... that the study of a topic such as, say, Dutch poetry be encouraged not for charitable but for poetic reasons.*

Jon hoorde de deur weer slaan en even later loerde hij uit het raam dat uitkeek op de allee die naar de grote weg voerde, waar hij Siri en Leopold zag. Leopold trok als een gek aan de riem, hij was zo sterk als een paard, en Siri trok aan het andere eind van de riem terwijl ze haar best deed op de been te blijven. Ze was inderdaad chagrijnig.

Hij bedacht dat ze hem zou zien als ze omhoogkeek. Leopold ging zitten om zijn behoefte te doen en Siri stond er geïrriteerd bij te kijken, een zwart zakje in haar hand, vervolgens trok ze het zakje over haar hand, ze boog en pakte de drol op. Maar in plaats van weer overeind te komen bleef ze op haar hurken zitten met het zakje in haar hand en haar hoofd gebogen. Leopold drentelde om haar heen, maar ze bleef zitten, ze verroerde zich niet en even vroeg Jon zich af of ze niet in staat was overeind te komen, of ze spit had gekregen of een acute aanval van depressie, en hij wilde al naar buiten hollen om haar in zijn armen te nemen en te troosten toen ze weer opstond, ze trok aan de riem, gooide het zakje in de dichtstbijzijnde prullenbak en verdween om de hoek, half lopend, half hollend om de hijgende Leopold, die het tempo bepaalde, bij te houden.

Leopold was de wraak van alle honden op de mensen. Het is vernederend als je je hond niet onder controle kunt houden. Dat toont je zwakheid aan. Je gebrek aan wilskracht. Gebrek aan concentratie. Gebrek aan zelfdiscipline. Je bent lui. Luiheid. Een doodzonde: acedia (of accidie of accedie, van het Latijnse *acedia* en het Griekse ἀκηδία, wat achteloosheid, onverschilligheid, nonchalance of slordigheid betekende). Zoiets als een schrijver die niet schrijft. Maar een schrijver die niet schrijft kan zich, in tegenstelling tot een hondeneigenaar die geen controle heeft over zijn hond, verstoppen achter de redenering dat hij *denkt, dat literatuur tijd kost*, en hij kan het zich zelfs permitteren om geeuwend of vol verachting te reageren op collega's die elk jaar een boek uitspugen. Hij had zelf van die formulering gebruikgemaakt toen een journaliste hem vroeg waarom het zo lang duurde voordat deel drie klaar was. Een writer's block? Was het hele idee van een trilogie misschien een vergissing geweest? De journaliste was een jonge stagiaire die Marte heette. Ze studeerde literatuurwetenschap en had twee dichtbundels gepubliceerd. Jon had van tevoren besloten niet met haar naar bed te gaan, ze was zevenentwintig, had melkwitte dijen en een tattoo (dat wist hij voordat hij in het interview had toegestemd, iemand, hij weet niet meer wie, had het hem verteld), maar hij kwam op dat besluit terug toen ze hem tijdens het interview volslagen op de zenuwen werkte.

'Is een trilogie', zei Marte, 'in principe niet een constructie, iets wat je beslist voordat je gaat schrijven, misschien alleen maar om meer boeken te kunnen verkopen of aantrekkelijker te zijn voor de boekenclubs? Is het idee van een trilogie dus eigenlijk geen *literaire* keus?'

Het is onmógelijk om te doen alsof er iets anders aan de hand is als je hond aan de riem trekt, het tempo bepaalt en niet gaat zitten als jij 'zit' zegt of niet komt als jij 'kom' zegt. Het is overduidelijk dat je geen controle hebt over het dier, je bent geestelijk vet. Odysseus had zijn hond onder de duim, Argos trok niet aan de riem maar bleef geduldig twintig jaar wachten terwijl Odysseus zelf een lange oorlog voerde, de overwinning behaalde en daarna op zijn dooie akkertje naar Ithaca terugkeerde. Homerus, Shakespeare, Kafka, Pyncheon, Jules Verne, Poe en Steinbeck. Overal honden. *Literaire* honden. Tik tik tik tik. Maar Jons hond trok alleen maar aan de riem, liep weg en was volstrekt niet geschikt als literaire hond. Hij was eigenlijk volstrekt niet geschikt als hond. Jon ging weer zitten en tuurde naar het scherm.

Had Charles Olson een hond? Jon dacht van niet. Charles Olson kon doen wat hij wilde, hij schreef de hele nacht en sliep overdag, hij hield zich aan geen enkele afspraak en negeerde alles wat hem van de literatuur kon afhouden. Jon had een lange, aaneengesloten periode van tijd nodig, zonder alledaagse complicaties en onderbrekingen. Wakker worden met de roman, in slaap vallen met de roman, wandelen met de roman, eten met de roman, ademhalen met de roman. Zichzelf opsluiten. Zonder onderbrekingen. Een lange, aaneengesloten periode. En genoeg wijn. Wijn in overvloed. Schrijven, drinken, slapen. Of misschien drinken, slapen, schrijven. Gitaarspelen. Maar Siri vond dat de tijd dat mannelijke kunstenaars het zich konden permitteren om hun werk te laten prevaleren boven al het andere (kinderen, gezin, huishouding, geld), voorbij was. Het beeld van De Grote Kunstenaar die behalve zijn *kunst* overal schijt aan had, en die van zijn omgeving *bewondering* en *respect* verwachtte, vertegenwoordigde, volgens Siri dan, een gedateerde visie op het begrip kunstenaar. Dit zei ze uit ergernis over de laaiend enthousiaste recensies van een nietsverhullend boek van een eenenvijftigjarige mannelijke auteur over de noodzaak zijn vrouw en vier kinderen twee jaar lang in de steek te laten om zijn eigen levensvoorwaarden te kunnen onderzoeken – wat betekende dat in vredesnaam?

Marte de stagiaire was een van de laaiend enthousiastelingen geweest. Het boek lag zelfs op haar nachtkastje en dat irriteerde Jon. Ze had het 'compromisloos' en 'hartverscheurend' genoemd en ze had totaal geen moeite met de grote, mannelijke kunstenaarsgeest, integendeel zelfs, ze dweepte ermee, ze zocht de schrijvers op, ze schreef over hen in de krant en ze legde het boek op

Jons naakte borst als om te benadrukken hoe belangrijk ze het vond dat hij het meenam en las.

'Misschien kan het je iets geven', zei ze. 'Je inspireren. Het is echt...'

Ze wond een haarlok om haar vinger.

'Het is echt wat?' vroeg Jon vermoeid.

'Compromisloos', zei ze. 'Het is echt compromisloos.'

Jon gaf er geen antwoord op, hij ging rechtop in bed zitten en keek waar zijn kleren lagen.

'Ik heb natuurlijk al wel begrepen', zei Marte terwijl ze haar hoofd tegen zijn rug legde, 'dat je moeite hebt met schrijven.'

Maar hier was hij dus. De hond moest plassen. Liv roept *Papa, papa, ik heb mosselen voor je gezocht*. En Alma's FUCK YOU MAMA. Het viel hem op – vertederend! – dat zijn dochter *fuck you* en *mama* zonder adempauze uitsprak.

Alma had het haar van haar lerares afgeknipt. Jon probeerde het beeld van een gekortwiekte lerares met een grote neus en rode ogen te verdringen. Waarom? Ze vroegen het haar steeds weer, maar ze haalde alleen haar schouders op of zei *Ik vond dat het moest; ik was niet de enige, de hele klas wilde het; ik weet niet waarom*, of *Ze had gigalang haar*. Waar was het mis gegaan? Wanneer werd Alma een *meisje van dertien dat haar lerares aanviel*, zoals in de krant stond? Voor wie je naar door de gemeente gefinancierde sessies moest? De kinderen waren voor Siri en Jon altijd een prioriteit geweest, ze hadden zich nooit verstopt in donkere slaapkamers of verscholen achter een krant. Ze hadden van hen gehouden. Vanaf dag één – en lang voor dag één – van hen gehouden. *Jon legde zijn mond op Siri's reusachtige buik en fluisterde – met de smaak van haar huid op zijn tong – ik hou van je, Alma*. Eerst Alma, toen Liv. Hij had ze omarmd. En met ze gepraat over goed en kwaad, over het verschil tussen leugentjes om bestwil en echte leugens.

Ze hadden er de tijd voor genomen. Ze hadden hun kinderen prioriteit gegeven.

Met hen gepraat.

Over het verschil tussen leugentjes om bestwil en echte leugens, dat best een duidelijk onderscheid is, en tussen fantaseren en een stomme leugen vertellen (16-9-2008 *Opmerking voor mezelf: NB Herman R.!*)

Jon moest denken aan een gesprek zes jaar geleden, vlak nadat deel twee was verschenen. Alma was zeven jaar. Siri was zwanger. Ze wisten toen niet dat het kind in haar buik Liv zou heten. Ze zaten onder de blauwe keukenlamp en buiten sneeuwde het, dikke witte vlokken op de oneffen muren van steengrijze huizen.

'Fantasie', zei Siri, 'betekent bijvoorbeeld dat je goed verhalen kunt bedenken, dat je werelden in je hebt waar je naartoe kunt gaan en kunt verblijven, alleen of met anderen. Als papa boeken schrijft, bedenkt hij verhalen die anderen kunnen lezen en... en... dan worden het ook hun verhalen, net zoals *Pippi Langkous* en *Sjakie en de Chocoladefabriek* jouw verhalen zijn...'

'Papa schrijft geen boeken, hij doet maar alsof', viel Alma haar in de rede.

'Dat is niet waar, Alma', antwoordde Siri. 'Waarom zeg je dat? Er is net een dik boek van papa verschenen. Dat weet je toch?'

Alma haalde haar schouders op. Ze zei:

'Maar Astrid Lindgren heeft *Pippi Langkous* geschreven. Ik niet.'

'Ja natuurlijk, wat bedoel je daarmee?'

'Jij zei dat *Pippi* en *Sjakie en de Chocoladefabriek* mijn verhalen waren.'

'Wat ik bedoel,' zei Siri, 'is dat het goed is om fantasie te hebben,' ze legde haar hand op haar theekopje, 'om geen deksel op je fantasie te leggen, zou je kunnen zeggen, want de fantasie stelt ons in staat om verhalen te bedenken en ons in verhalen in te leven, ons in andere mensen in te leven, hoe andere mensen denken en voelen, en ook al zijn de verhalen misschien niet waar, we wéten natuurlijk wel dat er geen meisjes (of jongens!) bestaan die sterk genoeg zijn om een paard op te tillen, we wéten dat Roald Dahl zijn fantasie gebruikte om het verhaal van *Sjakie en de Chocoladefabriek* te bedenken, maar toch is het verhaal op een of andere manier waar, op een andere manier, bedoel ik, in jezelf.'

Alma nam een hap van haar boterham, ze keek haar moeder aan

en zei: 'Daar snap ik helemaal niks van en nu praten we er niet meer over.'

'Jawel, dat doen we wel', zei Siri terwijl ze Jon aankeek zodat hij haar zou helpen. 'Ik wil graag iets zeggen over liegen', ging ze door. 'Ik denk dat we liegen om iets te kunnen bereiken, je vertelt een onwaar verhaal omdat je de waarheid niet wilt of durft te vertellen, of omdat je iemand voor de gek wilt houden, maar het is ONTZET-TEND belangrijk om niet te liegen want de leugens die je vertelt worden een soort MUUR tussen jou en anderen, ik denk dat we andere mensen pijn doen als we liegen en we doen onszelf pijn...'

'Mag ik nog wat chocolademelk?' onderbrak Alma haar.

'Wel een beetje ingewikkeld verhaal om het verschil tussen leugens en fantasie uit te leggen', mompelde Jon terwijl hij naar het plafond staarde.

'Wat zei papa nou?' vroeg Alma.

'Papa zei niets', antwoordde Siri. Ze nam een slok thee en wierp Jon een woedende blik toe.

'Papa vindt dat mama het niet zo duidelijk uitlegt,' ging Siri door, 'en misschien kan papa het wel VEEL BETER uitleggen, ook al zegt hij nu niets. Maar Alma, het is dus niet goed om zo te liegen als jij vandaag op school hebt gedaan.'

De aanleiding voor dit gesprek, herinnerde Jon zich, was dat Alma haar juf had verteld (een verrukkelijke, net afgestudeerde onderwijzeres die Molly heette) dat ze in de pauze niet met de andere kinderen kon buitenspelen, dat ze verdrietig was en in Molly's armen moest liggen.

'Wil je in mijn armen liggen?' had Molly gezegd, en misschien een beetje bezorgd gelachen. (Hoewel ze al gewend raakte aan de heftige liefdesverklaringen van de kinderen uit de klas, vooral van de meisjes, maar ook van de jongens. Het was Molly's allereerste klas.)

'Ik wil in je armen liggen', had Alma volkomen serieus geantwoord.

'Ben je moe, Alma?'

'Nee, ik ben niet moe. Maar mama is moe.' Alma liet haar stem dalen en zei: 'Mama heeft kanker en gaat dood.'

'Wat zeg je nou, Alma?' fluisterde de jonge Molly.

'Mama heeft kanker en ze gaat dood. Eerst verliest ze haar haar. Dan

gaat ze dood. Gauw, geloof ik. Mag ik nu in je armen liggen?'

Vervolgens had Alma haar armen om haar juf geslagen: 'Zo. Ik wil bij jou zijn. Niet weggaan!'

Jon herinnerde zich Siri's stem diezelfde avond. De wanhoop. De berusting. Was het afbrokkelen toen al begonnen? Lang voordat hij ophield met schrijven, lang voor hun financiële problemen, lang voor Milles verdwijning, lang voordat Jenny weer begon te drinken?

'Maar hoe weet je wat kanker is?' fluisterde Siri toen ze onder de blauwe lamp in de keuken zaten. 'Is er soms iemand die je kent ziek, een mama of een papa?'

'Nope!' zei Alma.

'Waarom zei je dan tegen Molly dat mama kanker had en dood zou gaan?' mengde Jon zich nu ook in het gesprek.

Alma had net geleerd haar schouders op te halen.

'Weet ik niet', zei ze.

'Ik heb géén kanker, weet je', zei Siri. 'Ik ben zo gezond als een vis en ga niet dood. Niet nu. We gaan allemaal dood. Maar dat duurt nog heel lang en... het is ook niet zo dat je altijd doodgaat als je kanker hebt.'

'Ben je bang dat mama of ik dood zal gaan?' vroeg Jon. 'Vertelde je daarom dat verhaal aan Molly, omdat je bang was?'

'Nope', zei Alma.

'Maar waarom dan?' vroeg Siri.

Alma haalde haar schouders weer op. Ze zei:

'Nu praten we er niet meer over.'

Slof, slof, slof. De hond ging voor zijn deur staan en wilde naar binnen. Siri zou ook gauw komen. En Liv. Alma had zich op haar kamer verschanst of was weer naar buiten gegaan. Siri kwam hem vertellen dat Alma FUCK YOU MAMA tegen haar had geschreeuwd, ze kwam hem zeggen dat ze er elke dag tegenop zag om wakker te worden, ze kwam hem zeggen dat ze niet kon begrijpen waarom Alma een schaar had gepakt en het haar van de lerares had afgeknipt, ze kwam hem zeggen dat ze bang was voor nieuwe stukken in de krant, eerst Milles verdwijning, daarna Alma die haar lerares had aangevallen, ze kwam zeggen dat het allemaal was begonnen toen Mille in Mailund kwam, al dat grijze, dat taaie, wanhopige grijze, het was allemaal Milles fout (Jon wilde niet over Mille praten) en dan zou ze in elkaar zakken op de bank (waar hij had liggen slapen terwijl hij deed alsof hij schreef) en zeggen dat Jenny wat haar betrof net zo goed nu dood kon gaan. Jenny die nooit iets serieus nam, Jenny die dezelfde dag dat Mille verdween dronken achter het stuur zat met Alma in de auto. O nee, Jenny Brodal had alleen maar een beetje trots gelachen toen ze van het kortwieken had gehoord en ze had Alma verteld over die keer toen ze zelf dertien was en iets onvergeeflijks had gedaan. Werd ze soms seniel?

'En dat drinken', zei Siri. 'Ik weet niet of ze nu de hele dag dronken is, of wat daar allemaal gebeurt. Elke keer als ik bel, neemt Irma de telefoon op en zegt dan dat mama slaapt of buiten is of ergens mee bezig is.'

Siri zou haar handen voor haar gezicht slaan en zeggen:

'Ik kan er niet tegen. Ik kan er niet tegen. Ik kan er niet meer tegen.'

Maar wat zou je hebben gezegd als ik je vertelde dat ik die ochtend bij haar binnen ben geweest en haar dagboek heb meegenomen? Ik weet niet waarom ik het deed. Ik weet het echt niet. Het was idioot. Ze had me erover verteld. Mille vertelde me dat ze een geheim plakboek had, zo noemde ze dat. En ik was waarschijnlijk bang dat er iets in zou staan over... maar het was niets. Ik heb haar niet aangeraakt. Een kus op haar wang. Een paar vriendelijke woorden. Ze voelde zich niet op haar gemak bij ons. Dat weet je wel. Ik had medelijden met haar. Jij was voortdurend boos op haar. Ik stak het boek achter mijn riem, onder mijn dikke trui en nam het mee naar zolder, ik deed de lamp boven het matras aan en bladerde er vlug doorheen. Foto's. Citaten. Gedroogde bloemen. Plukjes gras.

Veiliger kan niemand wezen
Dan Gods kleine kinderschaar,
Niet de sterren aan de hemel
Niet de vogels in hun nest.

Weet je nog dat we dat voor Alma en Liv zongen toen ze klein waren?

Ik weet dat je 's nachts wakker ligt en je afvraagt wat er met haar is gebeurd. Niemand kan zomaar verdwijnen, zeg je. Maar dat gebeurt toch de hele tijd? Het gebeurt de hele tijd. Maar niet zomaar *verdwijnen*, zou je nog eens zeggen, tamelijk nijdig omdat ik dat verschrikkelijke dat Mille was overkomen kon reduceren tot iets wat over ons en onze privéhel ging.

'Ik heb het over verdwijnen in de *letterlijke* betekenis', zou je hebben gezegd. 'Niet in *overdrachtelijke* betekenis.'

'Mensen verdwijnen de hele tijd, ook in letterlijke betekenis', zou ik hebben gezegd. 'Dat weet je best. En op een dag gaan we het erover hebben.'

Ik bladerde er snel doorheen. Ik voelde een zekere opluchting. Niets over mij. Niets over haar en mij. Niet dat daar iets over te schrijven viel. Een kus op haar wang. Een vríéndelijke kus op haar wang. Dat was alles. Maar je weet nooit wat er in het hoofd van een ander omgaat.

Degene die in haar dagboek voorkwam, was jij! Wist je dat ze foto's van je nam en die in haar boek plakte? Onder andere een serie foto's waarop jij in de rieten stoel in de tuin van Mailund ligt te slapen.

En er waren foto's van de kinderen. Van het huis. En een van Irma die stiekem achter het tuinhuis staat te roken. Mille was blijkbaar achter Irma aan geslopen en had geprobeerd haar te fotograferen zonder dat ze het zou merken (zoals die foto's van jou!), maar Irma draaide zich net om op het moment dat Mille afdrukte. Irma ziet er woedend uit op die foto en het feit dat haar ogen vuurrood zijn van het flitslicht maakt de zaak er niet beter op.

Verder nog meer psalmen, citaten, de hele tekst van een lied van Bob Dylan dat ze kennelijk mooi vond.

What's a sweetheart like you doing in a dump like this?

Denk je aan haar moeder? Aan Amanda Browne? Waar denk je eigenlijk aan als je aan Mille denkt? Ik zou het je graag vragen, maar ik wil geen beerput opentrekken. Niet nu. Dat kan ik niet aan. Maar ik denk aan haar moeder en ik zie haar voor me, helemaal alleen, de ene nacht na de andere terwijl ze haar verdriet door het hele huis loopt uit te schreeuwen, en ik denk dat niemand haar kan troosten.

'Maar wat heb je ermee gedaan?' zou je me hebben gevraagd. 'Wat heb je met het boek gedaan, Jon? Er is geen dagboek gevonden in het tuinhuis toen de politie daar was.'

Wat zou je hebben gezegd als ik je vertelde dat ik het heb weggegooid? Dat ik die ochtend naar het bos ging, naar het groene ven en de bladzijden er een voor een uit trok, elke bladzijde opvouwde en in kleine, dunne strookjes scheurde, die ik in het water gooide?

Zou ik je dan zijn kwijtgeraakt?

'Als ik het nou eens zo opschrijf?' zei Alma terwijl ze Jon aan-keek.

29-9-2008
Hoi Eva,
Sorry voor wat er is gebeurd. Het was niet de bedoeling.
Vriendelijke groet,
Alma Dreyer, 8b

Alma praatte niet met haar moeder en haar zus. *Fuck, kut, godver-domme, hoe stom kun je zijn.* Alma had lak aan iedereen en aan de ellende die haar aan alle kanten omgaf.

'Probeer het nog eens', zei Jon en Alma schreef:

29-9-2008
Aan Eva Lund
Het spijt me wat er is voorgevallen. Het was niet de bedoeling.
Ik wens je nog een fijne herfst!
Vriendelijke groet van
Alma Dreyer

Alma ging voorlopig niet naar school. Ze was er niet welkom. In plaats daarvan was ze in de spreekkamer van een psychologe in het bijzijn van Siri en Jon door de psychologe en een vrouw van de po-litie verhoord, alsof *Noorwegen een verdomde tirannie was.* De poli-tievrouw en de psychologe zagen er identiek uit, als zusters, ze hadden allebei een grote bril, krulhaar, trillende rodewijnmonden en een kleffe schoolmelkblik. Allebei hadden ze hun gezicht sa-mengeknepen om op die manier bezorgdheid uit te drukken, ze hadden hun voorhoofd zo stevig gefronst dat je in een rimpel kon wegkruipen om je daar te verstoppen. De psychologe droeg een witte bloes en had spitse tieten.

Het lukte Alma niet om op haar vragen antwoord te geven, de psychologe was namelijk het meest aan het woord, maar het lukte Alma niet om op haar vragen antwoord te geven, niet dat ze het niet wilde, maar het lukte haar gewoon niet, ze kon geen verklaring geven voor wat er was gebeurd en bovendien brachten die tieten haar van de wijs.

'Waarom heb je het gedaan, Alma?'

Wat gedaan? Het haar van haar lerares afgeknipt? Eigenlijk was het logisch. Ze hadden het wekenlang voorbereid. De hele klas deed mee, dus dat Alma hier zat en alle schuld op zich moest nemen, was onrechtvaardig en onterecht – zoals verder alles in deze wereld. Ze zou er drieduizend kronen voor krijgen. Niemand dacht dat ze het durfde. Niemand anders durfde. Maar iedereen wilde het. Het was niet zo dat ze Eva Lund niet aardig vonden. Haar lessen Engels waren best prima. *My name is Alma. I am thirteen years old, I live in Oslo, I attend a very nice Norwegian school, my hobbies are horseback riding and reading, my mother's name is Mrs. Brodal, my father's name is Mr. Dreyer. I am a very happy pupil.*

Alma haalde haar schouders op. 'Ik heb geen idee!'

De tepels van de psychologe waren keihard, zoals die van Alma na een koud bad 's zomers in de zee bij Mailund. Als van een fotomodel in bikini. En dat mens was minstens vijftig. Het was bezopen. Ernst, ernstig, de ernst. Besefte Alma de ernst er wel van? Wilde Alma zelf iets zeggen? De tieten wezen recht naar haar. Alma zei:

'Is het niet verplicht om een bh te dragen als je kinderen verhoort? Hoort daar geen wet voor te zijn of zo?'

29-9-2008
Dear Mrs. Lund,
I am very sorry that I cut off your hair.
Sincerely, Alma Dreyer.

Alma zou nooit naar die school terugkeren. Dat stond vast. Ze was er niet langer welkom. Dat stond vast. Alma, Siri en Jon moesten binnen een *nader te bepalen tijdsbestek* met de psychologe in gesprek. Maar niet nu, want nu was het herfstvakantie en in de herfstvakantie zou iedereen de tijd gebruiken om *na te denken*. Dat stond vast. Ze zouden ook niet naar Mailund gaan. Mille verdwijnt, iedereen wordt hysterisch en dan gaat opeens niemand meer naar Mailund.

Alma wil naar Jenny. De enige mens op de hele wereld met wie te praten valt is Jenny. Niet omdat het haar oma is (ze is niet zoals andere oma's – Jenny loopt op hoge hakken, gaat nooit de deur uit zonder lippenstift op en neemt mensen serieus). Ook niet omdat ze zo oud is (ze werd vijfenzeventig afgelopen zomer, dezelfde dag waarop Mille verdween). Maar omdat ze snapt wat Alma zegt, doet en bedoelt zonder een heleboel idiote vragen te stellen. Toen Alma haar belde en vertelde dat ze de lange vlecht van haar lerares had afgeknipt en dat oma er morgen misschien iets over in de krant zou lezen, zei Jenny dat ze snápte waarom Alma het had gedaan.

'Af en toe kun je het niet laten', zei ze.

Toen Siri hoorde wat Jenny had gezegd, werd ze zo woedend dat ze Jenny opbelde en schreeuwde dat ze zich van nu af aan absoluut niet meer met Alma's opvoeding mocht bemoeien.

'Het is altijd beter om in een fatsoenlijke brief *beste* te schrijven in plaats van *hoi*', zei Jon. 'Zo bijvoorbeeld:

Beste Eva Lund...'

'Hallo! Papa! Ik schrijf geen *beste*. Niemand schrijft *beste*. We leven niet meer in de achttiende eeuw!'

De laatste keer dat Alma Eva Lund zag, keek ze vol weerzin recht in de grote, schreeuwende mond van haar lerares. De lippen verwrongen, de tong, de tanden en al dat zachte, roze vlees plus de broodkruimels in de mondhoeken. Het was meer gejank dan geschreeuw. Het duurde maar een paar seconden. Toen schoot de hand voor het gezicht, Eva hield op met schreeuwen, keek Alma aan, eerst vol ongeloof, alsof ze echt niet kon geloven wat ze feitelijk zag: kleine Alma met haar donkere ogen die een schaar in haar ene hand hield en Eva's eigen dikke, blonde vlecht in de andere. Toen kwamen de tranen. De ogen van Eva Lund vulden zich met twee meren die samenvloeiden en over haar gezicht stroomden.

Maar waarom? Het ging niet om die drieduizend kronen. Het ging er niet om dat iedereen zei dat ze niet durfde en dat ze hun dat wilde laten zien. Het ging om het lange haar, dat altijd in een lange, blonde vlecht over haar rug naar beneden hing, en dat het inderdaad mogelijk was. Dat het verbazingwekkend genoeg mogelijk was. Dag in, dag uit, week in, week uit, jaar in, jaar uit had ze in de klas naar Eva Lund en haar lange vlecht gekeken. Als Eva zich naar het bord omdraaide, was het moeilijk om naar iets anders te kijken dan naar die vlecht. Soms met een strikje eromheen, soms met een blauw zijden lintje. Hoeveel tijd zou het kosten om die af te knippen (een miljoen, twee miljoen, drie miljoen, vier miljoen, vijf miljoen), vijf seconden op zijn hoogst, met een fatsoenlijke schaar. Ze moest het doen wanneer Eva zo, met de rug naar de klas, Engelse woorden op het bord stond te schrijven *my head, my face, my arms, my hands, my tummy, my legs, my feet, my body*, ze moest naar haar toe sluipen en haar vastpakken, nee, niet haarzelf, maar de vlecht, die naar haar toe trekken en dan knip, knip, knip. Verbazingwekkend, overweldigend, mooi, mogelijk.

Alsof alles alleen Alma's fout was. Alsof niet de hele klas meedeed. Alsof Theo niet met zijn mobiel paraat had gezeten en het allemaal had gefilmd. Alsof Nora en Sofie niet dezelfde dag nog de foto's op internet hadden gezet. Alsof niet de hele klas met haar had gewed.

29-9-2008
Hoi Eva,
Sorry voor wat ik heb gedaan. Ik hoop dat je haar weer snel aangroeit.
☺ *Het was niet de bedoeling. Het was niet mijn idee. Jij bent altijd een hartstikke goeie lerares geweest.* ☺☺☺ *Zowel in Engels als Noors. Vooral Noors. Het was leuk toen we korte verhalen mochten schrijven.* ☺ *Ik betreur ten zeerste wat er is gebeurd.*
Nog een goed schooljaar!
Groeten van Alma.

'Alsjeblieft niet al die smileys', zei Siri. 'Snap je niet hoe ernstig het is, Alma? Wat is er met je aan de hand?'

'We gaan er in de herfstvakantie over nadenken en praten', herhaalde Jon.

Na de sessie met de *gezusters psychopolitie* was Siri boos.

Siri was boos vanwege het bh-commentaar van Alma. Ze was boos vanwege de vlecht van Eva Lund en ze was boos omdat Alma zo'n *vreemd, onbegrijpelijk kind* was geworden. Dat laatste had Alma haar moeder tegen haar vader horen zeggen toen ze op een avond dachten dat ze sliep. Toen had haar moeder gehuild. Haar vader ook.

'Ik heb nog nooit zoiets pijnlijks meegemaakt! Zoiets ergs! Wat is er toch met je aan de hand, Alma! Je bent zo vreselijk onaardig.'

'Kun je niet gewoon om één ding tegelijk boos zijn?' zei Alma kalm.

'Ik ben boos op jou OM ALLES TEGELIJK, Alma! Wat is er met je aan de hand?'

Voor de derde keer zei Jon dat ze een beetje kalm moesten blijven en erover gaan nadenken. Toen zei Siri dat Jon een slappe zak was die er de ernst niet van inzag en dat als hij het woord nadenken nog één keer zou gebruiken, zij hem een schoenzool in zijn strot zou duwen.

Alma had niet *onaardig* willen zijn. Ze wilde graag aardig zijn. Maar het was haar tijdens de sessie gewoon ontglipt. De spitse tieten onder de witte bloes hadden hun eigen leven geleid en haar in de war gebracht. Alma had niet brutaal willen zijn. Ze had het eigenlijk oprecht als vraag bedoeld: is er geen wet die vrouwelijke psychologen voorschrijft dat ze hun tieten zodanig moeten bedekken dat ze niet recht naar voren steken en naar mensen wijzen? Het gaat er toch om dat al die gekken met wie psychologen dag in, dag uit praten op zo min mogelijk rare gedachten kunnen komen? Maar haar vraag werd door de aanwezigen niet echt als *constructief* opgevat.

'Ik heb niet de indruk dat deze bespreking iets constructiefs oplevert', zei de politievrouw, ze stopte wat papieren in een map en sloeg die met een klap dicht.

Ze keek Jon en Siri aan.

'Ik stel voor dat we na de herfstvakantie opnieuw een afspraak maken en dat we de komende twee weken gebruiken om erover na te denken.'

Ze keek Alma aan.

'En voor jou, Alma, wil ik nog eens herhalen hoe ernstig deze gebeurtenis op school is en hoe hoog wij van de politie dit opnemen. Je hebt een ander mens op grove wijze gekwetst, je hebt een ernstig misdrijf gepleegd, weet je wat dat betekent? Dat wil zeggen dat jij als je ouder was, een straf van twee jaar zou kunnen krijgen. Nu heb ik het over gevangenisstraf. Het is uitermate treurig dat je hier zit te *railleren*. Ik ben teleurgesteld en verdrietig over de resultaten van deze bijeenkomst.'

Alma wist niet wat *railleren* betekende. Maar ze vond het een mooi woord.

De psychologe had geen woord meer kunnen uitbrengen. Daarom nam de politievrouw de taak op zich om teleurgesteld en verdrietig te zijn en te praten over de correcte resultaten van constructieve bijeenkomsten. Maar de psychologe (die maar praatte en praatte, praatte en praatte, praatte en praatte) had plotseling geen woord meer kunnen uitbrengen toen Alma het over haar tieten had gehad.

Nu heb ik het laatste woord, dacht Alma, maar ze zei het niet.

Almachtige Alma railleert altijd ergens anders dan in Albury Australië.

Het laatste woord hebben betekent dat je altijd wat terug kunt zeggen of een ander kunt verbeteren zodat anderen niet meer weten wat ze moeten zeggen. Tijdens Noorse les hadden ze het sprookje behandeld over een prinses die altijd het laatste woord moest hebben en toen had Eva Lund het woordenboek gepakt en voorgelezen: 'altijd wat terug te zeggen hebben, altijd nog wat toe te voegen, te verbeteren hebben, bij hetgeen een ander zegt'. Alma had het mooie omschrijvingen gevonden, al begreep ze misschien niet helemaal wat *bij hetgeen een ander zegt* betekende. Vervolgens had Eva Lund de klas verdeeld in groepjes van twee of drie en was ze een spel begonnen waarbij iedereen moest proberen het laatste woord te hebben.

Na het voorval met de schaar stond Alma in alle kranten en op internet. In *Dagbladet* stond ze op de voorpagina, als deel van een serie over geweld op Noorse scholen: *13-jarige berooft lerares van vlecht*, stond er in chocoladeletters, en verderop in de krant stond:

De vlecht was de trots van de 52-jarige lerares. Maar aan dat product van levenslange spaarzaamheid kwam abrupt een eind toen een 13-jarige leerling tijdens de Engelse les ten aanval ging en het haar 42 centimeter korter maakte.

29-9-2008
Hoi Eva Lund,
Mijn moeder en vader, de politie en de psychologe, de rector, de
leerlingen en de collega's en alle mensen in het Noorse land zeggen
dat ik je een brief moet schrijven om je mijn excuses aan te bieden.
Hierbij bied ik mijn excuses aan. In de krant stond dat je vlecht
42 cm lang was.
Groeten van raillerende railloerende raillierende Alma Dreyer, 8b.

Siri en Jon moesten naar de kamer van de rector om Alma uit school op te halen. Er werd geen woord gezegd. Het viel Alma op dat Siri onzeker was tegenover de rector. Mama, die altijd en overal wist wat je moest zeggen en doen en die altijd een glimlach op haar gezicht kon toveren. Dat zeiden de mensen over Siri.

Maar toen Siri en Jon na dat gedoe met de schaar de kamer van de rector binnenliepen, kon Siri geen glimlach op haar gezicht toveren. Siri was in de war. Alma kon niet weten dat Siri werd overweldigd door herinneringen en dat ze, toen ze de blik van de rector en Alma's afgewende gezicht zag, moest terugdenken aan het moment dat Alma zes was en voor het eerst naar school ging.

Siri, Jon en Alma stonden buiten op het schoolplein te wachten totdat Alma's naam werd afgeroepen. Alma, gekleed in een rood-witgeruite jurk en een blauwe spijkerbroek, met haar korte, donkere haar en haar glanzende donkere ogen, de grote, nieuwe rugzak op het smalle vioolvormige ruggetje. Ze herinnerde zich Alma's handje dat zich aan haar hand vastklampte. Toen de rector Alma's naam afriep, stak Alma haar armen uit naar haar moeder en fluisterde in haar oor: *Ik durf toch wel. Laat mijn hand los.* Vervolgens liep ze alleen het plein over, naar de juf en de rector, ze groette beleefd en sloot stilletjes aan bij de rij kinderen.

En nu zijn we hier, dacht Siri terwijl ze naar haar dochter keek die in de rieten stoel in de keuken zat en weigerde met haar te praten. *Dit vreemde kind. Wanneer is dat gebeurd? Wanneer zijn we haar kwijtgeraakt?*

29-9-2008
Hoi Eva
Sorry dat ik je haar heb afgeknipt. Ik hoop dat het snel weer aangroeit
en dat je nog een fijne herfst hebt.
Vriendelijke groet Alma Dreyer, 8b

Jon en Siri draaiden om elkaar heen, alleen, alsof ze ieder op een andere planeet waren en van dat vreemde kind hielden. En kleine Liv met haar blonde lokken sprong van planeet naar planeet en zong een liedje dat ze zelf had bedacht.

Siri zat op de keukenstoel te huilen en riep naar haar dochter:

'Snap je nu echt niet dat je haar die brief pas kunt sturen als je laat zien dat je er echt, oprecht spijt van hebt, dat je het echt meent?'

Hij probeerde het met woorden.

Jon zei tegen Alma dat ze zijn oogappel was, zonder dat nader uit te leggen, want eigenlijk wist hij niet precies wat die uitdrukking betekende of waarom hij nou juist die uitdrukking gebruikte.

Dertien jaar. Klein en stomp. Kort zwart haar. Op een dag kwam hij haar bij school tegen en nam haar mee naar een konditorei om haar op warme chocolademelk en een roomsoes te trakteren. Ze passeerden een tafeltje waaraan een jonge vrouw met een baby op schoot koffie zat te drinken. De vrouw keek niet op naar Jon. Ze zag hem niet eens. Dat soort dingen vielen hem op. Aan een ander tafeltje zaten een paar jonge meisjes die omlaagkeken en giechelden toen Alma en hij langsliepen.

'Dit is onze nieuwe traditie', zei hij jolig. 'Een vader-en-dochtertraditie.'

Alma zei niets.

'Ken je die meisjes soms?' vroeg hij voorzichtig.

'Ze zitten in de parallelklas', antwoordde ze.

Twee enorme met crème gevulde soezen stonden voor hen op tafel. Zijn stem klonk iets te luid (o, wat deed hij zijn best, maar hij had geen idee waar hij met haar over moest praten) en het bejaarde echtpaar dat iets verderop koffie zat te drinken draaide zich om en de oude vrouw glimlachte.

'Wat gezellig om met je papa op stap te zijn', zei ze. Alma staarde omlaag en de oude dame keek Jon aan en glimlachte nog eens. Hij ergerde zich mateloos. Alma's zwijgzaamheid, zijn eigen luide, joviale stem, de mensen die naar hen keken, de glimlach van de oude vrouw. Het was verdomme geen toneelstuk! Toen had hij zich over de tafel gebogen en een woord uitgesproken dat hij anders nooit gebruikte: *oogappel*. Hij zei het zachtjes. Hij wilde dat ze begreep dat ze geliefd en gezien werd en dat ze zich veilig kon voelen. Maar ze strafte hem onmiddellijk af. Ze strekte haar arm over de tafel uit, stak haar nog altijd stompe kindervingertjes tussen de zijne en zei:

'Je hoeft geen speciale dingen te bedenken, papa, je hoeft niet speciaal voor mij dingen te doen en te zeggen.'

Hij verdedigde zich en zei:

'Nee hoor, Alma, ik doe dit gewoon omdat ik er zin in heb, ik wil graag dat we dingen bedenken om samen te doen en dat we onze eigen tradities maken; bovendien ben jij wel degelijk *mijn oogappel.*'

Ze viel stil, trok haar hand terug en pulkte wat aan de soes, ze kreeg crème op haar vingers die ze met een servet afveegde. Ze keek omlaag. Haar korte zwarte haar was achterovergeborsteld, zodat de kruin rechtop stond, als bij een stripfiguur, wat haar verder zo serieuze gezichtje een komisch accent gaf. Toen ze klein was, noemden ze haar Stompertje.

'Ik hou niet eens van roomsoezen', zei ze terwijl ze moedeloos haar armen spreidde. 'Veel te klef.'

Hij kreeg zin om op te staan en weg te lopen, of te huilen, of te drinken, of alles tegelijk, dit beheerste hij niet, zij wilde te veel en zelf wilde hij alleen maar dat ze hem begreep, *dat ze hem begreep*, en hem niet gewoon de hele tijd nodig had, terwijl hij op hetzelfde moment doorhad hoe onredelijk het was, die wens dat zij hem zou begrijpen. Alma was een kind, een kind dat al haar liefde in zijn handen legde. Hij zei dat ze iets anders mocht kiezen, wat ze maar wilde, de vitrine stond vol gebak, chocoladetaart en broodjes met en zonder beleg, maar terwijl hij het zei begreep hij, of misschien begreep hij het niet meteen op dat moment, maar later, dat hij er op dat ogenblik voor terugschrok te zeggen dat hij van haar hield, want dan zou ze alles wat ze in haar handen had (de chocolademelk, de roomsoes, het glas limonade, wat ook maar!) laten vallen en zich in zijn armen storten of op zijn schoot springen. Haar bewegingen waren zo explosief dat er altijd wel wat omviel, stoelen, tafels, stapels papier, glazen vazen. In haar drang hem te omhelzen lette ze niet op de dingen om haar heen.

Alma was groot geworden, net als andere meisjes, en nu was ze te groot voor zijn schoot met haar iets te brede, stompe achterwerk, haar lange, dunne armen, haar lange, dunne benen en de keiharde knikkers onder haar T-shirt waar haar borsten zouden komen, het lichaam van zijn dochter was niet meer lekker licht, warm en kinderzacht, het was iets anders, onbekends en verstorends geworden.

'We kunnen ook meteen opstappen', zei hij. 'Dan bedenken we wel een andere traditie.'

Hij keek om zich heen en zag een knappe vrouw zitten met een rode jurk, die hem deed denken aan de vuurrode klaprozen die hij op Gotland had gezien toen hij daar vele jaren geleden met Siri was geweest. Hij wierp de vrouw een glimlach toe en ze glimlachte terug.

Alma knikte.

'Een andere vader-en-dochtertraditie', zei hij.

Hij had zijn jas, muts en wanten al aangetrokken. Ze knikte weer. Haar donkere ogen onder haar pony.

'We kunnen naar het strand gaan,' zei hij, 'niet vandaag maar een andere keer. Binnenkort. We kunnen naar het strand gaan, over de zee uitkijken en vieren dat het voorjaar in aantocht is.'

Nu kon hij niet meer wachten om te vertrekken, maar Alma had veel tijd nodig om haar wanten, muts, sjaal en winterjack aan te trekken en Jon moest rustig blijven ademhalen en geduld oefenen. Hij mocht niet ongeduldig worden. Hij mocht niet ongeduldig worden. Hij mocht niet ongeduldig worden. Toen Alma kleiner was, een jaar of zes, zeven, stelde ze zich tegen het ongeduld van Siri en Jon teweer door zich het recht voor te behouden precies zo veel tijd te nemen als ze nodig had om te doen wat ze moest doen, of het nou ging om tekenen, eten, naar de wc gaan of met haar poppen spelen. Kleren aantrekken, vooral jassen en dergelijke, had bij haar altijd al veel tijd gekost. Want alles moest op een bepaalde manier en in een vaste volgorde gebeuren. De kleding moest haar lichaam op zo'n manier omhullen dat het aangenaam was om erin te lopen. Kieren en bobbels waren niet gewenst, sokken moesten goed omhoog zijn getrokken, zodat ze strak over de in een maillot gestoken voeten zaten, en haar wanten moesten ónder de mouwen van haar winterjack zitten. Dat kostte allemaal veel tijd, maar Siri en Jon wisten allebei dat het geen zin had om te zeggen dat ze zich misschien wat sneller kon aankleden of dat het misschien niet zo erg was als de wanten boven de mouwen uitstaken.

Toen Alma kleiner was, zouden dergelijke terechtwijzingen ertoe hebben geleid dat ze zich uitkleedde tot ze helemaal naakt was, om vervolgens opnieuw te beginnen. En ook nu had het geen zin om haar aan te sporen, al was ze dan ouder. Het ongeduld van Siri en Jon had hetzelfde effect op Alma als een straal zonlicht op een trol: ze versteende en bleef roerloos staan.

Alma, je komt te laat op school.

Alma, iedereen wacht op je.

Alma, het is niet erg als je wanten boven je mouw uitsteken.

Alma veegde wat onzichtbare kruimels van haar muts, ze wilde de muts niet opzetten voor ze er de kruimels van had afgeveegd, daarna schudde ze hem uit, legde hem op tafel en veegde hem opnieuw af.

Jon sloot zijn ogen en haalde diep adem. Hij opende zijn ogen en zei zacht en zo teder als hij kon:

'Denk je dat je zo klaar bent of zal ik buiten op je wachten?'

Alma bestudeerde haar muts en veegde er met haar hand overheen.

'Kun je niet hier op me wachten? Ik wil samen met jou naar buiten lopen!'

De oude dame aan het andere tafeltje keek naar hen. Ze zei:

'Gaan jullie alweer? Was de soes niet lekker?'

Jon glimlachte naar haar, maar vroeg zich tegelijkertijd af welke goede krachten hem verhinderden om tegen haar uit te vallen en te schreeuwen dat het hoog tijd werd zich met haar eigen zaken te bemoeien en anderen met rust te laten.

Alma veegde een paar kruimels van haar muts, het was belangrijk om niet rond te lopen met een muts die onder de kruimels zat, want op dat soort dingen gaven de meisjes uit de parallelklas commentaar, en toen stelde ze zich voor dat ze opkeek, met die blik die kon doden, zodat de hele konditorei in een helse chaos van omgevallen tafels en stoelen veranderde, en de hele vloer bezaaid lag met borden, bestek, kapotte glazen, soezen, taartpunten en belegde broodjes die met kleine toefjes peterselie waren versierd. Het geluid van mensen die probeerden geen geluid te maken omdat ze als de dood waren voor wat ze met hen zou kunnen doen. Staand, op hun hurken, liggend, ineengedoken en half verstopt achter een omgevallen tafel of stoel. Ze stelde zich voor hoe haar blik van het ene gezicht naar het andere gleed. De vrouw met de klaproosrode jurk. De oude vrouw met de koffiekop die anderen niet met rust kon laten. De meisjes uit de parallelklas. Papa op weg naar buiten. *Ik wil hier niet langer wachten, hoor. Ik wacht buiten op je.* De moeder van de baby. De kleine baby die niet begreep wat alle anderen dachten te begrijpen, namelijk dat een oorverdovende stilte hun enige hoop was om te overleven. De baby huilde omdat ze honger had en omdat haar moeder haar bloes niet wilde losknopen om haar de borst te geven. Alma deed haar mond open en liet iedereen, de levenden en de doden, haar stem horen. Ze riep: LAAT DIE ROTBABY ZIJN KOP HOUDEN! Haar stem was hoog en hees, alsof ze alles wat ze aan geluid overhad, moest gebruiken om exact die woorden eruit te persen.

De vrouw met de klaproosrode jurk kwam overeind en liep langzaam in Alma's richting. Ze wees op de lege stoel, die waar Jon net op had gezeten. Ze zei:

'Is die stoel vrij? Is het goed als ik die pak?'

Alma knikte.

De vrouw zei dank je wel, pakte de stoel en droeg hem naar haar eigen tafeltje. En toen gebeurde het weer. De vrouw met de klaproosrode jurk kwam overeind en liep langzaam in Alma's richting. Ze zei:

'Je snapt toch dat het kindje er niets aan kan doen dat het huilt. Niemand kan er wat aan doen. Maar ik zal je helpen. Geef me je hand.'

Alma stak haar een hand toe, de vrouw trok haar tegen zich aan en hield haar vast, Alma barstte in tranen uit en bleef maar huilen.

Alle kruimels waren nu van de muts af. Geen kruimeltje meer te zien.

'Prettige dag, hoor', zei de oude vrouw die andere mensen niet met rust kon laten.

Alma gaf geen antwoord en keek ook niet om toen ze wegliep. Mille had gezegd dat je nooit moest omkijken. Als je omkeek, ging het altijd mis. Maar toen Alma die keer in oma's auto zat, omkeek en zag dat Mille in de berm zat, zei ze *Stop!* Ze herinnerde zich duidelijk dat ze *Stop!* zei en toen *Zullen we haar meenemen?* en oma zei *Wie moeten we meenemen?* en Alma zei *Niemand, ik dacht dat ik iemand zag, Oké*, zei oma, *dan rijden we maar naar huis*, en vervolgens legden ze het laatste stuk naar Mailund af en Alma dacht eigenlijk dat oma die avond niet helemaal zichzelf was, dat ze misschien te veel had gedronken.

De meisjes uit de parallelklas giechelden, maar Alma keek niet om.

Het was meer dan vier jaar geleden, maar Siri wist nog dat het een zondag was en dat het regende, ze wist alles nog, ze herinnerde zich Jons laptop op de eettafel, opengeklapt, in het oog springend, schaamteloos uitnodigend.

Ze herinnerde zich dat ze zich over het scherm boog en las. Het was een e-mail van Jon aan een vrouw die Paula Krohn heette.

Ik denk aan hoe het zou zijn geweest, alleen jij en ik maar, 's morgens, 's middags, 's avonds, 's nachts, en ik denk aan alles wat je bent en alles wat je mij kunt laten zien en alles wat ik met jou wil doen. Je vraagt of ik ongelukkig ben, of de gedachte aan jou me ongelukkig maakt, maar louter de wetenschap dat je bestaat maakt me gelukkig (ik zie jouw gezicht voor me, jouw haar, jouw ogen, jouw stralende licht, jouw borsten, jouw buik, jouw zachte huid), maar de situatie is nu eenmaal zoals ze is – en die maakt me erg ongelukkig. Ik denk 's morgens aan je, 's middags, 's avonds en 's nachts, maar ik kan alleen maar in gedachten bij je zijn, omdat, ja, je weet wel. Omdat.

Eerst de opluchting. Alles viel op zijn plaats. Alle achterdocht werd bevestigd. *Ik ben niet gek.* Ze had gelijk gehad, ook al had hij haar keer op keer verteld dat ze zich vergiste, dat ze zich dingen inbeeldde, dat het slechts dromen en fantasieën waren, maar ze had gelijk gehad. Ze was niet gek. Het was allemaal één grote leugen.

Siri las de e-mail opnieuw.

Maar ik kan alleen maar in gedachten bij je zijn, omdat, ja, je weet wel. Omdat.

Omdat wat?

Omdat hij met Siri was getrouwd? Omdat Siri zo'n zware last was dat die met geen pen te beschrijven was? Ze hield haar adem in. Wat had ze met haar leven gedaan? Dat ze zo'n zware last was dat die met geen pen te beschrijven was of dat ze zo volkomen onzichtbaar voor hem was, zo onbeduidend, zo gewichtloos, zo vluchtig, zo gemakkelijk te vergeten, zo doorzichtig dat die zelfs geen letter waard was?

Omdat, ja, je weet wel. Omdat.

Ze las de mail nog een keer. En nog een keer. Waarom schreef hij niet: 'Omdat ik getrouwd ben met Siri en onze geschiedenis zo'n zware last is dat het met geen pen te beschrijven is' of 'Omdat ik getrouwd ben met Siri en onze geschiedenis zo onbeduidend is dat die zelfs geen letter waard is'?

Ze zei niets tegen Jon. Die avond niet, de volgende avond niet en de avond erop evenmin.

'Wat is er?' zei Jon. 'Je bent zo stil. Is er iets mis?'

'Nee, niets', zei Siri.

De volgende keer dat ze zijn mail checkte, had hij de brief gewist.

Ik zie je gezicht voor me.

Maar Siri kende de woorden uit haar hoofd, ze kon ze geblinddoekt opschrijven, ze kon ze in de kerk zingen, voor de koning voordragen, en ze weet nog dat ze zichzelf afvroeg of er wel plaats voor haar was in het land waar Jon zich bevond, het land met de naam morgen, middag, avond en nacht. Waren er sluipwegen tussen avond en nacht? Tussen morgen en middag? Tussen middag en avond?

In de maanden nadat ze de brief had gelezen, begon ze vaak de dag door de brief voor zichzelf op te zeggen, alsof het een moeilijke tekst was die ze uit haar hoofd moest leren, die ze niet mocht vergeten, ze keerde de letters binnenstebuiten, stelde zich Jon voor terwijl hij ze schreef en Paula terwijl zij ze las, de woorden losten op, veranderden en kregen een nieuwe betekenis en samenhang, afhankelijk van het punt waar ze begon en waar ze eindigde.

Ik denk aan hoe het zou zijn geweest, alleen jij en ik maar.

Als Siri iets had gezegd, zou ze misschien hebben gezegd: Dit is een koud lied. Het ergste is dat ik je niet eens kan uitleggen hoeveel pijn het doet. Je maakt afspraakjes met een ander en verheugt je erop, je liegt tegen mij, gaat met de hond uit, *Ik ga brood halen, ik ga melk halen.* Maar niemand kan je dwingen bij me te blijven en ik weet dat ik nu zou moeten vertrekken, want dit kan ik niet aan, mijn lichaam kan niet een van de vele zijn.

En ik dacht nog wel dat wij de uitzondering waren, dat wij de grote uitzondering waren, dat jij de enige was voor mij, en ik voor jou, en dat de ramp die alle anderen treft, de meest pijnlijke van alle rampen, de meest vernederende en banale, dat we daar boven verheven waren, we lachten zelfs als het anderen overkwam (de leugens, de ontrouw, de breuk, de verzoening en de nieuwe leugens in een eeuwigdurende herhaling), en dat die ons niet zou treffen. Ik wilde de enige voor jou zijn, mijn lichaam mocht niet een van de vele zijn, naakt in een rij, naakt aan het marcheren, een lichaam als alle andere, met lichaamsfuncties en lichaamsdelen, mooi of lelijk, gezond of ziek, sterk of zwak – de nudist, de atleet, de patiënt (zoals die in een ziekenhuisstatus wordt beschreven), het lijk – een lichaam als een van de vele, zonder schaamte, zonder licht, zonder geheimen, de manier waarop we elkaar aanraken, de geluiden die we maken en wat we tegen elkaar zeggen als we vrijen; maar nu is die ander de geheime, de enige, *Ik ga nog even melk halen, even brood halen.*

Op een nacht nog niet zo lang geleden – Jon kon niet slapen en ging bij Siri in bed liggen – vertelde ze hem over een wereld waar bijen verdwijnen zonder dat iemand weet waarom. (Vertel je Paula Krohn verhalen als ze niet kan slapen? Vertelt ze jou verhalen?) Ze verdwijnen in België, Frankrijk, Nederland, Griekenland, Italië, Portugal, Spanje, Zwitserland en Duitsland. Ze verdwijnen in Taiwan en de VS. De imkers zijn maar liefst negentig procent van hun kolonies kwijtgeraakt. Men zegt dat de bijen hun oriënteringsvermogen kwijtraken zodat ze hun kast niet meer kunnen terugvinden, men zegt dat de interne organen van de bijen groter worden, zo groot dat ze misschien wel exploderen en de diertjes doodgaan. De dode bijen die worden gevonden, hebben allerlei ziektes onder de leden. Maar de meeste worden niet gevonden. Miljarden bijen foetsie, verdwenen. Over de hele wereld. Hoor je hun gezoem? Ze zijn als in het niets opgelost. Ze zijn opgelost en in stof veranderd. Niet het goede stof, maar het kwade. Ze hebben zich verstopt voor jou en mij, voor alles en iedereen die ze in de loop der tijd heeft verzaakt. En niemand kan zeggen wanneer het verhaal van de bijen is begonnen of wanneer het eindigt, alleen maar dat ze verdwijnen.

'Ola had bijen,' zei Siri, 'dat weet je toch? En op een keer vond ik een Engels recept dat *Sweet bee banana bread* heette, en dat was zo lekker dat ik het steeds weer maakte, iedereen die in het restaurant aan de Frognerveien kwam eten, wilde *Sweet bee banana bread* hebben, en het geheim ervan was uiteraard honing. De honing. Ik las alles over honing. En over bijen. Ik las Vergilius, die in de vierde zang van *Georgica* over bijen schrijft, over het houden van bijen en over de bijenkolonies. "Sommigen", schrijft Vergilius, luister je, Jon? Ik doe even het licht aan om je voor te kunnen lezen, "Sommigen kenden op grond van deze zichtbare tekens bijen een goddelijke geestkracht toe en een dronk uit de aether: want de godheid – zo dacht men – zou zich verbreiden door alle landen en zeegebieden en onpeilbare hemelstreken.'"

Siri keek Jon niet aan en legde ook het boek niet weg.

'Wil je nog meer horen?' vroeg ze, maar ze verwachtte geen antwoord.

'Vergilius dacht dat de bijen onsterfelijk waren, dat ze een deel van het goddelijke waren. Een geur van tijm die opstijgt uit de honing. Zozeer worden ze gewaardeerd. Of werden ze gewaardeerd. Voordat ze verdwenen, vernietigd door ons, vernietigd door de vernietigingen. "Daaraan", schrijft Vergilius, "hebben het vee, de mannen en de wilde dieren, ieder bij zijn geboorte, de levensadem onttrokken; uiteraard worden dáár de schepsels, bij terugkeer ontbonden, teruggegeven, zij kennen geen dood, er is bij hen geen plaats voor, maar zij vliegen levend tot de status van sterren en stijgen omhoog naar de hemel.'"

Ze legde het boek weg.

'Er is bij hen geen plaats voor de dood. Wat denk je dat hij daarmee bedoelde?'

Ze verwachtte geen antwoord.

'Maar dat is er wel. Er is plaats genoeg. Overal is plaats. Zelfs in het meest triviale en steeds miniemer wordende stukje. *Ik ga nog even melk halen, even brood halen.* Het verdwijnen van de bijen kan zo veel oorzaken hebben. Wat denk jij? Een onzichtbaar gas? Insecticiden? Slecht voedsel? Gif tegen parasieten? Gemuteerde ziekteverwekkende organismen? Stress vanwege droogte – kun je je zoiets treurigs voorstellen als gestreste bijen? Genetisch gemodificeerd nageslacht? Straling van radiogolven? Er zijn mensen die denken dat terrorisme de boosdoener is. Islamisten die de Amerikaanse landbouw willen verwoesten. Hoe dan ook is hun verdwijning rampzalig.'

'Wist je', ging ze door en nu fluisterde ze, omdat hij bijna in slaap viel of deed alsof, 'dat we zonder bijen om de gewassen te bestuiven, een derde deel verliezen van het voedsel dat we eten?'

Jouw haar, jouw ogen, jouw stralende licht.

Eens, voor de tijd van de e-mail, voor Alma, voor Liv, in de tijd van de stofjassen en haar dunne heupen, had Jon Siri een brief geschreven en daarin stond: *Jouw stralende licht*. Dat zei hij ook met regelmatige tussenpozen tegen haar. Zij was licht. Zij straalde. Hij had haar nodig. Zij was de enige.

Maar die woorden (de liefdesverklaring) had hij aan anderen doorgegeven. Woorden die, wanneer je ze niet willekeurig maar op een heel specifieke manier bij elkaar zet, de som van het verhaal van Siri en Jon vormden. Maar nu had hij die woorden aan een ander gegeven. Siri was niet langer de enige. Ze was zelfs niet meer de enige die straalde. Nu luidde het verhaal als volgt (en het is niet eens een origineel verhaal, het is gewoon een uiterst banaal en pijnlijk verhaal): eerst straalde Siri. Toen straalde Paula. Jouw stralende licht. Allemaal verrotte leugens.

(Ter verdediging van Jon, de ontrouwe echtgenoot, moet worden aangevoerd dat hij een schrijver is met een writer's block. Hij had het derde deel van wat de trilogie van dit decennium had moeten worden al enkele jaren geleden af moeten hebben, maar voor wat hij wil schrijven kan hij de woorden niet vinden, het enige wat hij heeft bedacht is dat hij een 'ode aan alles wat bestaat en alles wat te gronde gaat' wilde schrijven, en dat is op de lange duur niet voldoende, zo heeft hij maar al te pijnlijk ondervonden, een ode aan alles wat bestaat en alles wat te gronde gaat is gewoon onzin. Je kunt kortom niet verwachten – het is onredelijk om te verwachten of te verlangen – dat Jon, een man met een writer's block, elke keer weer andere woorden bedenkt als hij in de ban raakt van een andere vrouw.)

Maar dat *stralende licht* kon ze hem niet vergeven.

Dat die andere vrouw haar en ogen had, was logisch. Siri had ook haar en ogen, de meeste vrouwen hebben haar en ogen, maar Jon benadrukte dat haar en die ogen niet om iets te bevestigen wat alleen maar vanzelf sprak: dat Paula Krohn haar en ogen had. Het zou bijzonder (en een heel ander en veel origineler verhaal) zijn geweest als Paula Krohn een kale vrouw zonder ogen zou blijken te zijn. Nee, Jon benadrukte het haar en de ogen om haar ervan te verzekeren dat hij haar zag: *Ik zie je. Jouw specifieke haar. Jouw specifieke ogen. Je hebt geen lichaam als zo veel anderen. Jij bent de enige.*

(In hoeverre hij vond dat Paula Krohn de enige was, is in dit verband niet interessant. Wat er in Jons hoofd omging toen hij de brief schreef, is iets heel anders dan wat er in Siri's hoofd omging toen zij de brief las. Jons liefdesbrief was hoogstwaarschijnlijk het gevolg van een tamelijk ordinaire ruilhandel waarbij de regels voor koop en verkoop, vraag en aanbod, geven en nemen duidelijk en ondubbelzinnig waren: *Je bent gezien en door mij beschreven. Kun je mij nu zien en beschrijven, alsjeblieft?*)

Maar die andere vrouw had niet alleen ogen en haar, ze had ook *stralend licht*; en dat had hij niet hoeven schrijven, vond Siri.

Als ze Jon had verteld dat ze de brief had gelezen, dat ze bijna instortte en niet in staat was overeind te komen, als een marionet, dat het fysiek pijn deed, een zware, koude pijn, alsof ze gedwongen was stenen door te slikken, dan had ze misschien gevraagd:

'Stralen we gelijktijdig, die Paula Krohn en ik, als de tweelingtorens op Thacher Island? Of hield ik op met stralen op het moment dat Paula Krohn ermee begon? En over hoeveel licht hebben we het eigenlijk?'

Siri brak een glas, maar sneed zich niet. Siri was niet de persoon voor dat soort drama, dat zou de banaliteit ten top zijn. Ze wilde geen kitsch zijn. Een lichaam als een van de vele, dat zich in de hand sneed of in de voet omdat ze door haar man was bedrogen. In plaats daarvan knoopte ze haar veters zo los dat ze bijna struikelde en haar evenwicht verloor toen ze buiten liep. Niemand mocht weten dat ze was gereduceerd tot een *omdat*. Tot kitsch. Tot een banaal verhaal over een banale vrouw die zich wilde snijden. Maar ze moest toch iets doen en daarom knoopte ze haar schoenveters zo los dat ze bijna struikelde en haar evenwicht verloor, ze trok dunne kleren aan en stierf bijna van de kou toen het ging vriezen.

Als ze iets tegen Jon had gezegd, had ze misschien gezegd:

'Wat heb je haar over mij verteld? Waarom heb je mij uitgeleverd? Kan ik haar bellen, kan ik ze allemaal bellen? Paula Krohn maal Paula Krohn maal Paula Krohn tot in het oneindige, en alles tussen ons is een verrotte leugen.'

In de weken, maanden en jaren nadat Siri de brief had gelezen, werd Paula Krohn groot en machtig. Siri had haar gegoogeld en was erachter gekomen dat ze vierendertig jaar was, in een kunstgalerie werkte en in de Uelands gate woonde. Ze had 567 Facebookvrienden. Haar profielfoto was onduidelijk, op een interessante manier onscherp, ze had een plagerige blik en lang, blond haar. Paula sprak en zei: *Ik ben knap en interessant, mijn foto is niet zoals alle andere foto's, ik heb een plagerige blik, ik ben de enige.* Ja, alle knappe vrouwen, ook zij die lang niet zo knap waren maar van wie Siri dacht dat Jon ervoor zou kunnen vallen vanwege het lange haar, de smalle schouders, de mooie borsten en de plagerige blik, werden groot en machtig. Ze waren overal. In cafés. In winkels. Op Facebook. Op straat. In de sportschool. In het bos. In de golven. En allemaal waren ze de enige, en was Siri's lichaam een van de vele. Siri's blik vloog over hun gezichten en lichamen, eerst volstrekt knock-out (bedrogen, misleid, vervangen, weggeretoucheerd, buitengesloten), maar ook nieuwsgierig (als hij naar hen kan kijken, dan kan ik dat ook) en geleidelijk aan gretig, schaamteloos.

Als ze iets tegen Jon had gezegd, had ze misschien gezegd:

'Ik wil zien wat jij ziet, ontdekken wat jij ontdekt waardoor ze de enige zijn, ik wil hen met je delen, ik wil hen uitkleden, over hun zachte huid strelen, hen verscheuren, in hen wegzinken en hen je naam horen zeggen, mijn naam horen zeggen, *en ik denk aan alles wat je bent en alles wat je mij kunt laten zien en alles wat ik met jou wil doen*, ik wil hen zien vallen, ik wil voelen wat jij voelt als ze naar je kijken, als ze naar mij kijken.'

Als hij nadacht, wat hij de laatste tijd liever niet deed, zou hij niet precies kunnen zeggen wanneer Siri en hij ermee begonnen waren om apart te slapen. Zij op de slaapkamer en hij op zolder. Dat apart slapen was een tijdelijke oplossing en ze zeiden tegen elkaar dat het door de kinderen kwam, wat gedeeltelijk ook het geval was. Alma kwam elke nacht hun slaapkamer binnen en ging tegen hem aan liggen. *Hou me vast! Aai me over mijn rug! Vlooi me!*

'We kunnen niet uitsluiten', zei Jon, 'dat de oorzaak dat ik niet kan schrijven is gelegen in het feit dat ik bijna geen oog dichtdoe zolang Alma in ons bed slaapt.'

Siri draaide zich naar hem om en zei:

'Ze houdt niet alleen jou wakker, Jon. Ze wil niet alleen bij jou liggen, gisteren sliep ze tegen mij aan en was jij aan het snurken. Toen was jij degene die mij wakker hield. Niet Alma. Arme, slapeloze Jon, ammehoela.'

Haar stem klonk schril.

'Luister nou eens naar me, Siri', zei Jon.

'Hoezo, naar jou luisteren! Sta jij er ooit weleens bij stil dat ik degene ben die werkt en geld verdient, zodat jij dat verdomde boek van je kunt schrijven? Of niet schrijven?'

Zo bleven ze aan de gang.

Niet lang nadat Liv had leren lopen, kwam ook zij 's nachts hun slaapkamer binnen, maar ze stelde geen eisen omtrent aaien en strelen. Ze kwam als het donker was, ze kroop over Siri, Alma en Jon heen en ging overdwars in bed liggen zodat de anderen eruit vielen. Ze vroeg niet of het mocht, ze wilde niet worden vastgehouden of geaaid, ze wilde alleen maar slapen, maar ze nam in bed wel de meeste ruimte in. Zo verliepen de nachten. Iedereen, behalve Liv die onverstoorbaar doorsliep, werd wakker en sliep weer in, werd wakker en sliep weer in. Jon bevrijdde zich van Alma's arm en legde die naast haar neer, waarna ze weer tegen hem aankroop en haar arm om zijn hals sloeg, en Siri legde Livs hoofdje op het kussen en verschoof voorzichtig haar benen zodat ze naar het voeteneind wezen, maar dan rekte ze zich weer uit en ging opnieuw overdwars liggen.

De paar keer dat ze het bed voor zichzelf hadden, die miraculeuze nachten dat de kinderen in hun eigen bed sliepen, strekte hij zijn armen uit naar Siri, maar zijn armen waren niet lang genoeg en ze bleef liggen waar ze lag; zo bleven ze ieder aan hun eigen kant van het bed balanceren. Siri zei: 'Ik wil gewoon slapen. Alsjeblieft. Laat me met rust.'

Ze herinnerden elkaar eraan dat apart slapen een tijdelijke oplossing was en ze hadden het er vaak over wanneer ze weer samen zouden gaan slapen.

Voordat Siri 's avonds naar bed ging, tilde ze de kinderen in het grote bed en legde hen aan Jons kant.

'Dan maken ze me ten minste niet midden in de nacht wakker', zei ze en ze sloot de deur.

Jon protesteerde niet. Het was als een geschenk van hem aan haar. Een nacht zonder hem. En als hij er maar niet te veel aan dacht, dan ging het prima. Ze zouden binnenkort immers weer samen slapen.

'Ik heb het zo druk', zei ze. 'Ik schiet overal in tekort.'

In het begin bracht ze zijn dekbed naar zolder en maakte ze zijn bed op, alsof hij een koning was, en dan bracht Jon het dekbed de volgende ochtend terug en legde het weer in het tweepersoonsbed. Na een tijdje maakte ze het bed niet meer voor hem op, maar legde zijn dekbed op de trap, zodat hij het zelf mee naar zolder kon nemen.

Soms stuurden ze elkaar sms'jes.

Ik denk aan je. Ik mis je.

Ik verlang naar je.

Verlaat me niet.

Slaap lekker.

Kus.

Op een avond maakte ze een foto van het waterglas op zijn nachtkastje en stuurde hem de foto.

Het was lang geleden dat ze samen geslapen hadden, lang geleden dat ze naast elkaar gelegen hadden en elkaar verhalen hadden verteld, en Jon stuurde haar een foto van een punt van zijn kussensloop. De volgende avond stuurde ze hem een foto van een detail van een kindertekening (van Alma? van Liv?) die in het laatje van het nachtkastje lag, en toen stuurde hij haar een foto van de knoop aan het eind van het snoer van het rolgordijn op zolder. Siri stuurde hem een foto van Livs blonde krullen op het kussensloop met de kindertekeningen, en toen stuurde hij haar een foto van de jonge Siri en Jon. Zij stuurde hem een foto van haar linkerhand zonder trouwring aan haar ringvinger, ze deed haar trouwring 's avonds altijd af en was de volgende ochtend een tijd bezig hem terug te vinden (ze zocht naast de wastafel in de badkamer, op haar nachtkastje, naast het bed op Livs kamer. Had ze hem soms afgedaan toen ze een verhaaltje voorlas voor het slapengaan?) Hij nam een foto van haar trouwring die in de zolderkamer op de commode lag, ze had hem daar laten liggen toen ze zijn dekbed mee naar boven had genomen en zijn bed had opgemaakt. Ze stuurde hem een foto van de verroeste kozijnscharnieren, hij stuurde haar een foto van een kurk van een wijnfles, ze wist niet dat hij die avond de tweede fles Barolo had opengemaakt, ze wist niet dat zij niet de enige was aan wie hij 's nachts berichten stuurde, ze wist niet dat hij de volgende ochtend zijn uiterste best moest doen om niet tegen haar of de kinderen uit te vallen en op die manier de verdenking op zich te laden dat hij te veel dronk, de kater was enorm, ze wist niet eens dat het voorwerp op de foto een kurk was, het had van alles kunnen zijn, en gedurende de lange maanden waarin ze elkaar 's nachts foto's stuurden, ontstonden er een paar onuitgesproken regels, onder andere dat ze elkaar niet mochten vragen wat de foto voorstelde.

Siri stuurde hem een foto van een bruin vlekje, niet groter dan een speldenknop, met iets eromheen, misschien wel huid. Hij dacht eerst dat het bruine vlekje een sproet was. Hij voelde zich blij worden. Siri had sproeten op haar schouder, in elk geval vroeger. Hij keek naar de foto. Iets bruins. Iets wat op huid leek. Misschien een sproet.

Jon had eens een essay over de jonge Muriel Hemingway geschreven, over een scène uit de film *Manhattan* waarin ze een milkshake drinkt en Woody Allen het met haar uitmaakt. *Gee, now I don't feel so good*, zegt Muriel. Haar blik. Haar jeugdigheid. Haar ernst. En hoe dat zo volstrekt verrassend op hem overkomt. Op

Woody Allen, die in de film Isaac heet. Dat liefde bestaat.

Toen Siri het essay las, zei ze:

'Maar juist het eind maakt indruk, Jon, het eind van de film, haar laatste repliek. Ze gaat op reis. Ze zal lang wegblijven. Hij wil niet dat ze weggaat, maar nu is het te laat. En dan zegt zij met die stem van een kindvrouwtje: *You got to learn to have some faith in people.*'

Jon stuurde haar een foto van de videohoes van de film *Manhattan*.

De videocassettes lagen in stapels op zolder. Ze hadden ze niet weg kunnen gooien toen de dvd's kwamen, ze waren zo trots op hun videoverzameling en Jon stelde voor om ze een keer mee te nemen naar zijn zolderwerkkamer in Mailund om ze daar allemaal op te slaan, samen met grammofoonplaten, de boeken en de rest van de spookdingen.

Siri stuurde hem een foto van haar rechterhand, ze klaagde af en toe over haar handen, dat ze zo droog waren en vol uitslag, dat haar nagelriemen gesprongen en gescheurd waren en pijn deden. Op haar nachtkastje stond een potje dure, welriekende handcrème waarmee ze haar handen elke avond inwreef en op een nacht stuurde ze hem een foto van dat potje handcrème.

En Jon nam een foto van zijn gezicht en stuurde haar die, met daaronder de tekst:

Mag ik bij je komen slapen? Ik verlang naar je. Ik kan je verhalen vertellen.

Maar Jon kreeg geen antwoord. Na een tijdje te hebben gewacht, meer whisky te hebben gedronken – hij was op whisky overgegaan, van rode wijn kreeg hij hoofdpijn – na Steve Forbert op YouTube te hebben gezocht en gevonden, na op YouTube naar Steve Forbert te hebben geluisterd en na nog meer whisky te hebben gedronken pakte hij zijn mobiel en stuurde een nieuwe sms.

Kun je me niet antwoorden? Ik wil bij je zijn. Ik wil niet meer op zolder liggen.

Hij staarde naar het plafond. Geen antwoord. Ze kon de pot op! Waarom moest het zo moeilijk zijn? Waarom lag hij hier als een banneling op zolder? Waarom konden ze niet gewoon in hetzelfde bed liggen en seks hebben? Was het onredelijk om een beetje gewone tederheid, intimiteit en lichamelijk contact te willen? Waarom moesten hun gesprekken over alles gaan behalve seks, en wanneer ze het dan eindelijk over seks hadden, over alles wat er vóór de seks moest gebeuren? Het huishouden, bijvoorbeeld. Verantwoordelijkheid. Hij moest meer verantwoordelijkheid nemen. Gevoel. Hij miste empathie. Ze kon niet op hem vertrouwen. Hij had geen overzicht. Kinderen. Ze putten haar uit. Werk. Ze was overwerkt. Geld. Hij kreeg het boek nooit af. Ze konden niet alleen van haar inkomen leven. Hij moest een baan zien te vinden net als al die andere schrijvers die geen geld verdienden met hun boeken of die hun boeken niet afkregen. Vandaag had ze letterlijk gezegd:

'We moeten toewerken naar een evenredige verdeling van plichten en privileges.'

'Oké', antwoordde hij en opeens begon hij te schreeuwen. 'Hoeveel is een wip waard? Zeg het me maar, dan zal ik betalen. Het hele huis stofzuigen? Elke dag koken? Werkdagen van acht uur? Moet ik een bestseller schrijven? Het afval sorteren? Bij de volgende verkiezingen op de Arbeiderspartij stemmen? Zeg het maar! Hoeveel is een wip met jou waard?'

Hij keek op zijn mobiel. Geen antwoord. Ze kon de pot op. Hij maakte een nieuw bericht. Ditmaal aan Karoline.

Ik ga een paar dagen weg om te schrijven, ik heb een huisje in Sandefjord kunnen lenen. Kun je komen? Ik verlang naar je.

Het antwoord kwam snel.

Wanneer?

Hij was eigenlijk niet van plan geweest om weg te gaan om te schrijven, niet nu, misschien na Pasen een keer, en hij was in geen geval van plan om Karoline mee te nemen, ze miste charme, ze verveelde hem, hij had zich eigenlijk voorgenomen om aan de hele toestand een eind te maken, het duurde nu al bijna een jaar en hij had er genoeg van, en het feit dat Karoline en Kurt goede vrienden van hen waren was ook nogal problematisch.

Wat hij had gedacht toen hij het aanbod kreeg om een huisje in Sandefjord te lenen, was dat het fijn was om een tijdje alleen te zijn, hij had een lange, aaneengesloten periode nodig. Zich afzonderen. Zonder onderbrekingen. En genoeg whisky. Alleen. Zonder Siri. Zonder kind, Zonder hond. Hij nam een slok en sms'te:

Over twee weken. Kun je je vrijmaken?

Ze antwoordde snel. Dat deden ze allemaal (behalve Siri, die in het tweepersoonsbed haar benen tegen elkaar aan klemde). Hij stelde zich een compleet stadje voor vol slapeloze, eenzame vrouwen die 's nachts met hun mobiel bezig waren en hem sms'ten. Het was een opmonterende en tegelijk deprimerende gedachte. Zijn mobiel piepte.

Kurt moet over twee weken naar de VS ☺ dus ik denk dat ik wel kan. Nog even met moeder checken ivm oppas.

Jon keek naar Karolines bericht. Hoe oud was ze eigenlijk? Hij telde op zijn vingers. Twee jaar jonger dan hij. Negenenveertig? En dan nog een smiley in een sms gebruiken alsof ze een klein meisje met staartjes was. Een kleine Lolita. Een lekker hapje. Hij lachte luid. Dit was verschrikkelijk. Een *smiley*. Niet alleen miste ze charme, ze was ook nog eens oliedom. Hij tikte in:

Ik wil nergens met je naartoe en ik wil je nooit meer spreken. Je hebt geen charme, je bent pathetisch, belachelijk, lelijk en saai en ik vind het vreselijk om met je te slapen, met die verwelkte kut van je, je stinkt en je doet me denken aan alles wat zo verachtelijk is aan mij en aan de hele verrotte maatschappij. ☺ Jon.

Hij las het bericht door. Ja, zo was het precies! Vervolgens drukte hij op *delete*. Wat maakte het trouwens uit? Waarom kon hij

218

niet met Karoline naar Sandefjord gaan? Hij kon net zo goed wel met Karoline naar Sandefjord gaan als niet. Karoline wilde tenminste wel neuken. Ze wilde hem tenminste wel hebben. De mobiel piepte weer. Wat een enthousiasme, die kleine Karoline. Hij las het bericht.

Jon – denk je er wel aan dat alles wat je doet consequenties heeft? Altijd.

Jon schrok. Wat was dit? Had hij die verwelkte-kut-sms toch aan Karoline gestuurd? Hij keek naar de fles whisky. Wat had hij verdomme gedaan? Het zweet brak hem uit. Hij checkte de *verzonden berichten*. Nee, hij had het niet verstuurd. Hij checkte de *gewiste berichten*, en daar stond het. Hij had het niet verstuurd. Hij wiste het bericht nogmaals en antwoordde bevestigend toen zijn mobiel hem vroeg of hij zeker wist dat hij dit bericht wilde wissen. Hij keek naar het bericht dat hij net had ontvangen.

Jon – denk je er wel aan dat alles wat je doet consequenties heeft? Altijd.

Hij keek naar het nummer waar het bericht vandaan kwam. Hij herkende het niet. Was het Siri die hem sms'te vanaf een andere telefoon? Een telefoon waar hij niets van af wist? Had ze hem door? Hij voelde de whisky omhoogkomen en moest de hand voor zijn mond houden om niet over te geven. Hij proefde de smaak van bloed en braaksel in zijn mond. Hij haalde adem. In en uit. In en uit. In en uit. Het ging goed. Hij hoefde niet over te geven. Hij ging niet dood. Het was niets. Hij was toch hier? Thuis, in zijn eigen huis. Hij was nergens anders. Maar had Siri op een of andere manier de nachtelijke sms-ontwikkelingen gehackt en hem een bericht gestuurd vanaf een mobiel waar hij niets van af wist? En waarom had ze een mobiel waar hij niets van af wist? Jon toetste het nummer in van de zoekdienst maar kreeg geen treffer. Toen kreeg hij een nieuw bericht.

Alles wat je doet heeft consequenties. Altijd. Altijd. Altijd. Altijd. Altijd.

Hij sms'te:

Wie ben je?

Hij hoefde niet lang te wachten.

Ik weet wie ik ben en ik weet wie jij bent. Jij hebt niet alles verteld wat je weet over haar verdwijning. Groeten, Amanda

Het was bijna een jaar geleden sinds haar verdwijning. In de zomer van 2009 waren Jon, Siri en de kinderen welgeteld vier dagen in Mailund geweest toen ze hun biezen pakten en weer naar Oslo terugkeerden. Jenny en Irma bleven 's nachts op, dronken rode wijn en wilden niets met de rest van de familie te maken hebben. De twee dames bevonden zich ofwel in Jenny's deel van het huis (de eerste verdieping) ofwel in Irma's deel (het souterrain) en toen Liv niet tot bedaren te krijgen was nadat ze op een vroege juniochtend in de keuken op een ladderzatte Jenny was gestuit, zei Siri dat ze niet langer wilde blijven. Ze moesten vertrekken. Het hele huis herinnerde hun aan Mille. Dat was de eigenlijke reden, ook al zei niemand dat. Haar verdwijning was overal. In de keuken, in de badkamer, op de bank, in de kussens van de bank, langs de plinten en de deurkozijnen, in het tuinhuis, in de bloemenwei achter het huis, in de moestuin, onder de esdoorn, in een zwartgestippelde bikini. In het witte bloemperk. *Die witte pioen in je haar, die komt uit een van mijn perken. Je vernielt ze.*

Siri vroeg Pepper, de chef-kok van het restaurant in Oslo, of hij die zomer naar het zuiden wilde gaan om zich om *Gloucester MA* te bekommeren. In dat geval kon zij in Oslo in de keuken staan en Kajsa Tinnberg daar de praktische zaken laten regelen. Ze stelde eigenlijk voor dat Pepper en zij van rol wisselden. Pepper vond het prima.

En Jon? Tja, hij had de zomer gereserveerd om te schrijven en nu was er geen uitweg meer. Het boek moest af! Jon had een nuttige bijeenkomst gehad met de redacteur, Gerda, en de hoofdredacteur, Julian. Iedereen vond dat het een nuttige bijeenkomst was geweest. Ze hadden zelfs een fles wijn gedeeld, aangezien het vrijdagmiddag was en ze in de Bibliotheekbar van hotel Bristol hadden gezeten. Iedereen was het erover eens dat het derde deel van de trilogie half oktober 2009 moest verschijnen en dan moest hij het manuscript uiterlijk medio augustus inleveren.

'Writer's block of geen writer's block, dit boek komt gewoon uit', zei Jon en hij lachte hard. Veel harder dan Gerda en Julian. Hij had hun willen laten zien dat hij in staat was de spot te drijven met zijn eigen writer's block en met heel die onaangename situatie die de afgelopen jaren was ontstaan, namelijk dat hij: 1. de uitgeverij een boel geld schuldig was en 2. nooit een manuscript inleverde.

Gedurende de winter en het voorjaar was het iets beter gegaan. Hij had twee goede weken in Sandefjord gehad. Daar had hij over zee zitten uitkijken en daadwerkelijk een flink stuk geschreven, behalve dan toen Karoline het eerste weekend langskwam omdat ze over hun verhouding wilde praten. Het was namelijk zo dat ze zich afvroeg of ze Kurt niet beter alles kon vertellen, waarop Jon antwoordde dat het volgens hem echt beter was van niet. Jon had Siri en Karoline had Kurt, ze waren allemaal goede vrienden en zij moest nu geen roet in het eten gooien of de boel om zeep helpen of hoe de correcte uitdrukking ook maar mocht luiden. Eigenlijk had hij aan de hele toestand een eind willen maken, maar hij kreeg het gewoon niet voor elkaar.

De sms'jes van de moeder van Mille bleven komen, soms zaten er maanden tussen, soms dagen. Meestal kwamen ze als hij er eindelijk in was geslaagd alles te verdringen.

Vandaag is haar verjaardag. Ze is twintig. Ik loop door het huis om haar te zoeken. A.

We kunnen bijna niet over haar praten. A.

Heb je ons niet iets te vertellen, Jon? Is er iets wat Siri en jij verzwijgen? A.

Een keer had hij haar geantwoord en gevraagd of ze samen koffie konden drinken en wat praten, hij was opgelucht toen hij niets hoorde.

Jon had zich voorgesteld dat hij zijn boek die zomer in Mailund zou afmaken, maar toen Siri plotseling, na vier dagen, alle plannen wijzigde en bovendien de tijdrovende rol van chef-kok in haar eigen restaurant in Oslo overnam, had hij een beetje het gevoel alsof het nu over en uit was met het schrijven. In elk geval in juli. Toen moest hij de hoofdverantwoordelijkheid van de kinderen op zich nemen. Dingen verzinnen die ze in de zomervakantie in de hoofdstad konden doen. Dit alles probeerde hij Gerda uit te leggen toen hij haar in augustus belde om te zeggen dat hij haar maar weinig nieuws kon laten zien en dat hij opnieuw om uitstel moest vragen. Gerda nam dit voor kennisgeving aan, maar Jon merkte dat ze eigenlijk geen tijd had om te luisteren naar wat hij allemaal te melden had over Siri en het restaurant, de kinderen, de hoofdstad, de zomervakantie enzovoort. Gerda was in feite nogal kortaf geweest tijdens het telefoongesprek.

In oktober vertrok Jon in zijn eentje naar Mailund om de dakgoten schoon te maken. Hij had nooit eerder dakgoten schoongemaakt, maar wonderlijk genoeg belde Irma hem op zijn mobiel met de vraag of hij misschien tijd had om naar Mailund te gaan en de dakgoten schoon te maken. Jon was uiteraard verrast dat Irma hem zomaar belde. Ze hadden elkaar nooit via de telefoon gesproken of veel woorden met elkaar gewisseld, ook al hadden ze dan vele, vele zomers in hetzelfde huis doorgebracht. Maar zij woonde in het souterrain en geen van beiden hadden ze behoefte gehad om iets met elkaar te maken te hebben. Hoe dan ook: de dakgoten.

'Waarom bel je mij?' vroeg Jon.

'Nou, omdat Ola hier geweest is en gezegd heeft dat we nu de dakgoten moeten schoonmaken', zei Irma.

'Kan Ola dat niet doen?' vroeg Jon. 'Of anders jij?'

'Ola is te oud', zei Irma. 'En ik ben te groot en te zwaar, ik heb hoogtevrees. Ik weet niets van dakgoten.'

'Nee, maar ik eigenlijk ook niet', zei Jon.

'Ola zegt dat er bladeren en takken in de dakgoten liggen en hij denkt dat ze kunnen barsten als het na een vorstperiode weer gaat dooien.'

Siri zei dat Jon móést gaan. Dit was een toenadering van Jenny en Irma. Op zo'n toenadering moesten ze wel ingaan. Siri was bang dat haar moeder plotseling op een dag op haar doodsbed zou liggen zonder dat Siri erbij was of, nou ja, erbij was, en dat kon elk moment gebeuren nu mama zo veel dronk en rare dingen deed.

Dus googelde Jon op 'schoonmaken van dakgoten' en vertrok

naar Mailund, hij sliep op de zolderkamer en maakte de dakgoten zo goed mogelijk schoon en toen hij daar eenmaal was, vroeg Irma of hij ook nog een paar andere kleine klusjes kon doen. Hij bleef er drie dagen, maar kreeg Jenny en Irma nauwelijks te zien, wat hem uitstekend uitkwam. Tussen de praktische verrichtingen door lukte het hem op de zolderkamer zelfs een paar bladzijden te schrijven en hij bedacht dat het prettig was om een paar dagen weg te zijn. Af en toe stond hij uit het zolderraam naar buiten te kijken, naar de bloemenwei die 's ochtends met rijp was bedekt en dan gebeurde het wel dat hij aan Mille dacht. Maar hij wilde niet aan Mille denken. Hij wilde niet aan Mille denken en niet aan de brief die hij nooit aan de ouders van Mille had kunnen schrijven en hij wilde er al helemaal niet aan denken dat hij haar die avond misschien had kunnen redden als hij met haar had afgesproken, zoals ze had voorgesteld. *Ik maak vanavond een ommetje door het dorp mocht je zin hebben om het feest te verlaten en een glas wijn met mij te drinken.*

De laatste avond liep hij met Leopold de lange weg af naar de haven en de winkel. Meestal gingen ze in het bos wandelen, maar Jon wilde een paar biertjes en wat pinda's kopen. Het was 's avonds al behoorlijk donker en het scheelde niet veel of Leopold en hij kwamen in botsing met een jongen van een jaar of tien die hun in een woeste vaart op zijn fiets tegemoet kwam.

'Hé, pas een beetje op,' riep Jon, 'je moet uitkijken.'

De jongen, die Simen heette, bleef staan en keek om zich heen.

'Jij bent Jon Dreyer', zei hij, onaangedaan door Jons poging een strenge stem op te zetten. 'Jij bent toch die schrijver?'

'Dat klopt', zei Jon, en hij lachte een beetje. 'Hoe weet je dat, trouwens? Ik neem toch aan dat jij mijn boeken niet leest.'

'Nee, dat is zo,' zei Simen, 'en mijn vader ook niet, hij heeft geprobeerd een boek van jou te lezen, maar hij vond het saai. Mijn vader houdt van boeken die echt gebeurd zijn. Maar mijn moeder vindt jou wel leuk. Ze heeft al je boeken gelezen. Maar mijn moeder zegt dat je nu al heel lang geen boek meer hebt geschreven. In Oslo zit ze in een leesclub, samen met vijf andere vrouwen, en een keer hebben ze een boek van jou gelezen, geloof ik. Ze heeft het over jou gehad omdat jij 's zomers in Mailund woont. Dat je een soort buurman bent. Je bent toch de vader van Alma?'

Jon knikte.

'Alma paste vroeger wel op mij toen ik klein was. Dat is lang geleden.'

'Ja', zei Jon. 'Nu weet ik het weer, geloof ik.'

'Maar deze zomer waren jullie er niet', zei Simen.

'Nee, we waren er niet', zei Jon. 'We waren er vier dagen, maar toen...'

Hij onderbrak zichzelf. Het was niet nodig om altijd maar overal een verklaring voor te geven en zeker niet aan die jongen. Zijn mobiel piepte en Jon haalde hem tevoorschijn.

Ze had nog zo veel plannen. A.

'Ik ben supporter van Liverpool', zei Simen. 'En jij?'

Jon stak zijn mobiel weer in zijn zak en zei:

'Ik ben ook supporter van Liverpool, maar de laatste tijd wat minder.'

Tijdens dit gesprek fietste Simen om hem heen. Steeds maar rond. Hij fietste net zo makkelijk als hij praatte, hij fietste makkelijker dan hij praatte, misschien was het zelfs zo dat hij door zijn fiets praatte en door zijn fiets ademhaalde, dat hij één was met zijn fiets. Zo was het. Jon liep door en Simen en zijn fiets cirkelden om hem heen terwijl ze de weg volgden.

'En jij kent Irma ook', zei Simen.

Jon was verbaasd over de wending die het gesprek nam, maar antwoordde bevestigend, inderdaad, hij kende haar aangezien Irma samen met Jenny in Mailund woonde.

'Ze heeft een keer naar me gesist', zei Simen. 'Ik had helemaal niets verkeerds gedaan. Gewoon wat rondgefietst net als nu. Ik was niet eens bij haar in de buurt met mijn fiets en opeens pakte ze mijn stuur beet en siste naar me.'

Simen stak zijn arm uit naar Jon en pakte zijn arm stevig vast om te laten zien hoe het was gegaan.

Jon knikte langzaam.

'Ik bedoel maar, ik had van mijn fiets kunnen vallen', zei Simen.

'Misschien was ze bang', zei Jon. 'Misschien dacht ze dat je haar zou aanrijden.'

Simen schudde zijn hoofd.

'Nee hoor, ze was niks niet bang.'

Simen en zijn fiets steigerden een beetje, misschien om Jons volle aandacht te trekken.

'Heb je gemerkt dat ze straalt?' zei Simen.

'Dat ze straalt?' vroeg Jon. 'Hoe bedoel je dat?'

'Dat ze licht geeft in het donker', zei Simen. 'Ik weet niet hoe ik het moet uitleggen.'

Hij reed in een perfecte cirkel om Jon heen.

'Jij bent schrijver', voegde hij eraan toe. 'Leg jij het maar uit.'

'Ik heb weleens gedacht', zei Jon, 'dat ze het gezicht van een engel heeft. Misschien straalt ze daarom wel, als ze dat inderdaad doet. Ik vind dat ze op de engel Uriël lijkt, van het schilderij *Madonna in de grot* van Leonardo da Vinci.'

'Irma lijkt nauwelijks op een engel', viel Simen hem in de rede, blijkbaar nijdig dat Jon zoiets onnauwkeurigs kon voorstellen. 'Ze is heel groot. Ze is vast de grootste vrouw van Noorwegen. Ze is langer dan Peter Crouch.'

'Wie is Peter Crouch?' vroeg Jon.

Simen remde abrupt en keek Jon aan.

'Ik dacht dat je zei dat je supporter van Liverpool was.'

'Wat ik zei,' zei Jon, 'is dat ik voor Liverpool ben, maar dat ik het niet meer zo goed volg. Speelt Peter Crouch bij Liverpool?'

'Nee', zei Simen met een zucht. 'Hij zit nu bij de Spurs, maar hij heeft vróéger bij Liverpool gespeeld. *He's big, he's red, his feet stick out of the bed.* Snap je?'

Jon schudde zijn hoofd.

'Hij is héél erg lang. Net als Irma.'

'Ja, dat zei je al', zei Jon. 'Ik ben het met je eens dat ze heel lang is. Toch vind ik dat ze het gezicht van een engel heeft en dat engelen niet per se klein en lief hoeven te zijn. Zoals in de kerstboom. Of wat vind jij, Simen?'

'De grap is', viel Simen hem in de rede, 'dat ze straalt. Ik vroeg me gewoon af of je dat was opgevallen.'

'Dat ze een soort inwendig licht heeft, bedoel je?' vroeg Jon onzeker.

'Nee, dat bedoel ik niet', zei Simen. Hij dacht een ogenblik na. 'Ze geeft licht in het donker. Dat weet ik. Ik heb het gezien. Net alsof ze een vlammenwerper heeft doorgeslikt.'

'Net alsof ze een vlammenwerper heeft doorgeslikt', herhaalde Jon.

'Ja, precies', zei Simen. 'Precies zo was het.'

V

Eén uur met: omelet!

De definitieve ouderdom kwam snel en doeltreffend. Wie had kunnen denken dat boekhandelaar Jenny Brodal op haar oude dag haar spraakvermogen en verstand zou verliezen?

Op een dag vroeg in het voorjaar van 2010, bijna twee jaar na Milles verdwijning, viel Jenny op een stuk ijs terwijl ze op weg was naar de kapper (of was ze gewoon dronken?) en brak haar heup. *Als de eerste de beste bejaarde vrouw!* Daarna was ze gebonden aan een rolstoel en begon ze steeds weer dezelfde verhalen te vertellen, mensen kwamen niet langer op bezoek en na verloop van tijd belden ze ook niet meer op. Ten slotte verloor Jenny haar verstand en lag ze alleen nog maar te bazelen in bed. Ze was niet dement, zei de dokter, die Siri met een paar goedgekozen woorden probeerde uit te leggen waarom haar moeder op bijna zevenenzeventigjarige leeftijd was geworden zoals ze was geworden. Jenny's toestand was het resultaat van vele kleine attaques.

De reuzenvrouw Irma benoemde zichzelf tot sterfbedverpleegster en besloot dat het tijd werd de deur dicht te doen en iedereen buiten te sluiten, ook Siri. Het verhaal van Jenny Brodal als hulpeloze oude gek hoefde niet verder verteld te worden, zei ze.

'Sommige verhalen moeten geheim blijven.'

Siri stond in de tuin en keek omhoog naar het grote witte huis. De dikke esdoorn in de tuin was gaan rotten en steeds als het waaide, braken er grote takken af, die op de grond terechtkwamen.

'Ze wil je hier niet zien!' zei Irma.

Toen zei ze het nog een keer, zachter:

'Ze wil je hier niet zien, Siri.'

Siri duwde Irma opzij en liep de keuken in. Ze liet zich op een stoel zakken.

'Dit is het huis van mijn jeugd, Irma. Ze is mijn moeder.'

Op de keukentafel had Irma een lichtrode babyfoon neergezet. Hij stond aan. Er klonk geknetter. Siri wees naar de babyfoon.

'Wat is dat?'

'Zo kan ik haar horen', antwoordde Irma. 'Als ze iets nodig heeft. Ik neem de babyfoon mee als ik door het huis loop.'

Siri knikte.

'Het is een groot huis', voegde Irma eraan toe.

Siri knikte weer.

Uit de babyfoon klonk een kreet. Het was Jenny. Een iel geschreeuw.

'Ik denk dat ik even naar haar toe ga', zei Siri. 'Ze ligt daar toch te roepen?'

'Ze maakt de hele tijd geluiden', zei Irma. 'Ze krijgt het niet voor elkaar.'

'Wat krijgt ze niet voor elkaar?'

'Dat weet ik niet. Maar wat het ook is, ze krijgt het niet voor elkaar. En dat frustreert haar. Maar ze wil niet gestoord worden. En jij gaat niet naar boven. Ze wil niet...'

Irma stond op van haar stoel.

'Ze wil je niet zien, Siri! Ik heb haar beloofd jou bij haar weg te houden. Ga naar huis!'

Irma marcheerde de trap op met Siri achter zich aan. Die eindeloos lange trap. Irma draaide zich naar haar om.

'Ga naar huis, Siri. Je bent hier niet welkom.'

Irma maakte de deur van Jenny's kamer open en Siri kon het bed zien, ze kon haar moeder zien, ze kon het verdorde, grijze haar op het kussen zien, maar toen ging de deur met een klap dicht en werd de sleutel aan de binnenkant omgedraaid. Siri bleef staan. Ze had natuurlijk op de deur moeten bonzen, ze had natuurlijk moeten roepen en schreeuwen, maar ze deed het niet.

Siri en Jenny zaten of lagen in Jenny's grote tweepersoonsbed. Jenny's lange haar (ze was blonder dan Siri) golfde als een zijden kleed om hen beiden heen. Jenny's stem was laag en zwoel met een zweem van diepe slaap.

'Oei! de Hertogin, de Hertogin. Oei! Wat zal ze woest zijn als ik haar heb laten wachten!'

Jenny had een zachte huid, zo zacht dat je helemaal tegen haar aan wilde liggen, met je neus tussen haar borsten, en af en toe als Siri zo lag, kietelde Jenny haar in haar nek. En ze rook zo lekker. Haar parfum heette L'Air du Temps.

'Maar als ik niet hetzelfde ben, is de volgende vraag: wie in vredesnaam ben ik dan?' las Jenny. 'Aha, *dat* is de hamvraag!'

Soms liet ze Siri haar haren borstelen. En soms mocht Siri haar rode lippenstift lenen. Toen Siri zeven was, smeerde ze een keer haar hele gezicht vol met lippenstift en toen moest Jenny lachen en smeerde haar eigen gezicht ook vol met lippenstift.

Maar Jenny's stem kon snel van klank veranderen. Ze lagen samen in bed, Jenny las Siri voor, maar opeens hield ze op met voorlezen, ze keek op van het boek alsof er in haar lichaam aan haar werd getrokken. Haar stem klonk nog steeds laag en zwoel, maar plotseling was er ook iets kouds en scherps te horen dat de slaap terzijde schoof.

'Siri, je luistert niet!' Ze smeet het boek op het nachtkastje en draaide zich naar het raam toe. Buiten was het donker.

Het gebeurde zo snel, Siri was er nooit, nooit, nooit op voorbereid, ze leerde het nooit. Jenny kon zomaar verdwijnen. Haar moeder had wel een punt. Siri had niet geluisterd. Als Siri had geluisterd, als ze had opgelet, dan zouden er geen mensen zijn verdwenen. Maar Siri kon nooit iemand blijven vasthouden. Syver niet, Jenny niet. Dat Siri niet luisterde was voor Jenny het ergste wat bestond, en als straf trok ze haar arm terug, trok ze haar huid terug en haar haar. Siri bleef in het tweepersoonsbed liggen, mager en raar met handen en voeten die aan alle kanten uitstaken en ze kneep haar ogen dicht. Als ze die opendeed, zou alles wat er nu gebeurde, al dat terugtrekken van Jenny's lichaam, echt en onherroepelijk worden.

Jenny praatte weer tegen haar. Zachte stem, niet dreigend. Siri wist wat er zou komen.

'Siri, kun je me vertellen wat het konijn zei tegen Alice en wat hij daarmee bedoelde?'

'Ik weet niet goed meer...'

Siri kneep haar ogen nog steviger dicht.

Jenny's hand op Siri's wang, koele hand.

'Heb je dan niet geluisterd? Kijk me aan.'

Siri schudde haar hoofd, haar ogen bleven dicht.

'Jawel, ik heb wel geluisterd.'

Jenny trok haar hand terug.

'WAT ZEI HET KONIJN DAN?'

Siri begon te huilen (huilen hielp niet, ze wist het en ze had ook eigenlijk geen zin om te huilen, ze had zin om tegen Jenny te zeggen: Blijf bij me, ga niet weg, hou me vast, vergeef me, hou van me, maar die taal beheerste ze niet. Ze kon alleen maar huilen, ook al wist ze dat het niet hielp).

Jenny zuchtte en zei:

'Het heeft geen zin. Ik kan er niet tegen. Hou op met dat gehuil.'

Ze stapte van het bed af en nam haar zijdenharen kleed mee, haar geur en haar warmte, en misschien zou ze terugkomen als Siri nog harder ging huilen. Maar toen Jenny niet kwam, deed Siri haar ogen open. Jenny stond in de deuropening en had haar zeegroene ochtendjas al aan. Haar ogen waren wit geworden. Niet alleen het gebied rond de pupillen, maar de pupillen zelf ook. Siri huilde en zei dat ze terug in bed moest komen en haar voorlezen, haar in haar nek kietelen, nu moest ze luisteren en met andere ogen naar haar kijken, niet die witte, maar de blauwe, en ten slotte onderbrak Jenny haar dochter met haar kalme stem, die zonder duisternis en zonder licht, en zei:

'Elke avond huil je, Siri, elke avond en ook bijna elke morgen, dit is de zeventigduizendste keer dat je huilt, ik kan me er niet zeventigduizend keer druk om maken, ga in je eigen bed liggen en laat me met rust.'

Elke dag om kwart voor één tilde Irma Jenny van bed. De oude nachtpon werd over haar hoofd getrokken, het blauwwitte lichaam werd met een warm, nat doekje gewassen en ten slotte kreeg ze een schone nachtpon aan. Dan nam Irma haar in haar armen en droeg haar de trap af, ze zette haar in de rolstoel en duwde haar naar de keuken. De rolstoel werd bij de keukentafel geparkeerd en er werd een bord met een omelet op tafel gezet. Altijd hetzelfde: omelet, ketchup en een groot glas rode wijn.

'Eén uur met: omelet', zei Jenny met een grijns tegen Siri.

Siri reed zo vaak ze kon naar Mailund. Ze gaf niet op. Ze liet het restaurant over aan Kajsa Tinnberg en legde de afstand van het rijtjeshuis in Oslo naar het huis van haar moeder in twee uur af. Het was lente. Alma was bijna vijftien en in de herfst zou Liv naar groep twee gaan. Er waren duizenden dingen die Siri liever wilde doen of hoorde te doen. Maar ze gaf niet op. Altijd hetzelfde: Irma wilde haar niet binnenlaten en Siri duwde haar opzij. Irma zou haar in geen geval het huis afpakken. Meermalen probeerde Siri op goede voet te komen met Irma. Een keer bakte ze bananenmuffins, een van de brunchspecialiteiten van het restaurant in Oslo, om ze mee te nemen naar Mailund. En toen Irma de deur opendeed, glimlachte Siri en zei: 'Alsjeblieft, muffins!'

Alsof het woord muffins alles goedmaakte.

Siri hield de doos met de bananenmuffins, een zoetere versie van *Sweet bee banana bread*, uitnodigend voor zich. Maar Irma zei alleen maar dat ze zich die moeite had kunnen besparen.

'Je komt hier altijd binnenstormen en de boel verstoren. Jenny wil je niet zien en je weet waarom.'

Siri duwde de doos tegen haar aan en zei:

'Dat kan zijn, maar ik heb ze nu eenmaal voor je gebakken en ik wil naar binnen. Je kunt me niet buitensluiten. Toen duwde ze Irma opzij en liep naar de keuken.

Jenny zat in de rolstoel te eten, ze was mager en bleek. Onduidelijke, onsamenhangende woorden drupten uit haar mond en af en toe kwamen er bellen in plaats van woorden, alsof ze onder water lag, alsof ze watertaal sprak, eindelijk verenigd met het kind dat ze liefhad. Jenny wierp haar dochter een slome blik toe.

'Ben jij met Syver meegekomen?' vroeg ze.

'Nee, mama. Ik ben Siri', zei Siri en ze ging aan tafel zitten. Jenny haalde haar schouders op.

'O,' zei ze, 'ben je gekomen om me mee te nemen naar het paleis?'

Siri begon te lachen. Irma keek haar nijdig aan. Siri zei:

'Waarom wil je naar het paleis? Om je medailles terug te geven?'

Jenny gaf geen antwoord, maar begon aan haar omelet. Ze at langzaam en morste ei op haar nachtpon. Na een poosje wees ze met haar vork naar Siri.

'Wil je ook?'

Siri schudde haar hoofd.

'Ketchup', zei Jenny. 'Heb je weleens ketchup geproefd?' Ze kauwde met haar mond open. 'Ketchup is lekker. Weet je zeker dat je niets wilt hebben?'

Irma was op een stoel bij het open raam gaan zitten. Ze stak een sigaret op.

'Je mag hier in huis niet roken', zei Siri. 'Je weet dat ze niet tegen rook kan. Waar is je snus? Kun je niet beter snus gebruiken?'

'Bemoei je er niet mee', zei Irma.

'Het is onbegrijpelijk dat ik bijna honderd jaar heb geleefd zonder ketchup te hebben geproefd', viel Jenny hen in de rede. 'Weet je echt, heel echt zeker dat je niet wilt proeven?'

'Nee, dank je', zei Siri. 'En je hebt niet bijna honderd jaar geleefd. Je bent zevenenzeventig.'

Jenny schudde haar hoofd en opeens boog ze zich met een vaart naar Siri toe en stak de vork met omelet en ketchup in Siri's mond.

Siri deinsde naar achteren. De vork prikte in haar lippen en ze proefde bloed in combinatie met de misselijkmakende smaak van ei en ketchup.

'Lekker, hè?' zei Jenny. 'Ik zei toch dat het lekker was.'

'Nee, dank je, mama', zei Siri. 'Ik wil niet.'

'Hier is nog meer', zei Jenny, ze wierp zich weer naar voren en duwde een nieuw hapje in Siri's mond.

'Dat is mijn broertje!' zei Siri tegen de vrouw achter de toonbank in de konditorei. Ze zei het ook tegen de vrouw in de winkel. Ze zei het zo vaak ze kon. Broertje. Míjn broertje. En ze hield voortdurend zijn hand vast, hard, hij klaagde, hij zei je knijpt, Siri, dat doet pijn, en dan kneep ze nog harder en ze keek omlaag, naar haar broertje met die grote grijze muts op zijn hoofd, en ze lachte, ze zei daar moet je maar tegen kunnen, kleine broertjes moeten ertegen kunnen dat hun grote zus in hun hand knijpt, maar ik laat je los als we gaan zitten en warme chocolademelk drinken, ik kan je hand toch niet blijven vasthouden als je chocolademelk drinkt, en toen lachte Syver en zei nee, we kunnen geen chocolademelk drinken als we elkaars hand blijven vasthouden.

Vaak stonden ze met hun gezicht naar elkaar toe in de tuin. Ze waren ongeveer even groot, ook al was Syver twee jaar jonger dan Siri.
    Syver wees naar Siri's hoofd en zei:
    'Jouw hoofd.'
    Siri wees naar Syvers neus en zei:
    'Jouw neus.'
    Syver wees naar Siri's hals en zei:
    'Jouw hals.'
    Siri wees naar Syvers sleutelbeen en zei:
    'Sleutelbeen.'
    'Hè?'
    'Jouw sleutelbeen', zei Siri. 'Zo heet dat. Die houdt je borst op slot.'
    'Hoe kan dat dan?'
    'Jij snapt er ook niks van.'
    Ze wees opnieuw naar zijn sleutelbeen en zei:
    'Sleutelbeen.'
    Hij wees naar haar borst en zei:
    'Jouw tieten.'
    Siri sloeg haar ogen ten hemel.
    'Ik ben zes jaar. Ik heb geen tieten. Alleen volwassen vrouwen hebben tieten.'

'Goed dan', zei Syver en hij wees naar haar buik.
'Jouw buik.'
Siri boog voorover, wees op zijn ene knie en zei:
'Jouw knie.'
En dan bogen ze allebei voorover, ze pakten elkaars voeten beet en zeiden in koor:
'Jouw voeten!'
Het ging erom hoe vaak je dat kon doen zonder in lachen uit te barsten.

Alles werd anders toen Syver stierf. Er was niemand meer om dat spelletje mee te doen. Jenny dronk en Bo Anders Wallin verhuisde naar Slite en begon daar een steenhouwerij. Siri moest de boel in het gareel houden. Ze wist niet precies wat dat betekende, *de boel in het gareel houden*. Maar Ola had tegen haar gezegd dat zij de boel nu in het gareel moest houden, of *alles in het gareel moest houden*, hij zei dat het nogal wat was om van een klein meisje te vragen, maar dat Siri sterk genoeg was om het aan te kunnen. Siri was blij, het was geweldig om te kunnen zeggen dat zij de boel in het gareel hield (ook al snapte ze niet precies wat het betekende) en dat vond Helga kennelijk ook, want ze knikte veelbetekenend en streelde haar over het haar. Als Siri thuis was, zei ze tegen zichzelf dat ze de boel in het gareel hield, ze luisterde, ze raadde, ze keek naar Jenny en leerde haar tekens te lezen: wanneer het slim was om met een glas water naar haar toe te rennen en wanneer ze zich beter gedeisd kon houden. Maar hoe goed ze ook luisterde en raadde, oplette, zich opsplitste en de boel in het gareel hield, hoe goed ze de tekens ook leerde lezen, het hielp niet.

's Middags zat ze op haar kamer, de kamer waar Syver en zij hadden gespeeld. Hij wilde altijd met haar mee naar haar kamer en al het speelgoed herinnerde haar aan Syver, behalve dan het poppenhuis, de poppenmeubels en de popjes die Ola voor haar had gemaakt. Die deden haar niet aan Syver denken. Hij had trouwens toch niet met poppen willen spelen. Siri bracht al het andere speelgoed naar de kledingkast op de tweede verdieping en toen was haar kamer leeg, groot en stil en er was plaats genoeg voor het poppenhuis en de poppenspulletjes, en af en toe zat ze daar uren te spelen totdat Jenny haar eindelijk vond.

Op een keer, lang nadat Siri volwassen was geworden, zei ze tegen Jon: 'Ik weet dat ze mij gebaard heeft, het duurde twee etmalen, dat heb ik in haar dagboek gelezen, maar ze zei altijd dat papa haar bedrogen moest hebben met een andere vrouw voordat ik ter wereld was gekomen en dat die vrouw mijn eigenlijke moeder was; ik kon namelijk onmogelijk haar dochter zijn.'

Nu zat Jenny in de rolstoel, ineengedoken, met het grote hoofd vooroverhangend, de kin rustend op het kuiltje in haar hals, de mond halfopen. Het zou niet lang duren of ze zou in stukken vallen, in tweeën breken. Siri liep naar haar toe en praatte tegen haar.

'Hoe is het met je, mama?'

Ze kreeg geen antwoord. Soms als Jenny er zo bij zat, doodstil en roerloos, legde Siri haar oor tegen haar mond om zichzelf ervan te verzekeren dat ze nog ademde. Jenny was niet dood. Maar springlevend was ze ook niet.

Het werd eind april en Siri had een stoel mee naar buiten genomen en was in de tuin van Mailund onder de grote, verrotte esdoorn gaan zitten. Jon was in Oslo. Hij had haar direct na het gesprek met Gerda gebeld.

'Vernederend', zei hij. 'Ze kan de pot op, die hele uitgeverij kan de pot op, ik bel Erlend van uitgeverij Gyldendal, weet je nog, hij zei dat ik altijd welkom was bij Gyldendal.'

'Dat was vijf jaar geleden', zei Siri zacht.

'Verdomme, Siri, begin jij nu ook al!'

'Ik zei alleen maar dat het een tijd geleden is dat Erlend en jij het over een vertrek naar Gyldendal hebben gehad; bovendien is het nu belangrijker dat je je boek afmaakt dan dat je van uitgeverij wisselt.'

'Je snapt niet...' zei Jon. 'Je begrijpt het niet!'

'Wat heeft Gerda dan precies gezegd?' vroeg Siri voorzichtig.

Ze keek naar haar witte bloemperk. Nu lag het nog in winterslaap. Het straalde niet. Het golfde haar niet tegemoet. Ze vroeg zich af wat er met Mailund zou gebeuren als haar moeder was gestorven. Zou ze het verkopen? Zouden de kinderen, Jon en zij het als zomerhuis blijven gebruiken?

Aan de andere kant van de lijn was het stil.

'Jon? Ben je er nog?'

Ze wist dat hij enorm tegen de bijeenkomst met Gerda had opgezien, omdat hij haar moest vertellen dat hij opnieuw vastzat. Hij moest haar weer om uitstel vragen en misschien om een voorschot. Ze konden niet meer rondkomen van de inkomsten van het restaurant, hun schuld bij de bank was astronomisch en dit jaar was hem geen enkele literaire werkbeurs toegekend. Ze had het tegen hem gezegd. Siri had gezegd dat hij zijn geld op een andere manier moest zien te verdienen.

'Jon, wat heeft Gerda gezegd?'

Ze hoorde dat hij zwaar ademde.

'Gerda zei dat ik het schrijven een tijdje aan de kant moest leggen en me op iets anders moest concentreren. Misschien werk zoeken – alsof ik niet aldoor aan het werk ben! Ze zei dat ik net als andere mensen geld moest gaan verdienen. Dat ik niet meer op financiële steun van de uitgeverij kon rekenen. Gerda zei dat wanneer het boek ooit zou komen, ze het in ieder geval niet in de najaarsaanbieding zouden opnemen. Ze zei: Ik heb al een jaar geen nieuwe tekst gezien. Ze zei: Zie het onder ogen, Jon. Zo zit het nu eenmaal. Dus. Het wordt geen september, het wordt geen november, ik zit niet meer in de planning. Ja. En toen moest ze weg. Ze had een lunchafspraak. En ik dacht nog wel dat ik haar lunchafspraak was. Toen ze opstond, zei ze nog een keer dat het tijd werd dat ik de waarheid onder ogen zag.'

'Wat heb jij toen gezegd?'

'Ik zei: Wat heeft dat verdomme te betekenen? Ik begon zelfs te grienen.'

'Hoeveel geld ben je de uitgeverij eigenlijk schuldig, Jon?'

'Een miljoen of zo. Meer, misschien. Ik weet het niet. Gerda zou me een overzicht sturen.'

'Ze... Gerda zei toch dat ze je boek zouden uitgeven zodra je het klaar had. Ze zei toch...'

'Verdomme, Siri, alles gaat kapot.'

Zijn stem brak. Ze wilde een hand in zijn nek leggen. Ze wilde zeggen dat ze er niet meer tegen kon. Ze wilde zijn nek strelen.

'Ik weet niet wat ik moet doen, Siri.'

'Ik kom vanavond thuis', antwoordde ze.

Ze wierp een blik op het witte bloemperk.

'En dan kijken we wel hoe we het kunnen regelen. Oké?'

Jenny zei:

'Ik ben ineengeschrompeld, ik ben veel magerder en kleiner dan ik vroeger was, en ik ben altijd al mager geweest, maar nooit ineengeschrompeld, maar nu ben ik mager en ineengeschrompeld en moet ik een touw om mijn middel knopen om mijn rok op zijn plaats te houden. Kijk nou eens, Siri! Jij bent Siri toch, of niet? Mijn rok moet met een touw worden vastgebonden.

Kijk om je heen. Ik herken dit huis. Ik herken deze wanden, deze kamer en dat gesloten raam. Maar af en toe vraag ik: Wie woont hier eigenlijk, en dan antwoordt iedereen: Dat ben je zelf, Jenny Brodal.

Wat je zult ontdekken als je ouder wordt, is dat de woorden verdwijnen. En de herinneringen natuurlijk. En ten slotte je lichaam. Ik moet het mijne met een touw bij elkaar houden.

Ik wil het liefst vertrekken. Ik wil hier niet langer zijn. Ik vind die grote vrouw niet aardig. Weet jij wie ze is? Ze doet alsof ze hier de baas is. Heb jij haar gevraagd om hier te zijn? Denk je soms dat ik niet voor mezelf kan zorgen? Jij bent Siri toch, of niet? Kun je mijn schoenen ook halen? Mijn witte turnschoenen staan in de kast. Maat 38. Het zijn fijne schoenen! Weet je waar ze staan? Kun je ze halen?

Vroeger had ik een foto van Abebe Bikila, de olympisch kampioen op de marathon, en hij had precies dezelfde schoenen als ik! De eerste keer dat hij olympisch goud won was in Rome, toen liep hij zelfs op blote voeten. Dat was in 1960. De keer daarop had hij schoenen aan. Toen won hij ook. Dat was in de zomer van 1964 in Tokio. Twee keer werd hij olympisch kampioen. Eén keer op blote voeten. Eén keer met schoenen. Zulke dingen onthou ik.

Er zijn een paar dingen die ik nog moet zeggen. *Krieg ist ein Jammer.* Dat zei mijn moeder altijd. Of misschien zeiden anderen dat en bleef mijn moeder dat eindeloos herhalen. Zoiets was het, denk ik. Sommige woorden blijven hangen en al het andere verdwijnt. Ik zeg tegen jou: *Krieg ist ein Jammer* en ik zie het gezicht van mijn moeder voor me.

Maar we moeten het nu niet over mijn moeder hebben. Ik wilde je vertellen over je kleine broertje. Hij heette Syver en heeft vier jaar geleefd. Elke morgen word ik wakker en een ogenblik lang, nee, het duurt korter dan een ogenblik, ben ik me nergens van bewust. Dan komt het allemaal weer terug. Maar je zult merken dat de woorden verdwijnen. Ik heb het geprobeerd. Ik heb een paar jaar geleden een toespraak voor jou geschreven, die wilde ik gaan houden. In de tuin was een feest en er liepen aantrekkelijke mensen rond die proostten en vriendelijk met elkaar praatten. Ik weet niet wat ermee is gebeurd. Met die toespraak dus. Maar ik weet dat die ergens moet zijn. Maar je moet zoeken. Je zult er gewoon naar moeten zoeken.'

In juni 2010 ging Jon een paar dagen met Siri mee naar Mailund om haar te helpen met het opruimen van het tuinhuis; de voorbereidingen voor Jenny's dood en de afwikkeling van de boedel waren begonnen. Irma wilde hen geen van beiden zien en deed de deur op slot.

'Jenny wil jullie hier niet hebben', siste ze. 'Jullie storen.'

Zo was het nu eenmaal. Soms lukte het Siri om binnen te komen, soms niet. Ze mochten niet opgeven, het was belangrijk *om er te zijn*, vond Siri, dus trokken ze zich terug in het tuinhuis. Irma had van het kleine gebouwtje blijkbaar een soort opslagplaats gemaakt: twee fietsen, een paar kisten met boeken en drie rieten stoelen stonden midden in het vertrek en een plafondlamp in de vorm van een forse, glimlachende maan lag op het smalle bed. Jon bracht alles naar de garage, waar Jenny's grijze Opel onder een dekzeil stond. Om iets wat in de garage stond met een zeil af te dekken was ontzettend ouderwets en in zekere zin ontroerend. De verdwenen kunst om goed voor je spullen te zorgen. De telefoon gaf het sms-piepje, Jon haalde hem tevoorschijn en het groene schermpje lichtte op in de schemerige garage.

Ze was het liefste wat we hadden, Jon. Ik weet niet of je je kunt voorstellen hoe het is om haar te missen. A.

Verdomme.

Toen Jon van de laatste tocht naar de garage terugkwam, had Siri kaarsen aangestoken en draaide ze aan de knoppen van de kleine reisradio op zoek naar geschikte muziek. Hij wilde op het bed gaan zitten, maar moest opeens denken aan de slak die hij destijds onder het dekbed had aangetroffen. Dat leek al zo lang geleden. Hij zag ertegenop om naar bed te gaan, hij bleef maar aan die slak denken en het was ook nog eens een erg smal bed, Siri en hij hadden al heel lang niet meer samen geslapen. Zou hij aanbieden om op de vloer te gaan liggen? Hij voelde in zijn zak of het geluid van zijn mobiel op geluidloos stond, er mocht nu geen bericht van Amanda binnenkomen. Hij kon Siri niet vertellen dat... wat moest hij zeggen... Amanda Browne denkt dat ik iets over Mille weet wat ik niet heb verteld... ze stuurt me elke week een paar sms'jes... ik geloof dat ze gek is geworden... Hij wilde er niet meer aan denken.

Siri gaf de radio op en kwam overeind. Jon deed zijn best om iets te bedenken waar ze het over konden hebben, iets vertrouwenwekkends, maar Siri was hem voor:

'Sinds Mille heeft hier niemand meer gewoond. Heb je daar wel aan gedacht?'

Hij voelde een prikkeling in zijn mondholte. Zijn hart ging tekeer.

'Nee.'

'Ben je hier trouwens nog geweest in de nacht dat ze verdween?'

'Waarom vraag je dat?'

'Weet ik niet.'

'Nou, ik ben niet in het tuinhuis geweest. Ik wist immers dat ze nog niet terug was, dat ze er niet was, dus wat had ik er te zoeken?'

Siri keek hem aan.

'Af en toe vraag ik me af of je over álles liegt, Jon. Je kunt er niets aan doen. Het gebeurt gewoon.'

Jon zuchtte.

'Waar komt dat nou weer vandaan? Wat heb ik nu weer gedaan? Wil je soms ruziemaken, is dat het?'

'Ik vroeg alleen maar of je in de nacht dat ze verdween in het tuinhuis bent geweest.'

'Nee, natuurlijk ben ik daar niet geweest.'

'Hadden jullie misschien iets met elkaar?'

Jon kwam overeind en riep:

'Godverdomme, nou moet je toch eens ophouden! Wat is er met je aan de hand?'

'Ik dacht dat je het misschien een beetje te pakken had van haar, van die kleine, maanmooie Mille. Je hebt ze toch het liefst jong?'

Jon staarde Siri een poosje aan.

'Wat wil je nu eigenlijk?' zei hij. 'Waar is dit goed voor?'

Haar wangen waren rood. Ze sprak zacht, en wat ze zei kwam uit het diepst van haar hart:

'Je had het toch ook te pakken van Paula Krohn?'

Jon ging op het bed zitten. Paula Krohn. Waar had ze het over?

De Paula Krohn van een eeuwigheid geleden? Paula Krohn van een paar jaar geleden? Paula Krohn ... ?

'Wat?' stotterde Jon. 'Ik-eh, ik snap het niet helemaal.'

'Ja, nu sta je met je mond vol tanden, hè?' zei Siri.

Haar hand beefde.

'Dacht je misschien dat ik het niet wist van Paula Krohn?'

'Maar,' onderbrak hij haar, 'maar... goddomme!'

Siri stond op en begon woorden te reciteren, hij begreep niet wat het was, een brief, iets wat ze uit haar hoofd had geleerd, iets wat ze jarenlang had zitten stampen, hij wilde overeind komen om een hand op haar mond te leggen en haar te laten ophouden. Dit kon niet waar zijn. Dit moest een enorm misverstand zijn. Hij kon zich de brief nauwelijks herinneren. Welke brief? Hij kon zich Paula Krohn nauwelijks herinneren. Blond. Mooi. Een beetje mollig. En een beetje klunzig om eerlijk te zijn. Ze was goed van de tongriem gesneden en daar was hij voor gevallen. (Maar dat kon hij niet zeggen!) Ze hadden een paar mislukte seksuele ontmoetingen gehad na het verblijf van Siri en hem in Sofia's huis in Slite. Eerst die nacht in een hotel in Örebro en daarna nog een paar keer, een keer bij haar thuis, in een kinderkamer, hij herinnerde zich een smal IKEA-bed, zij boven op hem kronkelend, en dat hij uitzicht had op drie blauwe kartonnen koningskronen, versierd met glitters en mooie letters. De kronen stonden netjes naast elkaar in een kast bij het raam. Benjamin 3 jaar, stond er op de eerste, Benjamin 4 jaar op de tweede en op de derde stond Benjamin 5 jaar, en hij had zich afgevraagd waarom ze het met hem in de kinderkamer wilde doen, in de kamer van de kleine koning Benjamin, waarom niet in het echtelijke bed, ze had immers een open huwelijk, of op de bank of waar ook maar, alleen niet hier, in de kamer van Benjamin, en hij herinnerde zich dat ze loeide toen ze klaarkwam.

Maar de eerste keer was in een hotel in Örebro. Ook daar was het moeilijk geweest. Met Paula Krohn was alles moeilijk geweest, daarom had hij er ook een eind aan gemaakt. Of had zij dat gedaan? Hij was in elk geval opgelucht geweest dat ze uit zijn leven was verdwenen. Hij wist nog dat Leopold zijn kop op de rand van het bed had gelegd en hem had aangestaard toen hij haar van achteren nam. Hij wist nog dat hij haar hoofd hard op het kussen drukte zodat ze niet zou worden afgeleid door de starende hond en dat hij zo discreet mogelijk naar Leopold gebaarde dat hij moest weggaan, zoals mannen onder elkaar kunnen doen, maar Leopold was geen man, Leopold was een hond en hij liep niet weg en hield evenmin op met staren, hij bleef gewoon staan, met zijn kop op de rand van het bed, zijn oren gespitst en zijn melancholieke hondenogen, en ten slotte had Jon zich uit haar moeten terugtrekken, uit Paula Krohn, die net bezig was klaar te komen, en terwijl hij zich uitgebreid verontschuldigde, stopte hij Leopold in de badkamer achter slot en grendel.

Jon keek Siri aan. Ze werd steeds roder. Ze deed denken aan een kind dat net had leren lezen. Ze stond kaarsrecht overeind, rood in het gezicht, en reciteerde woorden die hij blijkbaar had geschreven. Zonder nadruk, intonatie of inleving. Alle woorden werden opgedreund, maar de interpunctie was weg, geen komma's, gedachtestreepjes, haakjes en punten.

Ik denk aan hoe het zou zijn geweest alleen jij en ik maar 's morgens 's middags 's avonds 's nachts en ik denk aan alles wat je bent en alles wat je mij kunt laten zien en alles wat ik met jou wil doen je vraagt of ik ongelukkig ben of de gedachte aan jou me ongelukkig maakt maar louter de wetenschap dat je bestaat maakt me gelukkig ik zie je gezicht voor me jouw haar jouw ogen jouw stralende licht jouw borsten jouw buik jouw zachte huid maar de situatie is nu eenmaal zoals ze is en die maakt me erg ongelukkig ik denk 's morgens aan je 's middags 's avonds en 's nachts maar ik kan alleen maar in gedachten bij je zijn omdat ja je weet wel. Omdat.

Siri trilde.

'Weet je het weer?' zei ze. 'Wie is ze?'

Paula Krohn was een lezer. Maar dat kon hij niet zeggen. Dat was te banaal. Een enthousiaste lezer. Ze had hem aangesproken in het Huis van Kunstenaars en het een en ander over zijn boeken gezegd en opeens had ze gefluisterd: *Weet je dat je een heel bijzondere uitwerking hebt op vrouwen?*

God ja, lieve hemel, wat moest hij doen? Hij was al op weg naar de uitgang, maar bleef toen nog even. Ze dronken samen een fles wijn. Misschien twee. Zij dronk meer dan hij. De dag daarna mailde ze hem en schreef dat *hun ontmoeting haar had geraakt*. Ja, zo was het. Ze had hem verteld dat ze een open huwelijk had, ze was met andere woorden beschikbaar, een mogelijkheid, ze stond wijdopen en was bovendien *geraakt* en erg mooi. Hij vond haar die eerste avond tenminste erg mooi en hoe meer rode wijn hij dronk, hoe mooier ze werd. Vervolgens waren ze elkaar gaan mailen en na een paar weken reed hij met Leopold naar Slite om Siri te ontmoeten en onderweg belde hij Paula Krohn en stelde voor om over een kleine week in Örebro af te spreken.

'Misschien kun je nu de waarheid vertellen', zei Siri.

Ze was op het bed gaan zitten en had de armen om zichzelf heen geslagen om het trillen tegen te gaan.

Jon koos zijn woorden met zorg, maar kon niet voorkomen dat hij zichzelf ondanks de 'met zorg gekozen woorden' vond klinken als een stem uit een Linguaphonecursus. En dat ook Siri zo klonk.

Hello my name is Jon. What is your name? My name is Siri. Would you like something to drink? Yes, please. I would like a glass of cold water.

'Het had niets te betekenen.'

'Wat had niets te betekenen?'

'Paula Krohn. Ze betekende niets voor me.'

'Zien jullie elkaar nog steeds?'

'Nee, nee, nee, Siri. Het was één nacht, één enkel nachtje, het is heel lang geleden. Jaren geleden. Dat is alles. Het had niets te betekenen. Het was gewoon een mislukking.'

'Wanneer?'

'Je herinnert je misschien', zei hij voorzichtig, 'dat we in Slite waren en Sofia bezochten. We hadden Leopold bij ons, weet je nog? En daarom hadden we besloten dat ik zou rijden en jij zou vliegen. Misschien weet je nog dat ik in Örebro overnachtte. Daar heb ik haar gezien. In het hotel in Örebro. Ze kwam daarnaartoe. We sliepen samen. Het was een mislukking. Meteen toen ik haar zag, wist ik dat het fout zat. Ze was dik en had een snor.'

'Hoe vaak?'

'Eén keer, zei ik. Het was een mislukking.'

'En je had Leopold bij je, zei je? Heeft hij alles gezien?'

Jon zuchtte.

'Het had niets te betekenen.'

'En jullie deden het die hele nacht maar één keer? Is dat wat je zegt? En jij denkt dat ik dat geloof?'

'Twee keer, misschien. Ik weet het niet meer. Beide keren waren een mislukking. Ik wil toch alleen maar bij jou zijn?'

'Waarom twee keer als de eerste keer al een mislukking was? Waarom moest het dan nog een keer?'

'Dat ging gewoon zo, Siri, alsjeblieft. Het had niets te betekenen.'

'En daarna?'

'Hoezo, en daarna?'

'Bleven jullie in hetzelfde bed slapen? Heb je haar de volgende dag meegenomen naar Oslo? Hebben jullie het daarna nog vaker gedaan?'

'Ik heb die nacht bijna geen oog dichtgedaan. Ik heb haar meegenomen naar Oslo. Ik wilde dat ze met de trein ging, maar ze stond erop dat ik haar meenam. En nee, ik heb haar daarna nooit meer ontmoet. Zij wilde wel, maar ik niet.'

'Ze zat dus naast jou, voorin, in onze auto, ze zat met haar dikke kont en haar snor voorin in onze auto?'

'Ja, maar het had niets te betekenen.'

'En wanneer schreef je die brief?'

'Welke brief?'

'De brief die ik zojuist heb opgezegd, ik heb hem uit mijn hoofd geleerd, de brief die je zorgvuldig hebt gewist zoals je alles altijd wist.'

'O ja, die brief.'

'Waarom schreef je die?'

'Ik probeer het me te herinneren... ik weet het gewoon niet meer.'

'Je schrijft een liefdesbrief aan een andere vrouw en dan weet je niet meer waarom je dat hebt gedaan? *Jouw haar jouw ogen jouw stralende licht.* Schreef je die voor of na Örebro?'

'Ik weet het niet meer, Siri, waarschijnlijk wilde ik gewoon...'

'Je wilde gewoon nog een keer met haar naar bed.'

'Nee! Dat niet! Ik weet het niet meer!'

'En dat stralende licht?'

'Wat?'

'Je schreef: *Jouw stralende licht.* Je schreef: *Jouw haar, jouw ogen, jouw stralende licht.* Voor mijn eigen begrip: eerst straalde mijn licht en toen straalde haar licht. Hoeveel licht moet er voor jou wel niet stralen?'

'Hou op!'

'Ik wil je nooit meer de woorden *stralend licht* horen zeggen.'

'Hou op!'

'Stralend licht, jouw stralende licht, mijn stralende licht, bedenk maar iets nieuws, ik wil het nooit meer horen!'

'Het had niets te betekenen, Siri.'

'Wat had niets te betekenen?'

'Het hele gebeuren.'

'En waar was ik?'

'Waar was jij?'

'Ja, waar was ik?'

'Was jij niet in Oslo?'

'Ik bedoel: waar was ik in de brief?'

'Ik begrijp niet wat je bedoelt.'

'Je schreef Paula Krohn een brief alsof ik niet bestond.'

'Het was niet zo dat jij niet bestond. Ik... Het had niets te betekenen!'

Siri begon weer te citeren:

'*Ik denk 's morgens aan je 's middags 's avonds en 's nachts maar ik kan alleen maar in gedachten bij je zijn omdat ja je weet wel. Omdat.*'

Ze ging dicht tegen hem aan zitten en fluisterde:

'Wat betekent *Omdat*? Wat komt er na *Omdat*? *Omdat* wat?'

'Ik schreef gewoon maar iets, Siri. Woorden zonder betekenis.'

'Woorden zonder betekenis?'

'Woorden zonder betekenis.'

'Met hoeveel vrouwen ben je eigenlijk naar bed geweest, Jon?'

'Alleen met haar. Alleen die ene keer.'

'Vijf jaar geleden?'

'Alleen die keer.'

'En Mille?'

'Hoezo, Mille?'

'Was jij die nacht niet in het tuinhuis?'

'Nee.'

'Misschien alleen om te kijken of ze was thuisgekomen?'

'Nee.'

'En is er niets anders meer?'

'Meer waarvan?'

'Heb je nog meer te vertellen?'

'Dat met Paula... dat was in een ander leven.'

'Een ander leven? Wat betekent dat nou weer?'

'Dat betekent dat er niet meer is. Ik heb alles verteld. Ik wil alleen maar bij jou zijn.'

En weer was Siri in Mailund en weer zei Jenny:

'Ik herken dit huis. Ik herken deze wanden, deze kamer, de wei en het bos achter het huis. Maar af en toe vraag ik: Wie woont hier eigenlijk, en dan antwoordt iedereen dat ben je zelf, Jenny Brodal, en je hele familie.'

Siri sloeg de deur achter zich dicht. Irma stond voor het raam en keek haar na. Irma met haar lange haar en haar grote lichaam. Irma met haar omeletten. Irma met haar eenden in de vijver en de gewonde dieren in het souterrain. Een manke hond. Een slechtziende cavia. Een eekhoorn die door een auto was aangereden. De eekhoorn had de aanrijding eerder dit voorjaar op miraculeuze wijze overleefd en Irma had hem uit de berm gehaald, mee naar huis genomen en in leven weten te houden. De bedoeling, vertelde ze Siri op een van haar spraakzamere momenten, was om de eekhoorn met het bos te herenigen. Dat Jenny stervende was, daar wilde ze het niet over hebben, Jenny maakte het uitstekend, beter dan ooit, vond Irma. Jenny was zo gezond als een vis (wat meer was dan je van de hond, de cavia en de eekhoorn kon zeggen), maar ze kon er niet tegen dat Siri voortdurend binnen kwam vallen, Siri moest begrijpen dat ze niet welkom was.

Jenny's wens was om haar leven thuis te beëindigen. Ze wilde niet naar een ziekenhuis, dat had ze lang geleden al gezegd, luid en duidelijk in de aanwezigheid van getuigen en bij haar volle verstand.

'En daarom ben ik zo blij met Irma', had Jenny gezegd. 'Wanneer ik niet langer voor mezelf kan zorgen, weet ik dat Irma er voor mij is. Zij weet wat het beste is. Zij en ik hebben dit met elkaar overlegd.'

Een arts, een oude kennis van Jenny, was op thuisbezoek geweest. Irma had hem gebeld. Geen sprake van dat Jenny naar een ziekenhuis ging. De arts onderzocht haar en kon vertellen dat Jenny's verwarde toestand waarschijnlijk niet aan Alzheimer te wijten was. Zoals hij het zag, was nader onderzoek niet echt nodig, haar toestand was hoogstwaarschijnlijk het gevolg van vele kleine attaques. Een tijdelijke onderbreking van de bloedtoevoer naar de hersenen. Ook wel TIA's genaamd, *transient ischaemic attacks*.

Siri boog zich over haar moeder heen en zei:

'Je moet de groeten hebben van Alma!'

Jenny prikte wat op haar bord. Ze had de omelet bijna op.

'Wie is Alma?' vroeg ze.

'Je hebt twee kleinkinderen,' zei Siri. 'Alma en Liv. En ik moet je de groeten doen van Alma.'

Jenny knikte.

'En Liv heeft gezegd dat ze een tekening voor je zal maken.'

Jenny knikte en opende haar mond.

'Wil je dat ik Alma en Liv de groeten doe van jou?'

Jenny tilde haar bord op.

'Leeg!' zei ze.

Toen hief ze haar hoofd op, ze keek Siri aan en dempte haar stem:

'Ik heb alles opgegeten.'

Siri stak de wei over en liep het bos in naar het ven. Ze ging op de oever zitten. Ze probeerde te bidden, maar ze kon zich niet concentreren, ze dacht aan andere dingen, *Ik bid verkeerd*, dacht ze.

Alles wat ze nog van Syver had was dicht bos, natte witte sneeuw en een vuilgrijze, gebreide muts die iets te groot was en over zijn ogen zakte. Maar ze kon zijn gezicht niet zien.

Zij was zes en hij was vier. Ze liep achter hem aan en probeerde hem bij te houden terwijl ze riep *Syver, Syver, blijf nou staan*, maar hij danste voor haar uit en dook steeds weer achter een andere boom-stam op, het ene moment zag ze hem, het andere moment was hij nergens te bekennen. Grote, grijze muts, blauwe Noorse trui die vorig jaar van haar was geweest, bruine broek. Het was vroeg in het voorjaar, komend najaar zou Siri voor het eerst naar school gaan, ze kon zich niet herinneren dat ze water hoorde druppelen of sij-pelen, hoewel dat ongetwijfeld het geval was. Wat ze zich herin-nerde was de stilte, alsof iemand al het geluid had uitgezet, behalve dat van haar eigen stem. *Syver! Blijf nou bij me! Ik heb geen zin meer om achter je aan te rennen!* Ze droegen een dikke trui, geen winter-jas. Het was de eerste dag dat ze alleen een trui aan mochten en hun lichaam voelde minder zwaar.

Jenny zat aan de keukentafel een brief aan hun vader te schrij-ven, aan Bo Anders Wallin, en in die brief vervloekte ze hem dat hij naar Gotland was vertrokken en haar had veroordeeld om met twee kleine kinderen in Mailund achter te blijven. *Wat ben ik dan? Waar heeft dat eeuwige baren van kinderen toe geleid?* En in een andere brief: *Syver huilde vannacht weer, geen slokje water, geen liedje, niet op mijn armen uit het raam kijken naar de sneeuw die in de donkere nacht viel, dus ten slotte legde ik hem maar bij mij in bed (waar jij niet was) en daar viel hij dicht tegen me aan in slaap.*

De dag dat Jenny hen zonder winterjas aan naar buiten liet gaan, was een grote dag, de dag waarop ze alleen een wollen trui en een dikke broek aan mochten. Siri's trui was haar te groot, het was een rood met witte trui die een klein beetje in haar hals kriebelde en die van de mooie, dertien jaar oude dochter van een vriendin van Jenny was geweest.

De trui rook nog naar het meisje, ook al was hij met de hand in warm zeepsop gewassen. Een zweem parfum, een beetje zweet en wat melk. Siri rook nog niet naar zweet, ze was nog te klein, de trui kriebelde een beetje, maar niet zo erg als haar oude trui, de blauwe Noorse trui die Syver had overgenomen. Ze droeg een sjaal en een muts, een winterbroek en hoge winterschoenen, en ze liep door het bos, roepend naar Syver, die nu eens verdween en dan weer opdook, terwijl zij verantwoordelijk voor hem was. Dat had Jenny gezegd. Nu moet jij op je kleine broertje passen, dat zei ze elke keer als ze de deur opendeed en hen het winterweer in joeg. Buitentijd. Dan was het verboden om naar binnen te gaan, zelfs niet als je naar de wc moest (je ging naar de wc voordat je je jas had aangetrokken en naar buiten ging). Het was verboden om naar binnen te gaan om wat te drinken (je dronk een glas water of limonade voordat je naar buiten ging en – belangrijk! – voordat je naar de wc ging). Het was verboden om aan te bellen om iets heel belangrijks te vertellen. Buitentijd was de periode tussen 12.00 en 14.00 uur. Siri riep naar Syver en Syver dook achter haar op, greep haar bij de benen en trok zo hard dat ze allebei in de sneeuw vielen, en ze zei *Verdikkeme, Syver, nu zijn we allebei kletsnat, dat mag je niet doen*, en ze ging op haar knieën in de sneeuw zitten, en toen werd het geluid weer even aangezet, de bomen ruisten, de vogels zongen, de lente was in aantocht en Syver blies in haar oor, natte sneeuw kwam tussen haar sjaal en haar kraag terecht, in dat kiertje, en gleed koud over haar rug naar beneden, Syver begon te huilen en sloeg zijn truiarmen om haar hals en zei *Niet boos zijn, Siri*. Toen kwamen ze allebei overeind en ze zei *Ik ben niet boos*, maar nu moest hij naast haar blijven lopen, zij was de baas, ze was de oudste en eigenlijk mochten ze helemaal niet zo ver van huis als ze nu waren, maar het erf rond het huis, waar ze moesten blijven als het buitentijd was, had zijn beperkingen. Siri herinnerde zich dat de tijd het grootste probleem was, want ze wist niet wanneer het twee uur werd en er een einde kwam aan de buitentijd. Wanneer waren die twee uren eigenlijk voorbij? Een keer was ze met Syver op sleeptouw terug uit het bos gekomen en had ze op de deur geklopt omdat ze al een eeuwigheid buiten waren geweest en toen had Jenny de deur opengedaan, nee, opengerukt, met een handdoek om haar hoofd, en ze had gezegd *Wat heb ik nou gezegd over terug naar huis gaan als het buitentijd is?* Daar had Jenny een heleboel over gezegd. Onder andere hoe belangrijk het was dat kinderen elke dag frisse lucht kregen. En hoe belangrijk het was om Jenny niet te storen als ze aan het werk was. Jenny keek naar Siri en Syver (hij had zich achter Siri's rug verstopt en loerde giechelend naar haar en het scheelde maar heel weinig of Jenny begon te glimlachen) en zei *Twintig minuten, Siri! Julie zijn twintig minuten buiten geweest! Het is twintig minuten over twaalf. Ik wil jullie om twee uur weer thuis hebben. Dat is, godallemachtig, over één uur en veertig minuten! Niet eerder*, zei Jenny, *niet later*.

Maar het merkwaardige was, dacht Siri nu, en dat dacht ze toen ook al, toen ze zes, bijna zeven jaar was, dat Jenny er niet bij stilstond dat Siri nog niet had leren klokkijken. *Hoelang denk je dat het nog zal duren voor we moeten omdraaien*, zei ze tegen Syver, die niet oud genoeg was om te snappen wat het probleem was.

Siri was wel oud genoeg om het probleem te snappen, ze wist alleen niet hoe ze het moest oplossen. Maar meestal ging het goed. Je leert je innerlijke klok te vertrouwen voordat je die andere klok begrijpt. Siri wist doorgaans wanneer ze moesten omkeren om weer huiswaarts te gaan, zodat ze netjes op het erf waren als Jenny de deur opendeed en zei *Kom binnen, kinderen, op de keukentafel staan boterhammen en limonade voor jullie klaar.* Nu was het ongeveer tijd om om te keren, maar Syver was opnieuw verdwenen. Ze riep hem. Maar hij was weg. Syver was nergens te bekennen.

Het bos was weer stilgevallen en Siri wist het voordat ze het echt zeker wist, dat Syver nu dood was.

Jenny's zevenenzeventigste verjaardag naderde. Irma was ermee akkoord gegaan dat Siri, die nog een keer haar moeders verjaardag wilde proberen te vieren, een korte verjaardagssessie in de tuin zou organiseren. Omwille van Liv en Alma, zei Irma. Verder niemand, Alleen Jon, jij en de kinderen.

Liv maakte een tekening van een huis met een tuin en een boom, blauwe lucht en een zon, en op de tekening had ze geschreven: HOI HOI HOI! VOOR OMA VAN LIV. Alma had parfum gekocht, L'Air du Temps, Jenny's lievelingsparfum. Alma en Siri waren samen voor de gezelligheid (Siri's woorden) naar een winkelcentrum buiten Oslo gegaan om wat te winkelen, maar ook om allebei een cadeautje te kopen voor Jenny. Toen Alma met het parfumflesje in haar handen stond, stelde Siri voor om in plaats daarvan een sjaal te kopen, die Jenny over haar voeten kon leggen. Oma had immers vaak koude voeten. Maar Alma had haar hoofd geschud, gevraagd of het flesje parfum in een mooi papiertje kon worden ingepakt, en zich vervolgens tot haar moeder gericht met de woorden:
    'Fuck you mama!'
    Siri pakte Alma bij haar arm beet en zei zo kalm als ze kon:
    'Wil je dit soort dingen niet meer zeggen. Ik wil het je nooit meer horen zeggen. Nooit meer. Oké?'
    'Fuck you mama!'

De grote dag brak aan, hoewel het helemaal geen grote dag was, maar een tamelijk kleine dag (voor Jenny waren de dagen in de loop der tijd zo lang als jaren geworden en de jaren vlogen voorbij alsof het dagen waren), vandaag werd Jenny zevenenzeventig en Alma had zich opgetut. Ze had een strakke blauwe jurk uitgekozen, dikke zwarte kousen en zwarte laarsjes met hoge hakken. Niet echt een zomertenue, maar Jon vermande zich en zei:
    'Wat zie je er mooi uit, Alma. Heel goed dat je voor oma nette kleren hebt aangetrokken. Ze was een chique dame. Ze had stijl. Denk maar aan al die mooie jurken en schoenen van haar. Dat jij speciaal voor haar nette kleren aantrekt, is een eerbetoon aan haar.'

Alma sloeg haar armen om haar vader en liet niet los. Jon kreeg nog steeds van die stevige, dwingende omhelzingen van zijn oudste dochter, maar hij wist niet goed hoe hij daarop moest reageren. Hij wilde niet net zo hard terugdrukken, dat was te heftig, dus het kwam er meestal op neer dat hij haar een beetje afwerend over haar rug aaide. Hij maakte ook altijd als eerste een eind aan de omhelzingen, maar deze keer rukte zij zich opeens los, ze keek hem recht aan en zei:

'Waarom praat je over oma in de verleden tijd? "Ze wás een chique dame. Ze hád stijl." Ze is niet dood, hoor. Ze is nog echt niet dood. Jij en mama praten over haar alsof ze al dood is. Jullie zijn amoreel! Jullie kunnen zeker niet wachten tot ze dood is!'

Jon haalde diep adem en keek naar Siri, die een picknickmand vulde met taart, kaarsen en een thermoskan met koffie, in een andere mand zaten croissants, scones, broodjes, jam en honing. Ze was vroeg opgestaan in het kamertje boven het restaurant en was op blote voeten in haar nachtpon naar de grote keuken gegaan, ze had de radio aangezet en een kop koffie gemaakt om daarna te gaan bakken. Het was een keuken die gemaakt was voor herrie en grote gebaren, voor felle commando's, brandend hete gaspitten, extreem tempo en minutieuze precisie. Pepper en zijn mensen zouden pas na de middag komen en de keuken was groot, koud en vreemd met zijn glanzende oppervlakken en het roestvrije staal. Siri nam een stukje aanrecht in beslag en begon met het deeg voor de broodjes. Dit was Siri's keuken, zij had hem bedacht en ontworpen en ze had op de bouw ervan toegezien, maar dat leek nu heel lang geleden. Ze wilde maar dat ze ergens thuishoorde. Toch verlangde ze terug naar de lege keuken en de stilte toen Alma tegen Jon tekeerging omdat hij het in de verleden tijd over Jenny had gehad. Siri schudde haar hoofd en wendde zich af.

'Zo bedoelde ik het niet, Alma', zei Jon. 'Ik wilde alleen maar iets aardigs tegen je zeggen. Ik heb me niet goed uitgedrukt.'

Liv keek van de een naar de ander. Ze had een van Alma's oude truien aan, een lichtblauwe die pilde en tot over haar billen kwam. Ze droeg hem als jurk. Haar knieën zaten onder de zomerschrammen. Liv had net leren fietsen. Haar blonde haren zaten in de war.

Ze was zo dun als regen. Ze zuchtte, keek haar ouders strak aan en maakte een beslist gebaar met beide handen terwijl ze zei:
'Iedereen is aardig. En niemand is dood. Zullen we nu gaan?'

Jon en de kinderen waren met de auto uit Oslo gekomen. Siri had de avond ervoor de trein genomen en overnacht in het kamertje boven het restaurant om op tijd met bakken te kunnen beginnen. Ze had zich voorgesteld om de verjaardag van haar moeder in de tuin van Mailund te vieren. Dat was in orde, zei Irma, maar het moest dan wel om twee uur beginnen en niet later dan drie uur zijn afgelopen. Siri durfde het niet aan om met de krankzinnige reuzin over elk detail in discussie te gaan. Zolang ze de slagen maar won waar het haar werkelijk om te doen was. Ze stond erop om lopend vanaf het restaurant naar Mailund te gaan, ondanks Alma's protesten. Het was een mooie dag, een stralende dag, ook al waaide het, en Jon, Siri, Alma en Liv zouden met al die manden boordevol eten een feestelijke processie vormen.
'Kom, dan gaan we!'

Toen ze er waren en het hek achter zich hadden gesloten, stond Irma op hen te wachten. Ze zei dat ze in het gras konden plaatsnemen, dan zou zij Jenny de trap afdragen en haar in de rolstoel zetten die onder de grote esdoorn klaarstond. Jon vroeg of hij haar kon helpen, maar Irma snauwde dat zij degene was die Jenny van de ene plek naar de andere zou brengen. Siri haalde een plaid uit de woonkamer en spreidde die uit op het gras.
Toen Jenny, klein en breekbaar als een vogeltje, in haar rolstoel op haar plaats zat, ging Irma een eindje van de rest vandaan tegen de muur van het huis staan. Ze wilde geen koffie, broodjes, croissants, scones of taart hebben, ook al had Siri een echte verjaardagstaart gebakken, met vanillecrème en vers fruit, waar uiteindelijk zeven kaarsjes op waren gezet, aangezien er voor zevenenzeventig kaarsjes niet genoeg ruimte was.
Jon zat op de plaid in de zon en kon de scène met Alma eerder die dag maar niet uit zijn hoofd zetten. Hij keek naar haar. Ze was nog steeds klein en tamelijk mollig, maar de zwart opgemaakte,

glanzende ogen, de grote rode mond en het gitzwarte korte haar hoorden toe aan een meisje dat hij niet kende, niet bereikte, niet kon bereiken. Niet dat hij het niet probeerde of dat hij het niet wilde. Wat betreft Alma wendde hij zijn hoofd niet af, hij keek haar recht aan, maar hij begreep haar niet. Siri begreep haar evenmin. Maar Jon gaf niet op. Hij probeerde haar te begrijpen maar het was als in een droom, een nachtmerrie waarin hij weer een kind was en voor de klas stond om een som te maken die volslagen onbegrijpelijk was, samengesteld uit tekens die hij nooit eerder had gezien. Hij was er elke dag mee bezig. Elke nacht. Niet opgeven. Maar waar was het mis gegaan? Wat hadden Siri en hij verkeerd gedaan? Met Liv was het heel anders. Hij had er nooit over nagedacht of het *moeilijk* was om van Liv te houden. Of ze *moeilijk* te bereiken was. Maar Alma was onbegrijpelijk. Een andere letter.

'Nu gaan we allemaal eten', zei Siri terwijl ze de manden uitpakte.

Ze keek naar Irma, die tegen de muur stond geleund.

'Weet je zeker dat je geen taart wilt?'

Irma stak een sigaret op en schudde haar hoofd.

'Dan ga ik een lekker bordje voor mama klaarmaken', zei Siri, ze hoorde zelf hoe vals haar stem klonk.

'Nee, dat ga je niet doen', zei Irma vanaf de muur. 'Jenny heeft een gevoelige maag. Jenny mag geen taart. Jenny heeft al gegeten.'

Siri glimlachte en knikte naar Irma.

'Een heerlijke omelet, neem ik aan?'

Irma antwoordde niet.

Liv ging staan en herinnerde iedereen eraan dat ze eerst moesten zingen voordat ze konden eten, en vervolgens kwamen Jon, Alma en Siri overeind van de plaid.

'Jij ook, Irma', zei Liv.

Irma leek overrompeld, maar drukte haar peuk uit en kwam naast Liv staan.

Toen zongen ze allemaal:

Lang leve Jenny die nu verjaart,
Jou wensen wij het beste!

Veel limonade, slingers en taart,
jij bent de allerbeste!
We maken een buiging, reiken je een bloem,
dansen om je been en geven je een zoen,
doen de spelletjes die je graag wilt doen
en wensen je nog vele jaren.
VELE JAREN!

Liv klapte in haar handen. Nu konden ze gaan zitten. Irma ook. Hier, naast haar. Zo! Liv keek naar al dat lekkere eten dat haar moeder had uitgestald, ze pakte een croissant en doopte die in de honing. Maar net op het moment dat ze een hap wilde nemen, zat ze opeens roerloos naar de croissant te kijken.

'Wat is er, Liv?' vroeg Jon.

Liv keek op.

'Vinden jullie ook niet dat die croissant op een krab lijkt?'

Ze legde de croissant tussen hen in op de plaid zodat iedereen hem kon zien.

'Oma, vind je niet dat deze croissant op een krab lijkt?'

Jenny, die voor de gelegenheid gekleed was in een lichtblauwe ochtendjas van badstof met eivlekken erop, zat ineengedoken in haar rolstoel onder de esdoorn te knikkebollen.

Alma sloeg een arm om haar zusje.

'Ik vind dat die op een krab lijkt', zei ze. 'En oma vast ook.'

Iedereen keek naar Jenny.

'Hmm', zei Jenny, en ze deed haar ogen open.

Ze wees ergens naar.

In de bijna dichtgegroeide vijver achter in de tuin zwommen zes, nee, zeven eenden, waarvan vier kleintjes.

Irma zei dat ze die al eerder had gezien en dat ze ze was gaan voeren.

'Hmm', zei Jenny weer.

Siri keek naar haar moeder en probeerde haar blik te vangen. Jenny zag niet meer zo veel. Maar als ze wat zag, deed ze haar best om de woorden uit haar mond te drukken, alsof woorden fysieke voorwerpen waren met elk een specifieke grootte, vorm en structuur: zacht, lobbig, glad, hoekig, scherp. Vaak raakte ze de weg kwijt in ontsporingen die nergens toe leidden, alleen tot ademhalen en stilte. Een gezwel in haar mondholte bemoeilijkte het praten. Af en toe was het volstrekt onmogelijk om haar te verstaan. Maar iedereen deed zijn best, en zoals Jon het zich herinnerde (hij noteerde het later die dag), zat ze in de rolstoel onder de boom en zei:

'Ik vraag me af wie er in dit huis woont en wie de tuin heeft aangelegd.'

Toen zei ze:

'Ik heb een paar mooie, witte turnschoenen in de kast, maat 38. Kan een van jullie zo vriendelijk zijn om ze voor me te halen?'

Ten slotte zei ze op haar allervriendelijkste toon:

'Ik wil jullie graag bedanken voor dit mooie feest, maar nu moet ik helaas gaan.'

Siri zat in haar eentje in de keuken van Mailund en wilde Jon op zijn mobiele nummer bellen. Ze zette de babyfoon uit. Het was verwarrend om tegelijk naar de babyfoon en de telefoon te moeten luisteren. Jenny en Jon raaskalden, bazelden en brabbelden allebei tegenwoordig evenveel.

Siri kwam overeind en haalde een halve fles goedkope rode wijn uit de koelkast, waarna ze zichzelf een groot glas inschonk. Ze wilde het er met Irma over hebben dat Jenny, *die aantoonbaar geen alcohol verdroeg*, elke dag grote hoeveelheden rode wijn dronk bij haar omelet. Jenny was al het grootste deel van haar volwassen leven een zuipschuit geweest (afgezien van de twintig jaren dat ze droogstond), maar als ze nu ook nog overdag rode wijn dronk in combinatie met sterke medicijnen, was dat levensgevaarlijk. Niet raar dat Jenny in de war was. Niet raar dat ze bazelde. En wanneer Siri het punt van de rode wijn eenmaal ter sprake had gebracht, kon ze het misschien ook over de omeletten hebben. Elke dag omelet. Zonder groente. Zonder ham. Zonder iets. Alleen ketchup. En natuurlijk grote bellen rode wijn. Siri had al eerder geprobeerd om het onderwerp omelet met Irma te bespreken, maar Irma had er duidelijk geen oren naar gehad, ze was met haar enorme lichaam voor Siri gaan staan en had gezegd:

'De dokter zegt dat Jenny eiwitten nodig heeft. Eieren barsten van het eiwit. Ik volg alleen maar de aanwijzingen van de dokter op.' En ze voegde eraan toe:

'Ik denk dat de dokter er iets meer verstand van heeft dan jij, denk je ook niet?'

'Ja, zeker,' zei Siri, 'maar elke dag omelet en rode wijn is toch wat eenzijdig...'

Irma luisterde met de armen over elkaar geslagen en Siri deed nog een poging:

'Maar ik weet wel wat van eten, van voedingsleer bedoel ik... ik zou je een paar recepten kunnen geven van maaltijden met een heleboel eiwitten...'

Irma ademde diep in.

'Ik snap dat het moeilijk voor jou is om het te accepteren', zei ze. 'Jij bent haar dochter. Maar ik woon nu al twintig jaar met haar samen en ik ken haar. Ze vertrouwt me. We zijn...'

'Ja, wat zijn jullie?' fluisterde Siri. 'Wat zijn jullie eigenlijk?'

Irma hief haar hand op, draaide zich om en schudde haar hoofd om aan te geven dat het gesprek afgelopen was.

Vandaag was de stemming totaal anders. Irma vond het goed dat Siri binnenkwam en een tijdje bleef. Irma was gewoon in een goed humeur, ze liep bijna te neuriën en had zelfs een stuk van Siri's truffel-vanilletaart gegeten. Irma had dingen te doen, zei ze. Eerst moest ze naar de winkel om eieren en melk te halen, daarna moest ze naar de apotheek voor Jenny's medicijnen en ten slotte moest ze een jurk met rode stippeltjes kopen die in de uitverkoop was, zoals ze had gezien. Siri luisterde ernaar alsof ze het in Keulen hoorde donderen en verbaasde zich over de jurk met de rode stippeltjes. Ze kon zich Irma niet voorstellen in een jurk met rode stippeltjes, of in wat voor jurk dan ook. Irma droeg meestal een spijkerbroek en een geruit overhemd, ze droeg het engelenhaar los, en sloop, met haar lengte van minstens twee meter en dezelfde breedte, op blote voeten rond. Maar Siri zei niets. Was Irma misschien wat milder geworden? Waren het geneurie, de bereidheid om taart te eten en de rode stippeltjes misschien het begin van een wat meer ontspannen verhouding met Irma? Wie weet zou Irma wat meer openstaan voor een gesprek over Jenny's voeding en drankgebruik?

Aan al die dingen dacht Siri terwijl ze aan de keukentafel ijskoude rode wijn zat te drinken. Ze had de mobiele telefoon in haar hand, ze mocht niet vergeten Jon te bellen en ze hoopte dat Irma nog een tijdje zou wegblijven en pas zou terugkomen als Siri de babyfoon weer had aangezet.

Irma was dol op de babyfoon.

'Het is belangrijk om Jenny's geluiden te blijven volgen', zei ze voor ze vertrok. 'Misschien kan ze geen adem krijgen. Misschien roept ze om hulp. Misschien krabt ze haar huid open.'

Siri knikte.

'Maar als je niets anders hoort dan de normale geluiden, laat je haar met rust. Loop niet de hele tijd bij haar binnen. Dat stoort alleen maar.'

Siri knikte nogmaals. Ze had zin om te vragen wat Irma bedoelde met *normale* geluiden, maar liet het zitten. Ze moest de goede stemming niet bederven. Niets zeggen wat als pinnig kon worden opgevat.

Het was begin september. Jenny lag nu bijna voortdurend in bed, behalve wanneer Irma haar waste en verschoonde en haar (als een kleine pauw) van de trap afdroeg en naar de keuken duwde. Eén uur met: omelet.

Siri staarde naar de babyfoon. Als je hem uitzette, werd het volkomen stil, afgezien van het gebrom van de koelkast. Siri keek om zich heen. De groene koelkast bromde. *Ja, ik hoor je wel. Je staat daar al dertig jaar te brommen.* Maar verder was het helemaal stil. De tafel was stil, de stoelen. De vloer en het plafond. Ze keek naar buiten. De zomervakantie van de kinderen was voorbij, ook dit jaar was er geen sprake van geweest dat ze de zomervakantie in Mailund zouden doorbrengen, niet zoals de situatie nu was, en Siri overnachtte in het kamertje boven het restaurant. Ze had de meeste verantwoordelijkheid al overgedragen aan Pepper, die graag nog een zomer aan zee wilde doorbrengen, en zelf pendelde ze elke week tussen Mailund en het rijtjeshuis in Oslo.

De babyfoon was ontworpen als een kleine radio. Het tweede deel, dat op Jenny's nachtkastje stond, leek op een onbestemd soort dier met een groot glimlachend gezicht, een rat misschien, of een kat, een haas of iets daartussenin. Siri schonk zichzelf nog een glas rode wijn in. Ze had met Irma willen praten over die babyfoon. Was het geen schending van Jenny's privéleven dat die de hele tijd op haar nachtkastje stond? Mocht haar moeder haar doodsgeluiden niet voor zichzelf houden? En was het geen infantilisering van een mens die, ondanks alles, altijd over haar zelfstandigheid had gewaakt, dat er op die manier op haar werd gelet? Siri dronk het glas leeg en belde Jon. Ze verheugde zich er niet op. Hij nam niet op, dus stuurde ze hem een sms en vroeg hoe het thuis ging, en daar antwoordde hij onmiddellijk op.

Beroerd.

Wat is er dan?

Alma heeft een meisje uit de parallelklas geslagen.

Siri las het bericht en belde Jon direct op. Hij nam niet op. Ze sms'te:

Neem alsjeblieft de telefoon op! Wat is er aan de hand?

Een paar seconden later ging haar telefoon over. Het was Jon. Ze hoorde meteen dat hij had gedronken.

'Wat is er aan de hand?'

'Wil je het wel weten?'

'Jon, hou op! Wat is er aan de hand?'

'Goed, hier komt het. Alma heeft een meisje uit de parallelklas geslagen. Het was een echte vechtpartij. Ik weet niet waarom. Volgens getuigen was Alma begonnen. Het andere meisje, Mona Haugen heet ze, ze zit in 10 A, had een bloedneus. Er was overal bloed. Op haar gezicht. Op haar handen. Op het schoolplein.'

'Hoe is het met Alma?' viel Siri hem in de rede.

'Ongedeerd. Geen schrammetje. Maar geschorst, uiteraard. Wanneer kom je thuis?'

Siri keek naar de fles wijn. Ze had twee glazen gedronken.

'Ik rij vanavond naar huis. Ik kom zo snel ik kan. Hoe is het met Liv?'

'Met Liv gaat het goed. Ze is vandaag met een vriendinnetje mee. Met Laura. De moeder van Laura sms'te of ze Liv mee uit school kon nemen, omdat Liv en Laura zo leuk samen spelen, dat het zo gezellig is.'

'Mooi zo.'

Ze sloot haar ogen.

'Is er nog meer?' vroeg ze.

Ze hoorde dat hij aarzelde.

'Ja...'

Ze hoorde dat hij probeerde een glas (whisky? wijn?) in te schenken zonder lawaai te maken.

'Jon, wat is er?'

'Nou, het geval wil dat ik nu al een paar maanden sms'jes krijg van Amanda Browne.'

'Wat? De moeder van Mille?'

'Ja.'

'Heb je de moeder van Mille geneukt?'

'Nee, Siri, helemaal niet.'

Jon zuchtte.

'Ik zei dat ik sms'jes van haar krijg. Ze sms't en belt. Af en toe belt ze en hangt dan meteen weer op. Af en toe belt ze en zegt niets.'

'We hadden die brief moeten schrijven', zei Siri.

'Ik denk eigenlijk dat zij denkt dat jij er ook bij betrokken bent.'

'Waarbij?'

'Weet ik niet! *Dat je erbij betrokken bent.* Hoe moet ik in godsnaam weten wat dat betekent? Ze is gek. Ze denkt dat wij op de een of andere manier schuldig zijn aan wat er is gebeurd.'

'Ik wéét niet wat er is gebeurd!' zei Siri. 'Weet jij soms wat er is gebeurd?'

'Nee, je weet toch dat ik dat niet weet!' Hij aarzelde.

'Het is natuurlijk die jongen, die heeft het gedaan. Die KB. Maar zolang ze niet wordt gevonden...'

'Was jij die nacht in het tuinhuis?' onderbrak ze hem.

'Nee, heb ik gezegd. Ik was niet in het tuinhuis! Goddomme, wat is dit... beschúldig je me soms? Is dat het enige wat je kunt? Kunnen we bij wijze van uitzondering niet eens solidair zijn met elkaar? Dit samen oplossen?'

'Oké', zei Siri. 'Heb je met Mille geslapen?'

Jon schreeuwde het uit. Hij schreeuwde zo hard dat hij in tranen uitbarstte.

'IK HEB NIET MET MILLE GESLAPEN, OKÉ? IK WAS NIET IN HET TUINHUIS, OKÉ?'

'Oké.'

Siri hield haar adem in. Ze kon hier nu niet zitten huilen. Stel dat Irma eraan kwam. Ze deed de babyfoon aan. Alles was rustig op de eerste verdieping. Jenny sliep. Ze keek naar de lege wijnfles.

'Oké. Ik ga hier over een paar uur weg. Is er iets met Mille wat je me niet hebt verteld? Als jij en ik solidair met elkaar moeten zijn, moet je me wel alles vertellen.'

'Er is één ding', zei Jon.

Siri lachte luid.

'Dat dacht ik al.'

'Het is niets', zei Jon. 'Maar ik vind dat je het moet weten. Amanda heeft er niets over gezegd, maar misschien komt het ter sprake. Ik denk het niet. Het is eigenlijk volkomen onbelangrijk.'

'Oké?'

'Kun je je die ene foto herinneren die in de kranten stond toen ze over de zaak schreven? Die foto die niet zo goed leek. Weet je nog dat je het erover had? Blauwe jurk. Rode mond. Vlecht.'

Hij zweeg. Ze hoorde dat hij een slok nam, maar ze zei niets. Hij ging door:

'We hebben het erover gehad, jij en ik. We hebben het over de foto gehad. Hij lijkt niet zo goed, maar het is een close-up van Mille, ik herinner me dat je zei dat ze op die foto veel mooier was dan in werkelijkheid. Niet zo maanachtig, zei je. Je kunt eigenlijk niet goed zien waar de foto is genomen. Hij kan overal en door iedereen genomen zijn. Het is een doodgewone mobieletelefoon- foto van een doodgewoon meisje. Geen achtergrond. Geen omge- ving. Alleen in de linkeronderhoek zie je iets zwarts. Iets borsteligs. Kun je het je herinneren?'

'Nee... of ja. Misschien', zei Siri zacht en dacht na over die zwarte vlek.

'Je let er niet op', zei Jon. 'Je kijkt naar het meisje. Maar dat zwarte borstelige is dus de staart van Leopold.'

'Wat?'

Siri ging rechtop zitten.

'Ik heb namelijk die zomer een foto van Mille gemaakt. Ze kwam mijn werkkamer binnen om iets te vragen. Vast iets met de kinderen. En om de een of andere reden vertelde ze me dat ze geen foto van zichzelf had als volwassene, en toen heb ik er een met de camera van haar mobiel genomen. *That's it*. Dat is alles. En juist op dat moment moet Leopold overeind zijn gekomen en liep hij voor de camera langs.'

Siri zei niets.

'Ben je er nog, Siri?'

'Ja.'

'Het was maar een foto.'

'Ja.'

'Kom je vanavond thuis?'

Siri zette de babyfoon uit en deed hem daarna weer aan. Klik klik.

'Ja, ik rij later vanavond naar huis. Dan kunnen we verder praten.'

Ze had het nooit prettig gevonden om 's nachts te rijden, de stoffige warmte in de auto, het licht van de lampen dat in lange strepen het landschap bescheen dat ze zo goed kende, maar dat haar nooit echt vertrouwd was geworden. Deze keer was het alsof ze er niet goed in slaagde haar blik op de weg te houden, haar handen aan het stuur, ze wilde Jon bellen en schreeuwen *Waarom heb je die foto genomen*, maar dat had geen enkele zin. Alles was één grote leugen. Ze wilde niet naar huis en ze wilde niet omkeren en het leek alsof er aan de lange tunnel vlak voor de stadsgrens geen einde kwam.

Eerst belde ze aan. Toen Irma niet opendeed, gebruikte ze haar sleutel, ze ging naar binnen en riep hallo.

'Irma, waar ben je?'

Ze was weer naar buiten gegaan en langs de andere kant van het huis gelopen, waar de eigenlijke ingang was van Irma's souterrain.

'Irma, waar ben je?'

Haar mobiel ging over. Ze haalde hem uit haar tas. Onbekend nummer, ze drukte de gesprektoets in en hield haar mobiel tegen haar oor.

'Hallo?'

Niets.

'Hallo? Zeg dan wat.'

Toen werd de verbinding verbroken.

Siri was meer dan een week lang niet in Mailund geweest en vandaag was ze van plan om gewoon een tijdje bij Jenny te zitten. Niet lang. Siri moest diezelfde avond terug naar Oslo. Ze liep het hele rondje om het huis terug en ging in de keuken zitten. Ze staarde naar de babyfoon. Jenny lag op haar kamer om Bo Anders Wallin te roepen. Hoewel roepen niet helemaal het goede woord was, Jenny had bijna geen kracht meer in haar stem. Het gezwel in haar mond in combinatie met de verwardheid maakte dat ze zich moeilijk verstaanbaar kon maken. Ze sprak haar eigen taal.

'Bo, waarom kom je niet!'

Als je haar taal niet verstond, leek het meer op:

'O, aam kum nie!'

Siri had ooit gehoord dat wanneer de stervende om de doden begon te roepen, alsof die in de buurt waren, het overlijden aanstaande was.

'Syver!'

Of:

'...yyyver!'

Siri liep de trap op, klopte voorzichtig op de deur van Jenny's slaapkamer en keek verschillende keren om zich heen om te zien of Irma in de buurt was. Siri deed de deur op een kiertje open en gluurde naar binnen. Haar moeder lag in bed, een klein, wit met grijs streepje vlees, hart en geluid.

'Ben jij dat, Syver?'

'Nee, mama, ik ben het, Siri.'

'Wie is Siri?'

Siri liep naar het bed en ging op de rand zitten. Ze streelde haar moeder over haar wang en zei:

'Af en toe krijg ik het gevoel dat je je aanstelt, dat je je gekker voordoet dan je bent en dat je heel goed weet wie jij bent, wie ik ben en dat Syver dood is.'

Jenny lachte en zei:

'Wil je mijn schoenen halen? Ze staan in de kast. Ik wil nu graag weg.'

'Waar wil je dan heen?'

'Naar het paleis, heb ik toch gezegd.'

'Dat bedoel ik nou, mama, als je zoiets zegt, denk ik dat je doet alsof je gek bent. Net als Hamlet.'

Haar moeder kneep haar ogen dicht, toen opende ze haar linkeroog en keek daarmee Siri aan.

Siri legde een hand op een van de borsten van haar moeder, die plat op haar borstkas lag. Ze legde haar oor op haar moeders hart en hoorde het slaan.

'Ik herken dit huis,' fluisterde Jenny, 'ik herken de kamers, maar ik weet niet wie hier woont. Weet jij wie hier woont?'

'Jij woont hier', zei Siri.

'Samen met Syver', antwoordde Jenny.

'Nee', zei Siri. 'Syver is dood. Hij is zesendertig jaar geleden gestorven. Maar ik woonde hier vroeger 's zomers ook, samen met Jon, Alma en Liv.'

'En Alma? Waar is zij?'

'Alma is thuis in Oslo. Ik ben blij dat je weer weet wie Alma is. Dat was de vorige keer dat we elkaar spraken niet zo.'

'Alma, ja', zei Jenny met een knikje.

Of misschien zei ze iets anders. Siri wist het niet zeker. Het klonk ongeveer zo:

'A mm a.'

Siri zei:

'Wil je dat ik iets tegen Alma zeg?'

Jenny schudde haar hoofd.

'Alma mist je. Ik kan haar een keertje meenemen. Ze heeft het niet zo gemakkelijk...'

'De auto brak haar', mompelde Jenny.

'Wat?' zei Siri.

'De auto brak haar', herhaalde ze.

'Wat bedoel je?' vroeg Siri.

'De auto brak haar', zei Jenny terwijl ze Siri aankeek. 'Alma en ik reden auto en toen braken we het meisje op de weg.'

'Welk meisje?' vroeg Siri.

'Ik wil water', zei Jenny.

'Waar heb je het over,' vroeg Siri, 'over wie heb je het?'

Jenny schudde haar hoofd, ze verzonk in gedachten en zei vervolgens:

'Wie woont er eigenlijk in dit huis?'

Siri legde haar handen op de schouders van haar moeder alsof ze haar wilde omarmen en fluisteren *Dat ben je zelf, jij woont in dit huis*, maar opeens verstevigde ze haar greep en begon te schudden, ze schudde het magere lichaam door elkaar, ze schudde zo hard dat het zware hoofd er elk moment kon afvallen, ze schudde het lange, verdorde haar door elkaar (dat vroeger om hen beiden heen was gevallen), ze schudde de oude, leeggepompte borsten en het kloppende hart door elkaar en de uitgeteerde stembanden die elke dag nieuwe onverstaanbare geluiden produceerden. Twee uitgeteerde banden die zich van Jenny's mond naar Siri's oor slingerden.

'Welk meisje?' vroeg Siri.

'Niet', fluisterde Jenny.

'Welk meisje?'

'Nee!' zei Jenny. 'Niet.'

Misschien was Siri haar moeder door elkaar blijven schudden tot er niets meer te schudden viel, als er niet een derde stem tussenbeide was gekomen.

'Hou op!'

Siri keek om. Irma vulde de gehele deuropening.

'Maak dat je wegkomt!' siste ze.

Maar Siri wilde niet ophouden.

'Welk meisje?' schreeuwde ze tegen Irma. 'Bedoelt ze Mille?'

Ze keek haar moeder weer aan.

'Bedoel je Mille?'

'Maak dat je wegkomt', zei Irma.

Siri had Jenny's schouders losgelaten en haar moeder kromp in bed in elkaar.

Irma verroerde zich niet.

Siri bleef schreeuwen.

'Heb je Mille gezien op de avond dat je met je dronken kop met Alma in de auto rondreed? Klopt dat? Heb je haar gezien en daar niets van gezegd? Heb je...'

Nu zette Irma drie stappen de kamer in en voer tegen haar uit.

'Maak dat je wegkomt!' schreeuwde ze. 'Maak dat je wegkomt!'

Ze trok Siri mee, duwde haar over de drempel en smeet de deur dicht.

VI
Halftinten

Het was gaan sneeuwen toen ze uit Oslo wegreden en de sneeuw had hen de hele weg naar Mailund vergezeld, op de weg lag sneeuw, er kwam sneeuw terecht op de voorruit en op de kinderen toen die naar en van het winkeltje van het benzinestation holden om iets lekkers te kopen, er lag sneeuw op de bomen, op de daken en de akkers, de schuren en de woonhuizen, op de steigers en op de lange weg die slingerend van de oude bakkerij naar het huis liep, ze waren er nu al twee dagen en nog steeds daalde de sneeuw neer.

Het was bijna kerstavond en die zouden ze in Mailund vieren.

'Kunnen we er niet gewoon heen gaan en een paar dagen blijven?' had Siri gezegd.

Ze kon niet besluiten wat ze met het huis van haar moeder zou doen. Het was vlak na de oorlog in het bezit van de familie gekomen en ze wilde het niet verkopen.

'We hebben het geld nodig,' zei ze, 'alleen kan ik me niet voorstellen dat hier vreemden zullen rondlopen.'

'Nee', zei Jon.

Hij keek naar haar. Hij zat op de bank en zij stond met de rug naar hem toe uit het raam te kijken. Ze keek naar de tuin, naar de esdoorn, naar het witte bloemperk dat, met verse sneeuw bedekt, nu witter was dan ooit tevoren. Hij had graag zijn hand naar haar uitgestoken om haar smalle taille aan te raken.

Jon had onlangs gesolliciteerd voor een tijdelijke baan als redacteur van een pasopgerichte boekenclub en was aangenomen. Hij zou na de kerst beginnen en dat kwam hem goed uit. Een baan om naartoe te gaan.

'Maar,' zei Siri, 'het is ook te duur om het aan te houden.'

Ze maakte een beweging met haar armen alsof ze het hele huis wilde omarmen.

'Het is totaal verwaarloosd en ik heb geen idee hoe jij en ik het moeten onderhouden. We hebben geen geld om het te renoveren en we hebben geen geld om het te onderhouden, we hebben niet eens geld om de boiler te vervangen, om over de complete elektrische installatie maar te zwijgen, ik geloof dat de stoppenkast nog uit de jaren vijftig stamt, het zou vreselijk zijn om het te zien instorten.'

'Ik kan de dakgoten schoonmaken', zei Jon.

Siri draaide zich om en glimlachte. Het licht van het raam viel op haar gezicht en hij had haar graag willen zeggen dat haar licht hem tegemoet straalde, maar hij deed het niet, hij wist maar al te goed dat als hij had gezegd *jouw licht straalt me tegemoet*, ze haar schouders had opgehaald en zich meteen weer had omgedraaid. Jon moest een volstrekt nieuwe taal bedenken, onder andere zonder de woorden *licht* en *stralen*, als hij Siri wilde bereiken.

De laatste maanden waren Jon en Leopold 's ochtends naar de slager in de wijk Torshov gelopen, er waren niet zo veel slagers meer in Oslo, maar in Torshov zat er nog een en er was tevens een mooi, klein parkje waar Jon met een kopje koffie kon gaan zitten terwijl Leopold er rondscharrelde. Leopold ging er niet meer vandoor zoals vroeger en mocht nu loslopen.

Het was begonnen met vlees halen bij de slager, maar Jon kwam erachter dat hij het fijn vond in Torshov, hij kende er niemand, niemand kende hem en langzamerhand ontdekte hij dat hij op die vroege ochtendwandelingen iets kreeg wat Strindberg ooit *onbekende kennissen* had genoemd. Dat waren mensen die hij elke dag ontmoette, maar met wie hij niet praatte. Je herkende elkaar, je knikte elkaar toe en dat was het. Een oude man met een grote, speelse golden retriever. Een jonge, knappe moeder op weg naar de crèche met twee kinderen van vier en vijf jaar. Het kind van vier ging bijna altijd op dezelfde plek op straat liggen brullen dat ze niet verder wilde lopen. Ze wilde gedragen worden. Ze lag daar op de weg, dik ingepakt in een felroze skipak, felroze laarzen en een felroze muts met konijnenoren. En de moeder en het een jaar oudere zusje hadden iets rustigs en ernstigs over zich terwijl ze zich naar het kleine meisje omdraaiden en geduldig wachtten tot zij er genoeg van kreeg om op de weg te liggen brullen. Met tegenzin stond ze dan op en liep naar haar moeder en zusje toe.

Jon herkende een schrijversechtpaar op weg naar hun ontbijt. Elke ochtend ontbeet het echtpaar samen in dezelfde koffiebar. Af en toe hielden ze elkaars hand vast en hij vroeg zich af of ze het goed hadden samen. Ja, hij herkende hen en zij herkenden hem. Maar ze respecteerden elkaars privacy en geen van hen zou op het idee komen om halt te houden en te zeggen *Hallo* of *Hoe gaat het* of, nog erger: *Wat toevallig dat ik jou/jullie hier elke dag zie. Woon je/ Wonen jullie hier soms in de buurt?* Dat zou alles bederven. Het echtpaar zou ergens anders gaan koffiedrinken en Jon zou ergens anders met de hond gaan lopen. Een knikje. Een vriendelijke (maar niet uitnodigende) glimlach. De onbekendekennissenkring, Jons favoriete (en enige) kennissenkring, had ongeschreven regels. De belangrijkste regel was dat je niets ondernam, niet met blikken of met woorden, wat als een toenaderingspoging kon worden opgevat, dat je binnen de grenzen bleef van het absoluut onpersoonlijke. Dat ging doorgaans goed, hoewel een hondeneigenaar soms die grens overschreed door te vragen:

'Is het een reu of een teef?'

Niet alleen bleef Jon dan het antwoord schuldig, hij wist ook niet goed wat het juiste antwoord was. Hij wist uiteraard wel wat het geslacht was van zijn hond. Maar hij vroeg zich af of het feit dat Leopold een reu was, góéd was (de andere hond wordt namelijk elke keer hitsig als hij een teef ontmoet en de hondeneigenaar wil een eventueel pijnlijke situatie vermijden), of slécht (de andere hond, of het nou een reu is of een teef, voelt zich bedreigd door andere reuen, alsof die andere reuen daar wat aan kunnen doen). Er zijn eigenlijk, dacht Jon, veel situaties waarin honden elkaar beter niet kunnen ontmoeten en aan elkaar snuffelen, zoals honden gewend zijn te doen. Of hond A berijdt hond B tegen de zin van hond B, of hond C ontwikkelt een onmiddellijke en ondubbelzinnige antipathie tegen hond D en die antipathie komt tot uiting doordat hond C hond D naar de strot vliegt; of anders raken de honden A, B, C en D zo opgewonden en/of verward door de ontmoeting dat ze om elkaar heen gaan draaien en de eigenaren de grootste moeite hebben de knoop te ontwarren.

Het liefst had Jon alle prietpraat die het natuurlijke gevolg is van het hebben van een hond willen vermijden, en hij stelde Leopold daarom voor om zich ook als hond terug te trekken in een soort van onbekendehondenkennissenkring. Dat wilde zeggen: geen gesnuffel. Geen gelebber. Alleen wat vriendelijk gekwispel op afstand, en dan verder lopen.

Jon koesterde alleen maar goede gedachten over al die nieuwe mensen die hij elke dag op weg naar de slager en het park tegenkwam en het was een grote opluchting voor hem dat hijzelf zijn privacy niet in gevaar had gebracht door bijvoorbeeld een poging te doen de jonge, knappe moeder naar zich toe te kijken. Dat hij het niet wilde. Dat het niet hoefde. Dat het geen reflex was.

Zijn mobiel piepte. Hij wurmde hem uit zijn broekzak.

Het ergste is niet te weten wat er is gebeurd, wat er van haar is geworden. Het op een na ergste is dat het vandaag een nieuwe dag is en dat er morgen weer een nieuwe dag aanbreekt. A.

Jon had op zijn favoriete bankje plaatsgenomen en maakte in de herfstzon notities voor zijn roman (hij had altijd een notitieboekje bij zich, hij vertrouwde er niet meer op dat hij onthield wat hij wilde onthouden; verschillende keren had hij meegemaakt dat hij iets had gezien of gehoord of nota bene bedacht, een nieuw inzicht misschien, wat hij belangrijk had gevonden en dat het, toen hij de daaropvolgende dag achter het scherm ging zitten, totaal verdwenen was. Hij kon het gevoel van opwinding dat het inzicht hem had gegeven terugroepen, maar het inzicht zelf was hij vergeten. En daarom, omdat hij dingen vergat, ook de belangrijke dingen, had hij altijd een notitieboekje in zijn zak waar hij zo vaak mogelijk in schreef).

Op zijn werkkamer thuis had hij zijn oude werkfiles doorgenomen en was hij de notities tegengekomen over Herman R., de man die een verhaal wilde vertellen en er al doende in geslaagd was de hele wereld tegen zich in het harnas te jagen.

Nadat Herman R. Buchenwald had overleefd, had hij op zeventigjarige leeftijd van zijn leven een verzinsel gemaakt over een meisje dat appels over het prikkeldraad gooide. Maar hij had zo veel kunnen vertellen. Hij was van zo veel dingen getuige geweest. Waarom dan dat kleine meisje? Waarom die appels? Was het uit liefde? Het geloof in die ene, de ware? Dat zijn geliefde niet ver van hem vandaan was, hoe dicht de duisternis ook was die hem omgaf?

Of was het iets anders? Machteloosheid? Was dat kleine verhaaltje misschien het enige wat hij kon vertellen? Het kleine verhaaltje over een kleine wereld waarin het meisje met de appels nooit ver weg is? Waarom zou hij dat niet mogen vertellen? Herman R. was niet op de wereld gekomen om de wereld te doorgronden. Tijd, plaats en omstandigheden hadden hem genadeloos in de grote geschiedenis gestort, terwijl Herman R. veel liever in de kleine had willen zijn. Maar, dacht Jon, mocht je het jezelf wel *zo gemakkelijk maken*? Mocht je je toevlucht nemen tot kitsch?

Als dat piepkleine verhaaltje over het piepkleine meisje dat appels gooide over de streng bewaakte, onder stroom staande prikkeldraadversperring rond Buchenwald de rest in vergetelheid deed storten of in iets vrolijks veranderde, ja, wat dan?

'Denk je dat het zo is?' fluisterde Siri en ze draaide zich naar hem om. Hij had gedaan alsof hij sliep, ze hadden elkaar die zomer in Gloucester, vele, vele jaren geleden, de hele nacht wakker gehouden. Eerst had hij verhalen verteld en toen had zij verhalen verteld en daarna had ze gefluisterd:

'Denk je dat het zo is, jij bent immers schrijver (en toen lachte ze even en hij herinnerde zich dat hij zich afvroeg waarom ze lachte, maar hij hield zijn ogen gesloten en kneep in haar hand als om te zeggen ik slaap maar ik slaap niet), dat je schrijft om een ander te worden en dat het worden van een ander hetzelfde is als jezelf kwijtraken, of kan het iets meer betekenen? Kan het ook de noodzaak betekenen om buiten jezelf te treden en in een ander plaats te nemen, diens plaats in te nemen en met die ander mee te voelen, mee te leven, mee te ademen?'

Toen oktober overging in november, moest Jon zijn wandelingen naar Torshov (naar de slager, de koffiebar en het park) maken zonder Leopold. De wandelingen met de hond werden steeds korter, tot er uiteindelijk slechts een paar plasrondjes in de buurt overbleven. Leopold trok niet meer aan de riem. Jon herinnerde zich de kracht in het grote lijf. De gevechten die Leopold en hij hadden gevoerd over hoe Leopold zich eigenlijk hoorde te gedragen. Maar nu wilde Leopold niet meer vechten, angstvallig kleefde hij zich vast aan Jon als ze uit gingen, dankbaar en onderworpen.

Jon kocht kippenorganen, hart, lever, nieren en ander orgaanvlees, maar de laatste tijd snuffelde Leopold alleen maar aan het eten om zich vervolgens in een hoek van de kamer terug te trekken en verder te slapen. Na het laatste onderzoek had de dierenarts Leopold over zijn buik gestreeld en gezegd:

'We kunnen niet meer zo veel doen, hij heeft geen pijn, hoewel dat van de ene dag op de andere kan veranderen, het is al behoorlijk uitgezaaid', en toen had hij Siri en Jon aangekeken en gezegd:

'Het is nu van belang om een zo prettig mogelijke kersttijd te hebben, jullie moeten hem aaien en zijn poten masseren en je erop voorbereiden dat je in het nieuwe jaar een paar moeilijke beslissingen moet nemen.'

Jon werd tegenwoordig vroeg wakker. Dat was nieuw. Hij stond al voor zes uur op, douchte, ontbeet en dronk staande bij het aanrecht een kop koffie, hij floot Leopold en dan gingen ze op pad. Toen Leopold ziek werd, kwam er een wijziging in zijn gewoontes. Eerst nam hij Leopold mee naar buiten voor een klein rondje om het huis en daarna maakte hij zijn grote wandeling naar Torshov, en als hij weer thuiskwam, ging hij zitten schrijven.

Nu was het december en was hij terug in Mailund, en ook hier werd hij vroeg wakker. Hij sloeg zijn ogen open en eventjes was alles blanco. Hij was niemand. Geen gedachten. Geen vlees. Geen slaap. Niet wakker. Voordat alles terugkwam. Voordat hij alles weer wist. De lichte fase tussen zijn en niet zijn.

Het eerste wat hij deed als hij wakker was, was zijn hand uitsteken en Siri aanraken, ze duwde hem niet weg, ze deelden het bed, maar meestal draaide ze zich om en sliep verder. Zij was weer gaan dromen. Nare dromen waar ze midden in de nacht van wakker werd, en soms vertelde ze hem erover, maar soms ook niet. De dromen begonnen toen Jenny was gestorven. *Ik had meer moeten doen*, zei ze en ze ging rechtop in bed zitten. Jon pakte haar hand beet en drukte die op de manier die ze herkende, zo had hij haar hand gedrukt in Gloucester als ze niet kon slapen, toen ze naast elkaar in het donker lagen en elkaar verhalen vertelden. Siri ging weer liggen, maar kwam niet tot rust. Ze had meer moeten begrijpen! Ze had beter moeten opletten! Ze had nog zo veel moeten zeggen. Maar nu was haar moeder dood en wat gezegd was, was gezegd, het was nu niet meer mogelijk om alles terug te nemen en opnieuw te beginnen. En dan was Alma er nog.

We moeten het over Alma hebben.

Jenny stierf slechts een paar dagen voordat Mille door drie jongens in het bos werd gevonden. De jongen die ze KB noemden, werd onmiddellijk opgeroepen voor een nieuw verhoor, zijn status veranderde van getuige in verdachte en hij werd in voorlopige hechtenis genomen.

Maar niemand wist wat Jenny Siri een paar dagen voor haar dood had verteld, namelijk dat ze Mille die avond op de weg had gezien.

'Ik weet wat ik heb gehoord, Jon. Ik weet waar ze het over had. Zó gek was ze niet. Af en toe denk ik dat ze alleen maar deed alsof.'

'Alsof wat?'

'Alsof ze gek was.'

'Waarom zou ze dat doen?'

'Om ervan af te zijn', zei Siri. 'Gewoon om ervan af te zijn. Denk eens even na hoe bevrijdend dat kan zijn. *Ik ben knettergek en kan nergens verantwoordelijk voor worden gehouden. Ik maak niet langer deel uit van de menselijke gemeenschap.*'

'Ik geloof niet dat dat zo was', zei Jon.

Siri fluisterde:

'Niet alleen reed mama dronken rond met Alma in de auto... Alma had dood kunnen zijn, mama had tegen een boom kunnen rijden en Alma laten verongelukken... Alma had dood kunnen zijn!'

Jon knikte.

'...en vervolgens kom ik te weten dat mama en Alma de laatsten kunnen zijn geweest die Mille levend hebben gezien. Maar heeft ze er iets over verteld? Nee! En hoe zit het met Alma? Wat heeft Alma gezien? Wat moeten wíj tegen Alma zeggen? Denk je dat Alma iets heeft gezien? Wat moeten we tegen de politie zeggen? En tegen Amanda? Ze belt en ze sms't en wij zeggen niets. O nee. Ze is een beetje lastig, nietwaar? Met haar verdriet en haar telefoontjes. Want wat kunnen we meer doen dan ons medeleven uitdrukken? Wat betekent dat nou? Amanda zegt: Jullie weten iets over mijn dochter wat jullie niet vertellen. En wij zeggen dan nee, dat is niet zo, en dan zeggen we tegen elkaar dat het verdriet haar gek heeft gemaakt. Ze stuurt sms'jes, ze belt en verbreekt de verbinding, ze valt ons lastig en wij accepteren het omdat ze haar dochter kwijt is. Maar het feit blijft dat ze gelijk heeft! Ze heeft gelijk. We weten iets, maar we vertellen het niet en ik weet niet wat we moeten doen.'

'Hoe dan ook,' zegt Jon zachtjes, 'het had toch geen verschil gemaakt. Wat we weten, bedoel ik. Ze is hoe dan ook dood.'

'Dat is niet waar, Jon', zei Siri. 'Het is niet waar wat je zegt, dat het toch geen verschil had gemaakt. Dat is niet waar!'

'Wat ik bedoel,' zei Jon, 'is dat niemand zich had kunnen voorstellen waar die KB toe in staat was, als hij inderdaad de dader is, en daar twijfelt toch niemand meer aan? Hij verkrachtte haar, achtervolgde haar met de auto, vermoordde haar en begroef haar in het bos. Dat weten we. Hij heeft het gedaan. En over hem weten we niets... behalve dan dat hij tot die avond zogenaamd een heel gewone jongen was.'

Siri en Jon hadden dit gesprek, of variaties erop, al gevoerd sinds Jenny de dag voor haar dood die bekentenis had gedaan. Misschien, zei Jon tegen Siri, had Jenny het over iets heel anders gehad. Daar zouden ze nooit achter komen. Maar Siri mocht niet vergeten dat het onmogelijk was te begrijpen wat Jenny zei toen ze op haar sterfbed lag, ze had ze niet meer allemaal op een rijtje, het was volgens Jon ook niet zo dat ze deed alsof ze gek was, nee, ze wás gek, en misschien had Siri zich gewoon ingebeeld dat ze Mille op de weg hadden gezien, misschien had Siri zich door angst en vrees laten beïnvloeden waardoor alles met de rampspoed verweven raakte.

'En juist daarom', zei Jon, 'moeten we Alma niet gaan lastigvallen met allerlei ondervragingen. Geen oude wonden openrijten. Niet vragen wat ze wel of niet kan hebben gezien toen ze meer dan twee jaar geleden bij oma in de auto zat.'

Jon zweeg even. Toen zei hij:

'De waarheid... de waarheid is dat Jenny raaskalde.'

'Ik weet het niet', zei Siri. 'Ik weet niet of ze raaskalde.'

'Ze kan van alles hebben bedoeld', zei Jon. 'We hebben destijds allemaal een verklaring bij de politie afgelegd. Weet je nog? Alma ook. Niemand had Mille gezien. Moeten we Alma er nou echt weer opnieuw bij betrekken?'

Irma had het laatste gesprek tussen Siri en Jenny op haar manier opgevat. De dag na de scène in de slaapkamer had ze Jon gebeld om te zeggen dat Siri nu *een grens was gepasseerd.*

'Welke grens dan?' vroeg Jon.

Siri had geschreeuwd, volgens Irma. Siri had haar moeder door elkaar geschud. Siri had zelfs op het punt gestaan haar eigen moeder om te brengen.

Dat was Irma's versie. Zo zag Irma het.

In dat verband wilde Irma wijzen op de afspraak tussen Siri's moeder en zichzelf, namelijk dat Irma voor Jenny zou zorgen op de manier die zij het beste achtte *wanneer de dag aanbrak dat Jenny niet meer voor zichzelf kon zorgen*, en die dag was nu gekomen, zei ze, en ze wilde er bij Jon en Siri op aandringen dat ze de laatste wens van een zieke vrouw respecteerden en zich niet meer in Mailund vertoonden. Irma zag het als haar plicht om voor Jenny te zorgen gedurende de tijd die ze nog te leven had en daarom had ze besloten Siri te verbieden op bezoek te komen.

'Je kunt Siri helemaal niets verbieden', zei Jon. 'Dat kan niet! En die beschuldigingen van jou tegen Siri zijn pure flauwekul. Het is gewoon vals!'

'Ik was daar, ik heb gezien wat ik heb gezien', zei Irma.

'Je kunt Siri hoe dan ook niet verbieden haar moeder te bezoeken.'

'O nee?' zei Irma, waarna ze de hoorn op de haak smeet.

De volgende dag was Jenny dood. Irma stuurde een sms, stelde Jon op de hoogte en liet hem de boodschap doorgeven aan zijn vrouw. De ceremoniële kant van de zaak liet ze aan de familie over.

Vervolgens schreef ze:

Mijn taak is volbracht.

Na de crematie had Irma haar koffers gepakt, ze voerde de eenden in de dichtgegroeide vijver voor de laatste keer, ze bracht de hond en de cavia onder bij een kennis in de Bragevei en vervolgens vertrok ze en niemand zag haar ooit meer terug. Jon dacht dat hij had gehoord dat ze ergens in het skioord Hemsedal zou wonen, maar bij nader inzien dacht hij dat hij het verkeerd moest hebben gehoord of begrepen. Hij bladerde door zijn notities. Hij herinnerde zich dat hij het had opgeschreven. *Irma in Hemsedal?* Ja, inderdaad. Het stond er. Irma met haar reuzenlichaam, Irma met haar engelengezicht, Irma met haar lange krullen de skihelling afsuizend.

Het werd een rustige kerstavond met de kinderen en het bleef maar sneeuwen. Jon, Alma en Liv gingen op 24 december 's ochtends vroeg het bos in om een boom om te hakken. Ze liepen door het bos en elke keer als Jon zei: Kijk, dat is een mooie kerstboom voor ons, antwoordde Liv: Nee, hoor. Dat is geen goede kerstboom. En dus liepen Jon, Alma en Liv weer verder, ze passeerden open plekken in het bos die met sneeuw bedekt waren en ze passeerden het groene ven, dat niet groen was maar wit, net als de rest. Jon keek naar het ijs en zei:

'Misschien kunnen we hier een keer gaan schaatsen.'

'Nee', zei Alma.

Hij keek om naar de meisjes. Ze waren dik ingepakt, droegen een jas, muts en wanten. Alma schudde haar hoofd en nam Livs hand in de hare.

Jons mobiel piepte. Hij groef in zijn jaszak en haalde hem tevoorschijn.

'Nee', herhaalde Liv.

Kerstmis is de moeilijkste tijd van het jaar. Dat kun je je zeker wel voorstellen. A.

Jon stopte zijn mobiel terug in zijn zak. Hij keek naar Alma. Hij keek naar Liv. Ze stonden in de sneeuw tegen hem te roepen.

'Dat gaan we niet doen', zei Liv.

'Wat gaan we niet doen?' vroeg Jon.

'We gaan hier niet schaatsen', zei ze terwijl ze haar ogen ten hemel sloeg. Echt iets voor papa om niet naar haar te luisteren. Echt iets voor papa om als enige niet te snappen wat voor alle anderen zo voor de hand lag: dat er geen sprake van kon zijn om hier in het bos te gaan schaatsen.

Jon, Alma en Liv liepen verder. Ten slotte bereikten ze een open plek met in het midden ervan een spar, daar bleef Liv staan en wees.

'Daar', zei ze. 'Daar staat onze kerstboom', en Alma en Jon knikten, Jon ging aan de slag en hakte de boom om terwijl zijn dochters toekeken.

Siri maakte een traditionele kerstmaaltijd klaar met gestoomde schapenribben en koolraapstamppot, kerstworst en amandelaard-appeltjes, en Leopold kreeg niertjes, waar hij altijd verzot op was, maar nu snuffelde hij wat aan zijn etensbak en liep weer terug naar de open haard waar hij op zijn oude kleed ging liggen. De grote kop tussen de poten. Het lange, magere lijf. De doffe, zwarte vacht met de witte vlek op de borst. Jon kreeg opeens aandrang om te gaan huilen. Hij keek naar buiten, naar de sneeuw die in de duisternis viel en hij herinnerde zich de zomer van tweeënhalf jaar geleden toen Siri in de mistige tuin te midden van al die wapperende witte tafelkleden tussen de tafels rondzweefde.

De nacht van eerste kerstdag verliep rustig. De kinderen sliepen. Siri sliep. En Jon werd zoals gewoonlijk 's ochtends vroeg wakker. Hij stond op, kleedde zich in het donker aan en sloop de kamer uit. De brede trap slingerde zich vanaf de zolder naar beneden naar het souterrain. Nog niet zo lang geleden zou Leopold onder aan de trap op hem hebben staan wachten, of het nu hier in Mailund was of thuis in Oslo. Nu lag hij op zijn kleed in de woonkamer te slapen. Jon ging naar hem toe, boog voorover, aaide hem over zijn kop en fluisterde:

'Dag, ouwe jongen. We gaan uit. Ga je mee?'

Leopold opende zijn ogen en keek hem aan.

'Nu gaan we uit', zei Jon. 'Kom, vooruit. Opstaan.'

Leopold kwam langzaam overeind, wankelde een beetje en kwispelde alsof hij Jon en zichzelf ervan wilde overtuigen dat hij klaar was voor de wandeling. Het was nog donker toen Jon het hek opendeed en de weg op liep met Leopold aan zijn zijde.

De crematieplechtigheid verliep grotendeels zoals Jenny zelf had bepaald. Ze was gekleed in een rode zijden jurk en hooggehakte zwarte pumps, met op haar borst de zwarte handtas die ze zo mooi had gevonden.

Jon was met Siri mee geweest naar het gesprek met de dominee die de plechtigheid zou leiden. De dominee, een vrouw die Bente heette, zei dat ze zich erop verheugde iets meer over Jénny te weten te komen.

Het viel hem op dat ze de naam benadrukte, waarschijnlijk om te laten merken dat ze echt meeleefde.

'Dag Síri', zei Bente, met haar armen uitgestoken.

Siri was teruggedeinsd en Jon had haar in haar hand moeten knijpen om te voorkomen dat ze er niet meteen weer vandoor ging.

In het kantoor van de dominee gingen ze alle drie op een eenvoudige stoel aan een bruine formica tafel zitten, Siri en Jon kregen een kartonnen beker met koffie die uit een wit met rode thermoskan werd geschonken. Bente was nieuw hier, ze had het grootste deel van haar leven in Trondheim gewoond, ze was een jaar of vijfendertig en had lang, donker krullend haar dat was opgestoken en met een grote bloemenspeld was vastgezet. Haar lippen waren iets te fel aangezet en ze droeg een bril met kleurige strepen op het montuur. Siri had diezelfde ochtend in *Aftenposten* een interview met haar gelezen en wilde de hele toestand het liefst afblazen.

De aanleiding tot het interview waren de ontdekking van Milles lichaam en de voorlopige hechtenis van KB als verdachte van een haast onbeschrijfelijke misdaad (verkrachting en moord, de politie wilde niet ingaan op de beweringen dat Mille levend begraven was).

Hoe gaat een kleine gemeenschap nu om met zo'n tragedie, vroeg de journalist, dat een doodgewone jongen die iedereen kende, zoiets onbegrijpelijks had gedaan?

Bente had zich uitgesproken over het kwaad. *Het kwaad zit overal, maar met elkaar kunnen we ertegen strijden.* Ze had zich uitgesproken over het goede. Ze had zich uitgesproken over het nieuwe Noorwegen en ook een beetje over het nieuwe Europa. Ze had zich uitgesproken over sociale media. *Wat heeft het voor zin dat wij met de hele wereld kunnen communiceren als we vergeten om met elkaar en met God te communiceren?* Ze had zich uitgesproken over verdriet. Ze had zich uitgesproken over vergeving. En ze had zich uitgesproken over inleving. Maar in de allereerste plaats had ze zich uitgesproken over haar eigen moeilijke rol in situaties als deze... het was een last die ze niet kon weigeren... om een steun te zijn voor de plaatselijke bevolking die geschokt en verdrietig was.

Ze had voor de kerk geposeerd met een ernstige blik achter het kleurige montuur en met dezelfde bloemenspeld in het haar.

Nu zaten ze hier, Siri, Jon en Bente, en Bente zei:

'Ik weet natuurlijk dat Jénny grote plaatselijke bekendheid genoot toen ze nog werkte in de boekwinkel, die misschien wel de beste collectie vertaalde buitenlandse literatuur had buiten de grote steden. Dat klopt toch?'

Siri perste haar lippen op elkaar en knikte.

Bente leunde over de formica tafel en glimlachte naar Jon.

'Jón.'

Jon schrok op toen hij haar zijn naam hoorde uitspreken.

'Jón', herhaalde ze. 'Jij bent toch schrijver, of niet?'

Jon wierp Siri een blik toe, haar neus en wangen waren lichtrood.

'Ik ben schrijver', zei Jon.

'Ik heb een boek van je gelezen', zei Bente. 'Ik vond het prachtig. Dat was het boek met iets van háár in de titel... jouw haar?... iets met haar...'

Ze glimlachte verontschuldigend.

'Je weet toch welk boek ik bedoel?'

'Nee', zei Jon en hij schudde zijn hoofd. 'Ik heb nooit een boek geschreven met haar in de titel.'

'O nee?' zei Bente. 'Is dat niet zo? Ach, dan ben ik in de war.'

'Misschien,' zei Jon terwijl hij naar Siri keek, 'misschien kunnen we het nu over Jenny hebben en wat je tijdens de dienst gaat zeggen?'

'Ja, dat is goed', zei Bente. 'En ik wil het ook graag over haar kleinkinderen hebben. Jullie hebben toch kinderen?'

'Ze heten Alma en Liv', zei Siri toonloos.

'Álma en Lív', zei Bente met een glimlach. 'Kunnen jullie wat over hen vertellen en wat hun oma voor hen betekende?'

En zo zaten Siri en Jon dan in de bijna volle kerk, ze hielden elkaars hand vast en tijdens Bentes preek drukten ze die nog harder, Jon durfde Siri niet aan te kijken, maar hij kon haar woede voelen, haar verdriet. Ook dat ze bang was. Het was te voelen als een trilling vlak onder haar huid. Toen hij aan de beurt was om een toespraak te houden, moest hij zijn hand uit de hare losmaken. Hij stond op en liep naar het altaar, hij dacht dat hij Siri's blik op zich gericht voelde. Hij bleef een ogenblik bij de kist stilstaan voordat hij het spreekgestoelte besteeg en zijn keel schraapte.

'Ik heb geprobeerd dit te vertalen', zei hij. 'Maar het werd niet zo goed. Daarom zal ik het in de originele taal lezen. Strindberg moet je in het Zweeds lezen. Het komt uit het boek *Eenzaam*, en ik begin midden in een zin, dat zou Jenny wel aardig gevonden hebben, denk ik.'

Hij glimlachte. En toen las hij in het Zweeds:

...was het me opgevallen dat ze niet meer zo snel lachten als vroeger en dat ze zich wat voorzichtiger uitdrukten. Ze hadden de macht en de waarde van het gesproken woord leren kennen. Het leven maakt een mens niet milder in zijn oordeel, maar inmiddels is hij wel zo verstandig geworden dat hij heeft leren inzien dat het effect van zijn woorden op zwart-witbeelden te vangen is, maar dat men halftinten moet gebruiken om zijn mening over iemand zo precies mogelijk te kunnen weergeven.

Na de crematie nodigde Siri het hele gezelschap uit voor een hapje en een drankje in de oude bakkerij en toen Jon, Siri en de kinderen die oktoberavond terugwandelden naar Mailund, zei Jon:

'Wat zou Jenny hebben gezegd als we haar hadden kunnen horen?'

'Ik denk dat ze zou zeggen: *Krieg ist ein Jammer*', zei Alma.

'Ik denk dat ze zou zeggen: Wie woont er in dit huis?' zei Siri.

'Ik denk dat ze zou zeggen: Al dat geklets over liefde', zei Jon.

'Ik denk dat ze zou zeggen: Wat glimt en glanst er, maar wordt nooit een prinses?' zei Liv.

Een paar weken later moest Mille worden begraven. Siri en Jon hadden het erover of ze ook zouden gaan, maar wat moesten ze zeggen? Wat moesten ze daar doen? Het zou misschien verkeerd worden opgevat.

'Vanaf het begin hebben we het al verkeerd aangepakt', zei Siri. 'Alles. We hadden meer moeten doen.'

De dag na de begrafenis kreeg Jon een sms.

Ze hebben haar in de aarde gevonden en nu begraven we haar opnieuw. Ze was negentien jaar toen ze ons werd ontnomen en je zwijgt nog steeds. A.

Jon en Leopold hadden het eind van de weg bereikt. Ze waren niemand tegengekomen. Hier was het Leopold en hij, de weg en de sneeuw; van de rest van de wereld was niets meer over. Maar opeens werd het wat lichter, het hield bijna op met sneeuwen en op de weg doemde een kleine gedaante op. Het duurde even voor Jon hem herkende. De gedaante. Toen wist hij weer wie het was en hoe hij heette. Alleen de fiets ontbrak.

'Hoi', zei Simen.

'Hoi', zei Jon. 'Waar heb je je fiets gelaten? Ik herkende je bijna niet zonder dat ding.'

Simen rolde met zijn ogen en spreidde zijn armen.

'Ja hallo, het snééuwt, weet je wel?'

'Vrolijk kerstfeest', zei Jon.

'Jij ook een goede kerst', zei Simen.

'Heb je iets moois gekregen?' vroeg Jon.

'Ja', zei Simen.

'Wat dan?'

Simen liep in de richting van de haven en gaf met een hoofdbe-weging aan dat Jon en Leopold met hem mee konden lopen.

'Ik wil niet praten over wat ik voor Kerstmis heb gekregen', zei Simen. 'Dat heeft niets te betekenen... Weet je trouwens dat ik de-gene ben die Mille deze herfst heeft gevonden? Samen met mijn vrienden?'

Jon haalde diep adem.

'Ja, natuurlijk... jij was het, dat...'

'Hij heeft haar levend begraven', zei Simen, en hij bleef staan.

'Dat is dacht ik toch nog niet bevestigd', zei Jon.

'KB heeft het gedaan. Dat zegt iedereen. Hij heeft haar begra-ven. Hij woonde hier in het dorp en toen heeft hij haar begraven.'

'Ja', zei Jon.

Simen keek hem aan.

'Ze lag in de grond. Ze had er niet mogen liggen.'

'Nee', zei Jon.

'We zochten een schat', zei Simen.

'Ja, daar heb ik iets over in de krant gelezen', zei Jon.

'De grap is', zei Simen, 'dat Gunnar, Ole Kristian en ik van de zomer een melkbus in het bos hebben begraven...'

'Een melkbus?' zei Jon terwijl hij Simen vragend aankeek.

'Ja, een melkbus', zei Simen. 'Dat was onze schatkist. En we moesten alle drie iets waardevols in de bus stoppen. Iets wat je zou missen. Je moest echt iets opofferen. Gunnar, bijvoorbeeld, had een boek met handtekeningen van Steven Gerrard, Fernando Tor-res, Xabi Alonso en Jamie Carragher. Dat was zijn bijdrage.'

'Wat was jouw bijdrage?' vroeg Jon.

Simen gaf geen antwoord, hij boog voorover, maakte een sneeuwbal en gooide die naar een van de steigers.

'Wat was jouw bijdrage?' herhaalde Jon.

'Een sieraad', zei Simen. 'Een kruisje.'

'Was het van jou?' vroeg Jon.

'Nee, van mijn moeder', zei Simen en hij keek Jon aan. 'En ze is nog steeds heel verdrietig dat ze het kwijt is.'

'Kun je die schat dan niet gewoon weer opgraven?' zei Jon. 'Ik bedoel... kun je die melkbus niet gewoon weer opgraven en het kruisje aan je moeder teruggeven? Je kunt toch zeggen dat je het gevonden hebt, je hoeft niet te zeggen dat je het... hoe zou je het kunnen zeggen... een tijdje had geleend?'

Simen keek Jon aan en glimlachte.

'Moet ik liegen, bedoel je dat?'

'Een leugentje om bestwil', zei Jon. 'Dat is gewoon een leugentje om bestwil.'

'Ja, maar dat kan dus niet.'

'Waarom kan dat niet?'

'Ten eerste,' zei Simen, 'was de hele grap van die schat dat je hem niet zou opgraven. Dat maakte het nou juist tot een schat.'

'Ja, maar...' zei Jon. Hij wist niet goed wat hij hierop moest antwoorden.

'Ten tweede,' zei Simen, 'heb ik geen flauw idee waar de schat ligt. Dat is het probleem. Gunnar en Ole Kristian, mijn vrienden, zij wilden de schat weer opgraven, en daar zochten we naar toen we Mille vonden.' Simen schudde zijn hoofd. 'Ik wíst wel dat we op de verkeerde plaats zochten. Ik wíst dat we de verkeerde kant op waren gefietst. En nu heb ik geen idee waar ik moet zoeken.'

Simen bleef weer staan en keek Jon aan. Toen keek hij naar Leopold, die languit in de sneeuw was gaan liggen en moeizaam ademhaalde.

'Is je hond ziek? Hij ziet er ziek uit.'

'Ja', zei Jon.

'En is de oma van Alma dood?'

'Ja', zei Jon.

'En is Irma vertrokken?'

'Dat klopt', zei Jon.

'Ze was niet helemaal lekker', zei Simen. 'Mijn moeder zei dat ze een lief en aardig persoon was, ook al was ze groot en straalde ze licht uit in het donker, maar ze was niet lief en aardig.'

'Nee, misschien niet', zei Jon.

'Absoluut niet', zei Simen. Hij draaide zich om en holde weg.

Leopold lag nog steeds in de sneeuw, een zwarte vlek in een

witte wereld, en Jon trok voorzichtig aan zijn riem en zei:

'Kom, Leopold, vooruit.' Leopold tilde zijn grote hondenkop op en keek hem aan, en Jon wenste dat hij naast de hond in de sneeuw kon gaan liggen, tegen hem aan, de warmte van zijn lijf en vacht kon voelen en lekker kon blijven liggen.

'Kom, dan gaan we', zei Jon. Leopold kwam overeind en jankte een beetje, nu had hij pijn, ook al probeerde hij het niet te laten merken. Jon had hem graag willen dragen, maar de hond was te groot en te zwaar.

Ze liepen langzaam weer de heuvel op. Sneeuw en stilte. Hoe langzaam Jon ook liep, Leopold had moeite hem bij te houden en Jon zei, bij wijze van troost, dat het eigenlijk raar was dat de weg De bocht heette en niet De boch*ten*. Jon keek naar Leopold.

'Het is altijd veel, veel verder dan je denkt', zei hij. 'Maar we zijn nu bijna thuis.'

Het was 2011 geworden. Jon, Siri en de kinderen hadden een rustige jaarwisseling gevierd in Mailund. Om middernacht kwam er een sms binnen op Jons mobiel.

Ik kan nergens in geloven. A.

Liv had sterretjes gekregen en was de sneeuw in gehold. Alma had samen met haar ouders vanachter het raam naar Liv gekeken. Niemand zei wat. Het viel Jon op dat Alma was gegroeid. Het stompe, mollige aan haar was aan het verdwijnen en haar gezicht kreeg scherpere trekken. Een andere Alma. Ze maakte haar ogen zwaar op en gebruikte wit poeder voor haar gezicht, het zag er nogal dramatisch uit. Als een jongen die een meisje speelde in een middeleeuws toneelstuk. Dit jaar zou ze zestien worden. Ze noemden haar nog steeds Stompertje, maar die naam paste niet meer zo goed bij haar en zijzelf had haar ouders die naam nooit horen gebruiken.

Alle drie stonden ze rustig naast elkaar naar Liv in de sneeuw te kijken.

Alma haalde diep adem.

'Weten jullie dat ik naar de begrafenis van Mille ben geweest?' zei ze. 'Ik ben erheen gegaan. Jullie niet, maar ik wel.'

Jon en Siri draaiden zich om naar hun dochter. Ze stond nog steeds uit het raam te kijken.

'Ik heb haar die nacht gezien', zei ze.

Siri sloot haar ogen en schudde haar hoofd.

'Alma,' zei ze, 'we wisten niet...'

'Ik zat naast oma in de auto', ging Alma door. 'We reden in volle vaart over de weg en toen zei ik *stop* en oma stopte, we draaiden ons om en ik zei zoiets als daar zit Mille in de berm, zullen we haar meenemen, en oma zei *wie?* en ik dacht dat Mille misschien niet wilde dat we haar zo zouden zien, zoals ze daar in de berm zat, dat ze liever alleen was, dat het vervelend voor haar zou zijn als ze doorhad dat we haar zagen, het was nog maar een paar meter naar het huis, en ik zei *niemand*, rij maar gewoon door, het is niemand, vergeet het, en toen reed ze door.'

Siri en Jon keken Alma aan, Alma begon te huilen en toen holde Liv naar binnen terwijl ze voor de duizendste keer die dag riep: 'Gelukkig nieuwjaar allemaal!'

De volgende ochtend pakte Siri koffers en tassen in, ze haalde de bedden af, maakte de koelkast leeg, de provisiekast en de lades en ze stopte alle etenswaren in papieren zakken om mee naar Oslo te nemen, er was niet zo veel meer over, maar Siri gooide nooit eten weg. Daarna zoog ze de vloer en boende ze die, ze veegde de trap, alle treden, en nam de leuning met een vochtige doek af.

Jon was in de garage geweest en had gekeken of alles in orde was, hij had het zeil dat over de Opel lag rechtgetrokken en liep vervolgens naar de zolder, hij ruimde alle notitieboekjes op, waar hij niet veel bijzonders in had opgeschreven, en hij keek naar de cd-verzameling die van hem was en naar de collectie platen die van Jenny moest zijn geweest of misschien van Bo Anders Wallin, en toen keek hij uit het raam, naar de wei die helemaal wit was van de sneeuw. Hij herinnerde zich dat hij daar naar Alma, Liv en Mille had staan kijken en dat Alma een wilde dans had uitgevoerd, alsof ze wist dat hij daar naar haar stond te kijken.

Ze hadden tegen haar gezegd dat ze er niets aan kon doen. Wat er met Mille was gebeurd, had niets maken met het feit dat Jenny was doorgereden. Er zat geen verband tussen die twee feiten. Het was nog maar een paar meter naar het huis. Het is duidelijk dat Mille zelf had kunnen lopen. Alma mocht het zichzelf nooit, nooit, nooit kwalijk nemen.

Alma had hen allebei lang aangekeken en ten slotte had ze gezegd:

'Wat jullie zeggen is niet waar. Jullie liegen!'

Jon draaide zich om. Hij hoorde iets beneden in de gang. Het was de stofzuiger. Die dreunde niet meer.

'Jon', riep Siri zacht. 'We hebben bezoek gekregen.'

Hij liep langzaam de trap af. Hij telde elke trede en ditmaal hoopte hij dat de trap hem misschien kon opslokken. Siri keek om. Liv en Alma stonden naast haar. Zij keken ook om. Liv droeg de onzichtbaarheidsmantel die ze een keer van Siri had gekregen en die Siri van haar vader had gekregen. Liv hield een vinger voor haar mond, keek naar Jon en fluisterde *ssst.* Er stonden ook een man en een vrouw in de gang. Het waren vreemden, maar Jon wist wie het waren. Siri hoefde hen niet voor te stellen, maar ze deed het toch.

'Dit zijn de vader en moeder van Mille', zei ze. 'Dit is Mikkel en dit is Amanda.'

'Dag', zei Jon.

'Dag', zei de vrouw, die een grote, bruine leren tas over haar schouder droeg.

Jon keek Amanda aan en vroeg zich af of hij naar de sms'jes moest informeren. Of ze niet vond dat het nu genoeg was, hij vroeg zich af of hij moest vragen wat ze hier kwamen doen, in de gang van Mailund, bij zijn vrouw, hun kinderen, wat hiervan de bedoeling was. Het was een invasie. Het voelde als een invasie. Hij keek naar Alma. Die staarde naar de vloer. Hij keek naar Siri en naar Liv in haar onzichtbaarheidsmantel, hij keek naar Mikkel en Amanda. Hij dacht aan Leopold die voor de open haard lag te slapen. Deze week zou Siri met hem naar de dierenarts gaan om hem te laten afmaken. Waarom waren Amanda en Mikkel niet in hun eigen huis? Waarom waren ze hier? Het had geen verschil gemaakt: het plakboek dat hij die nacht uit het tuinhuis had gestolen, had gelezen, verscheurd en in het ven had gegooid. De foto die hij van haar had gemaakt, die ze zo mooi had gevonden, ze had immers geen foto van zichzelf als volwassene. Jenny en Alma die haar in de berm voorbij waren gereden. Niets daarvan was KB. KB was de schuldige. Een jongen die KB heette. Hij zag de grote slak voor zich die onder Milles dekbed lag. Hij keek naar Amanda en wilde iets roepen, hij wist niet precies wat, maar hij wilde roepen dat zij en haar man nu moesten vertrekken en hen met rust laten, maar in plaats daarvan liep hij op hen af en gaf hun een hand, en Siri zei:

'Ik kan iets te eten klaarmaken.'

Ze zei:

'Er is niet zo veel. Maar we moeten toch eten, hè. Af en toe vergeet je dat je moet eten en dan wordt alles zo moeilijk, ik heb brood en beleg, nog wat lekkere ham en erg lekkere jam die ik voor de kerst van Liv heb gekregen.'

Ze liet iedereen de keuken binnengaan en pakte de zakken met etenswaren uit. Ze pakte een tafelkleed en legde dat op tafel, schoof de stoelen onder de tafel vandaan en zei *Ga maar zitten, dan krijgen jullie wat te eten*, en Amanda en Mikkel, Jon, Alma en Liv gingen zitten en opeens deed Amanda haar mond open en zei:

'Ik dacht, laat ik jullie wat vragen over die zomer met Mille...'

Mikkel viel haar in de rede.

'Het is namelijk zo... het is namelijk zo dat ik elke ochtend wakker word en dan duurt het een tiende van een seconde, misschien, voordat ik besef dat ze dood is, en ik wilde maar dat het langer duurde.'

Hij keek naar de tafel.

'Ik wilde maar dat het langer duurde', herhaalde hij.

Amanda zette de grote bruine leren schoudertas op haar schoot, maakte hem open en haalde er een boek uit. Ze legde het op tafel. Op de omslag stond een zwart-witfoto van een klein meisje met donkere krullen, donkere ogen en een iets te grote gestippelde onderbroek. Amanda praatte langzaam.

'Dit boek heb ik lang geleden gemaakt voor een tentoonstelling. Ik dacht dat jullie het misschien wilden bekijken.'

Het moest zomer zijn geweest toen de foto werd genomen, dacht Jon. Het meisje droeg alleen maar die gestippelde onderbroek en ze was bruin (dat kon je zien, ook al was het een zwartwitfoto). De magere buik waar de ribbenkast maar net zichtbaar bovenuit stak was bruin. De lange armen en benen waren bruin. De kleine tepels waar ooit de borsten omheen zouden groeien waren bruin. Het meisje glimlachte niet, maar keek recht in de camera.

'Waarom heet het boek *Amanda's*?' vroeg Liv, die net had leren lezen en nu haar onzichtbaarheidsmantel had afgedaan.

Amanda keek haar aan en schudde haar hoofd.

'Omdat...' zei ze, '...omdat ik die foto's heb gemaakt... ik heet Amanda... dit deden Mille en ik vroeger toen ze iets jonger was dan jij.' Amanda knikte naar Liv. 'Een zomer heel lang geleden.'

'Ik vond haar heel aardig', zei Alma en ze bladerde door het boek. 'Maar ze zag er heel anders uit dan op deze foto's.'

Ze legde het boek neer en keek Amanda en Mikkel aan.

'Ze was mooi. Ze leerde mij smokey eyes maken. En ik weet nog dat we samen dansten. Ze vertelde me dat ze in God geloofde en dat ze heel vaak tot God bad, en ze vertelde me dat ze met jou steen, papier en schaar speelde.'

Alma knikte naar Mikkel en Mikkel knikte terug.

'Ja', zei Siri. 'We moeten met elkaar praten.'

Ze maakte een gebaar met haar hand.

'Maar zullen we niet eerst wat gaan eten? Alles staat klaar. Eet smakelijk.'

Jon keek naar de tafel die Siri had gedekt terwijl de anderen naar het boek hadden gekeken, en hij keek naar het zwart-witte meisje dat hem aanstaarde. Hij pakte een boterham en nam een hap. Het smaakte goed, het was vers brood. Hij zei:

'We hebben Mille alleen maar die ene zomer gekend.'

Hij keek Amanda en Mikkel aan.

'Maar misschien kunnen jullie wat over haar vertellen. We hebben veel vragen. Er zijn zo veel dingen die we niet weten.'

'Maar wij hebben ook veel vragen', zei Amanda. 'Daarom zijn we hier. Willen jullie me die sms'jes die ik jullie heb gestuurd alsjeblieft vergeven, al die telefoontjes? Vooral jij, Jon. Ik heb ze naar jou gestuurd. Zo ben ik niet. Vergeef me alsjeblieft... Het is alleen dat alles zo... Niets was meer goed. En ik heb zo veel vragen. En Mikkel heeft zo veel vragen. We kunnen er niet van loskomen. We kunnen niet verder.'

Siri keek naar Alma, ze keek naar Jon en Liv en naar de twee mensen die zojuist gekomen waren en ze zag dat ook zij eten op hun bord hadden gelegd en toen zei ze:

'Zullen we hier een poosje blijven zitten, wat eten en over Mille praten? Zullen we dat doen? Ja', zei ze en ze legde haar beide handen op tafel. 'Ja', herhaalde ze. 'Ik denk dat we dat maar moeten doen.'

VERANTWOORDING

Het fragment op bladzijde 30 is een vanuit het Noors vertaald citaat van enkele regels uit het gedicht 'Maximus to Gloucester – Letter 27 [withheld]', van Charles Olson.

Op bladzijde 103 wordt verwezen naar het blog van Deborah Lipstadt: lipstadt.blogspot.com.

Op bladzijde 139 staat een fragment uit het boek *Treasure Island* van Robert Louis Stevenson. Voor de Nederlandse vertaling is gebruikgemaakt van de vertaling van Theun de Vries: Robert Louis Stevenson, *Schateiland*, Uitgeverij Contact, s.a.

Op bladzijde 141 staat een fragment uit het lied 'Seeräuber Jenny' van Berthold Brecht. Voor de Nederlandse tekst is gebruikgemaakt van de vertaling van Geert van Istendael uit 2011 voor het Nationaal Toneel.

Op bladzijde 147 staat een deel van het lied 'What Power Art Thou', ook bekend onder de naam 'The Cold Song', van John Dryden. (Uit het libretto van Purcells opera *King Arthur*). In de Nederlandse tekst is gebruikgemaakt van de originele Engelse tekst.

Op bladzijde 209 staat een citaat uit het boek *Georgica* van Vergilius. Voor de Nederlandse tekst is gebruikgemaakt van de Nederlandse vertaling van Piet Schrijvers: Vergilius, *Georgica – landleven*, Historische Uitgeverij, 2004 (enigszins bewerkt).

Op bladzijde 233 wordt een fragment gebruikt uit *Alice in Wonderland* van Lewis Caroll. Voor de Nederlandse tekst is gebruikgemaakt van de vertaling van Nicolaas Matsier: Lewis Caroll, *Alice in Wonderland*, Van Goor, 1994.

Op bladzijde 290 staat een fragment uit het boek *Ensam* van August Strindberg. Voor dit fragment is gebruikgemaakt van de vertaling van Cora Polet: August Strindberg, *Eenzaam*, Meulenhoff, 1981.